Contents

iPadを使い始めよう

Chapter 1

初期設定をしよう

Chapter 2

操作の基本をマスターしよう

Chapter 3

アプリの基本をマスターしよう

Chapter 4

定番の標準アプリを使いこなそう

Chapter 5

SNSやテレビ電話でコミュニケーションを楽しもう

Chapter 6

充実のエンタメ機能を楽しもう!

Chapter 7 iPadで仕事が捗る

Chapter 8 iPadで写真やムービーを撮影しよう

Chapter 9 困ったときのQ&A

Appendix

iPadを使い始めよう

iPadはAppleが発売しているタブレット型の機器です。シンプルかつスタイリッシュなボディには最先端のテクノロジーが詰め込まれています。液晶パネルを指で操作し、画面内のキーボードで文字を打つこともできます。ネットにつなげば動画や音楽が、電子書籍を楽しむことができます。もちろん仕事にも強い味方になってくれることでしょう。別売のキーボードを装着すれば入力はさらに楽になるでしょう。Apple Pencilという手もあります。アナタもこの本でiPadを使いこなしてください。

本書では「基本」を丁寧に解説しています!

iPadでこんなに楽しめる!

インターネットを楽しむ

SafariでiPadの大きくて美しい画面でインターネットを楽しめます。調べもの、ショッピング、最新ニュースなど世界は広がっています。

P.063

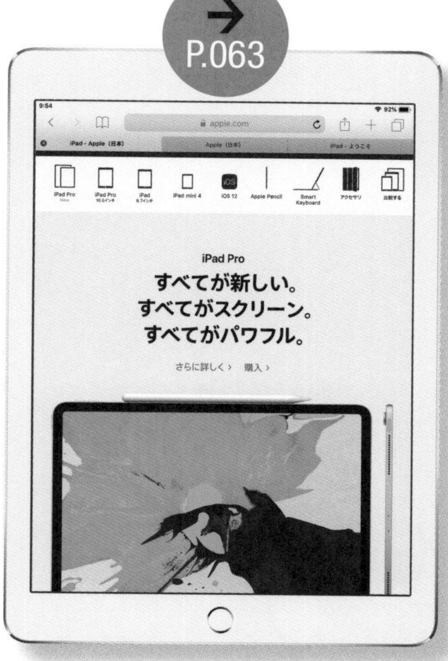

便利なメールをやり取りする

友達や家族とメールのやり取りをしましょう。親しい人に写真を添付して送ったり、メールマガジンを購読したりと、一度触れれば手放せません。

P.056

動画を楽しむ

YouTubeや定額観放題サービス、iTunesで映画をレンタル。iPadで楽しめる動画の世界は広大です。持ち歩けるので、どこでも楽しめます!

P.094

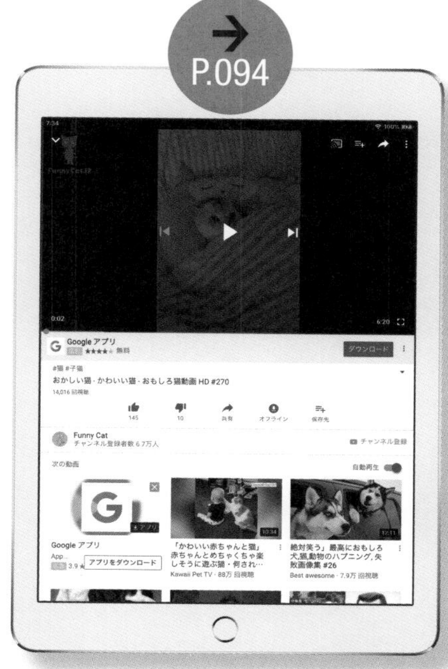

音楽を楽しむ

iPadの「ミュージック」があれば、音楽好きなら幸せになれること請け合いです。定額聴き放題の「Apple Music」など便利機能満載です。

P.086

電子書籍を楽しむ

iPadの大きな画面で漫画、小説、雑誌も思う存分楽しみましょう。iPadがあれば、重い本を持たずに済み、カバンもすっきりです。

P.102

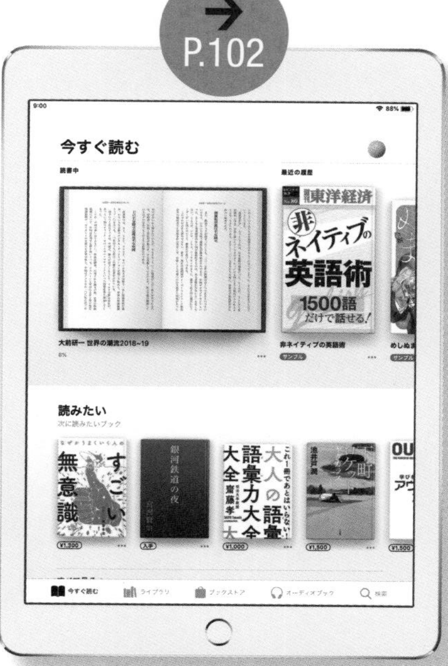

写真・動画を撮る、閲覧する

iPadのカメラで本格的な写真・動画撮影に挑戦してみませんか。iPadの大画面なら写真の整理も楽々、閲覧もより楽しくなります。

P.120

iPadで仕事がはかどる!

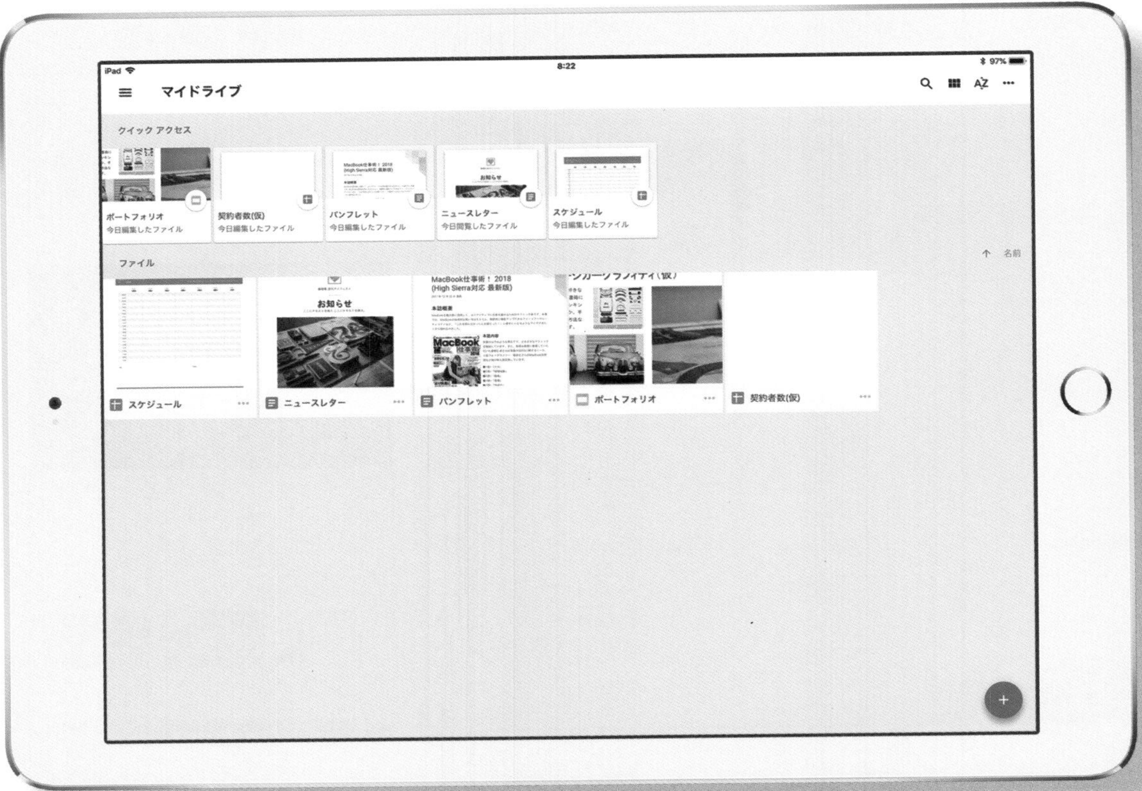

Google ドライブ

Googleドライブは Google社が提供しているオンラインストレージサービスです。15GBまで無料で使用できます。オンラインストレージサービスというのはインターネット上にあるサーバにデータを保存するサービスです。Googleの無料オフィスソフトと合わせて使えば威力抜群です!

P.106

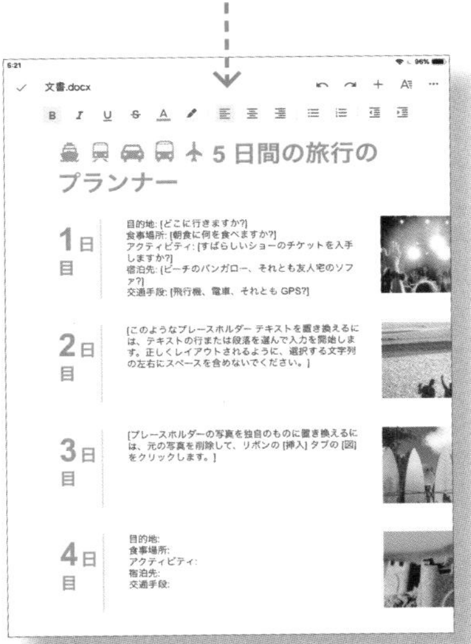

Google ドキュメント

P.112

Googleドキュメントはマイクロソフトofficeでいえば「Word」です。文書作成を担います。

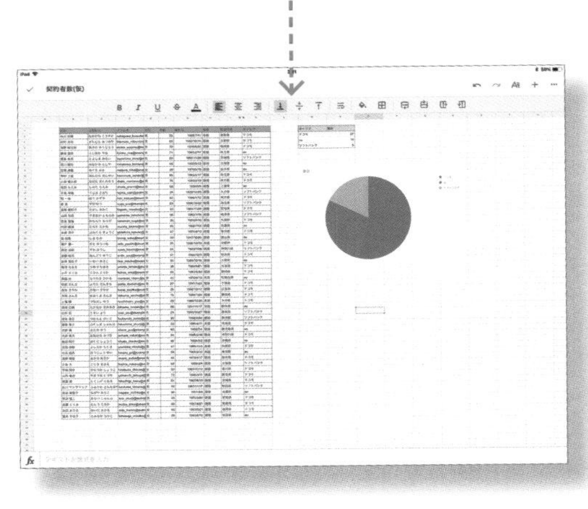

Google スプレッドシート

Googleスプレッドシートはマイクロソフトofficeでいえば「Excel」です。表計算などを担います。

P.110

Google スライド

GoogleスライドはマイクロシフトofficeでいえばPowrPoint」です。プレゼン資料作成を担います。

P.114

楽しい会話やSNSをしよう

LINE

LINEはスマホばかりでなく、iPadでも楽しめます。トークや音声通話のやり取りを楽しみましょう。

P.078

Twitter

いつでもどこでもつぶやける、それがTwitterです。140字以内で気軽につぶやいたり、写真を投稿してみましょう。

P.082

facebook

世界中の人とつながれるfacebookで実名デビューして、仲間たちと体験を共有して楽しさを倍加させましょう。

P.080

FaceTime

FaceTimeはSNSではありません。無料のテレビ電話です。親しい人と顔を見ながら語らいましょう。

P.076

まだ、いくらでもあるiPadの便利さ!

カレンダー

「カレンダー」でスケジュールを立てれば、効率的な生活を送れます!

P.072

マップ

「マップ」は多機能地図アプリ。「マップ」を使えば最短で目的地に行けるでしょう!

P.066

アプリで可能性無限大!

iPadには生活、趣味、仕事に役立つ無数のアプリが存在します。App Storeから簡単に追加することができます。

P.044

ATTENTION

本書に関する注意
（必ずお読みください）

◎本誌での記述内容は2020年12月の情報を元にしています。iPadの仕様やアプリの内容・価格、紹介したウェブサイトなどに関して、仕様や価格の変更、サービス提供の中止などが行われる場合があります。あらかじめご了承ください。

◎本書で紹介しているアプリやテクニックを誤った使用を行った場合、最悪のケースとしiPadが不調になる、あるいは動作しなくなる可能性もございます。利用する際には必ず自己責任のもとでご利用ください。また、本誌で紹介しているアプリやテクニックを使用したために生じたトラブルや損害に関して弊社では一切責任を負うことはできません。あらかじめご了承ください。

◎弊社では、本書で紹介しているアプリの使用方法に関するご質問には一切お答えできません。あらかじめご了承ください。

◎本書の内容はすべての状況下において検証されたものではなく、完全に正確であることを保証するものではありません。

◎ソフトウェア（アプリ）名、会社名、製品名などは、米国およびその他の国における登録商標または商標です。本誌において™、®マークは明記していません。

◎本書に関するご質問や、落丁本、乱丁本などの不良品につきましては、Eメール（info@standards.co.jp）にてご連絡ください。 質問に関しましては、書名、質問箇所（ページ数）と質問内容を具体的にお書きください。 ご質問の内容によってはお答えできないものや返答に時間がかかってしまうものもありますので、あらかじめご了承ください。また、本書の内容を超えるご質問にはお答えできません。 なお、お電話でのお問い合わせはお断りいたします。

◎本書は、2019年3月弊社より発行された「はじめてでも、挫折した人でも わかるiPadの超解説」を元に制作しております。また、制作にあたっては2018年春発売の9.7インチiPadを使用しております。本書は第2世代Apple Pencilには対応しておりません。

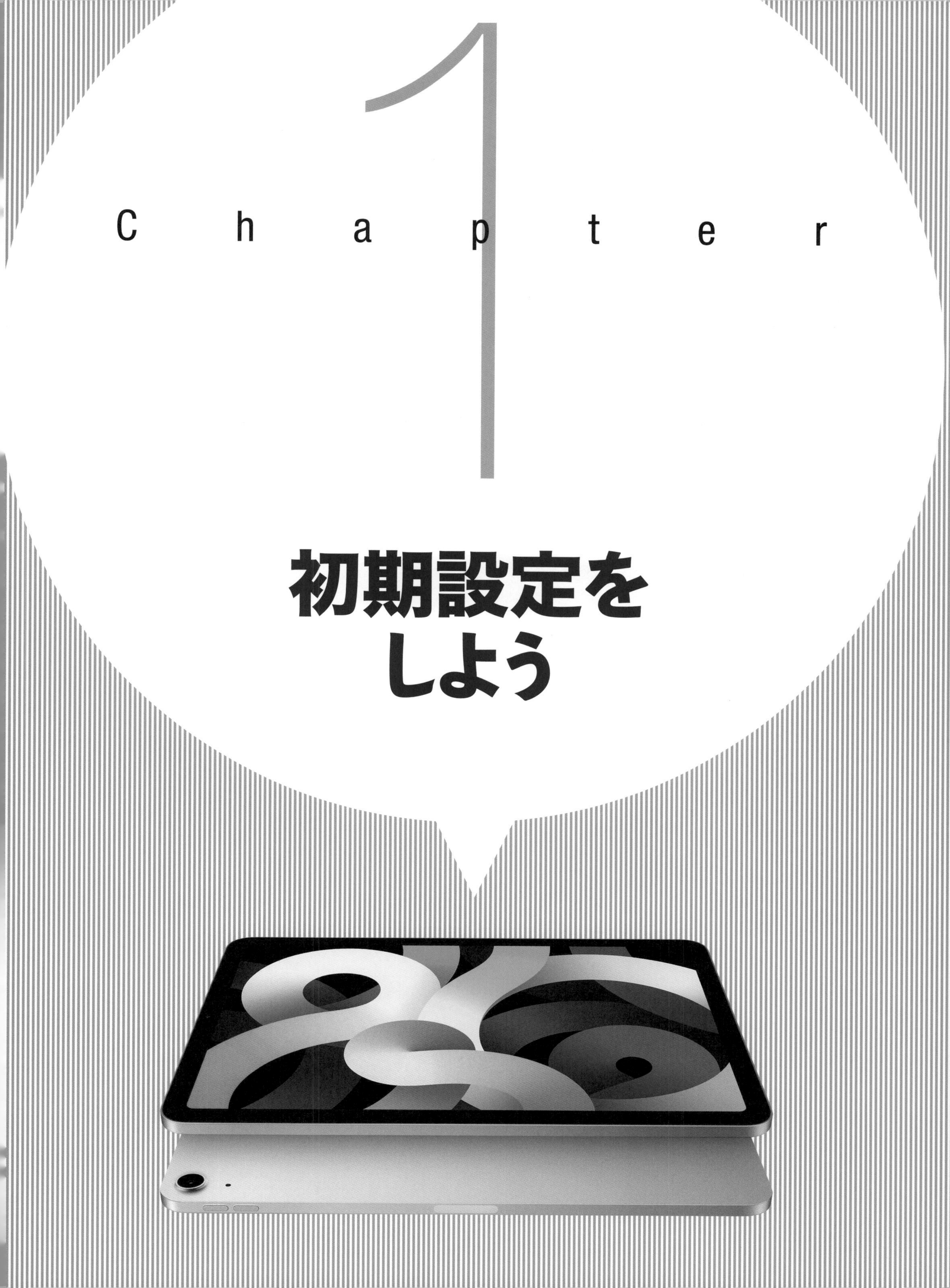

Chapter 1

初期設定をしよう

1-1 iPad本体の各部の名称と働きを知ろう

iPad正面

FaceTime HDカメラ
ビデオ通話をしたり、カメラで自分の顔を撮影する際に利用する。

ホームボタン
iPadのホーム画面に戻るためのボタン。指紋認証センサーが内蔵されており、指で触れるだけでロックを解除することもできる。

iPad右側部

電源ボタン
電源のオン/オフや画面のスリープ/スリープ解除を行う。

音量ボタン
iPadから流れる音量の調節を行なう。上のボタンを押すと音量を上げることができ、下のボタンを押すと音量を下げることができる。

※**ご注意**／iPad Proと最新のiPad Airは外観が異なりホームボタンがありません。

iPad本体にあるボタンやレンズの使いみちは?

iPad(無印)の外観は非常にシンプルです。ディスプレイの下にホームボタン、本体上部に電源ボタン、本体側面に音量ボタン。用意されているボタンはこの3つだけです。タッチパネル式になっており、基本的な操作はディスプレイに直接指で触れて行ないます。機械を使うのが苦手な人でも直感的に利用できるよう設計されています。

iPadの本体にはボタンのほかに充電ケーブル(Lightningケーブル)を接続するためのポートや、写真を撮影したりビデオ撮影するためのカメラレンズ、音声を出力するスピーカーや音声入力を行なう小さな穴などが付属しています。

iPad背面

iSightカメラ
写真や動画を撮影するときに利用する。QRコードを読み取ることもできる。

ヘッドフォンジャック
イヤフォンを利用するときはこのポートに差し込む。

リアマイク
動画撮影やボイスレコーダーなど、周囲の音声を録音する際に利用するマイク。

スマートコネクタ
スマートキーボードを接続する場所。

iPad下部

Lightningコネクタ
iPadを充電したりパソコンと接続してデータを同期するときに利用する。周辺機器を使って拡張する際もこのポートを利用する。また、Apple Pencil(第一世代)の充電も行える。

スピーカー
iPadの音声はここから流れる。なお、iPad Proの場合はスピーカーはiPad上部にもある。

Check! iPad購入時に同梱しているアクセサリは何?

iPadを購入すると、本体とは別にiPadを充電するための充電器とiPadと充電器と接続するためのLightningケーブルが付属しています。Lingtningケーブルは使い用途が広く、ただ充電するだけでなく、PCのUSBポートに差し込むことでiPadとPC間でファイルの同期が行うこともできます。大切な器具なのでなくさないように注意しましょう。もし、なくしてしまったり、壊れてしまった場合は家電量販店やアップルストアで再購入するといいでしょう。

Lightningケーブル
先の細い方をiPadのコネクタにつなげ、先の大きな方を充電器やUSBポートのある機器につなげる。

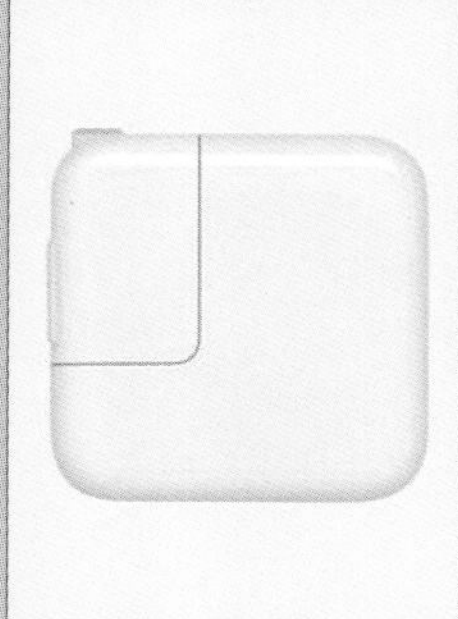

充電器
iPadを充電するための充電器。ちなみにiPhoneを充電することもできる。

iPadのオン・オフ/スリープ/充電操作

iPadの電源を入れみよう

1 電源ボタンを長めに押す

電源が入っていない状態で、電源ボタンを長めに押すとアップルマークが表示され電源が付く。

2 iPadの画面が表示される

パスコードやTouch IDの設定をしていない場合はホームボタンを押すと電源が付き、iPadのホーム画面が表示される。

iPadの電源をオフにしよう

1 電源ボタンを長く押す

iPadの電源をオフにするには、電源ボタンを5秒ほど押し続けよう。

2 電源をオフにする

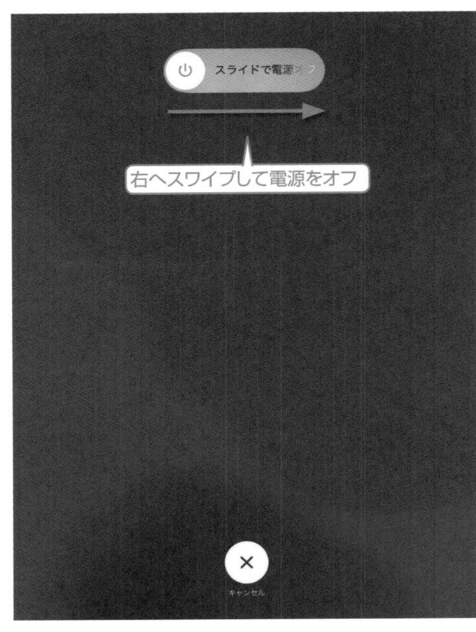

「スライドで電源オフ」と表示される。これを右へスワイプすると電源をオフにすることができる。

スリープと電源のオフの違いは?

iPadの電源ボタンは押し方によって動作が変わります。電源を入れるには電源ボタンを3秒ほど押しましょう。しばらくするとリンゴのロゴが現れ、iPadが利用できるようになります。

電源入力後、電源ボタンを一度軽く押すとスリープ状態になります。スリープとはバッテリーを極力節約する状態のことです。電源オフ時と異なり素早くホーム画面に戻ることができ、またネットに接続された状態になっているのでメールやメッセージの着信があると通知してくれるのが大きな特徴です。電源オフと使い分けましょう。なお、電源を完全にオフにしたい場合は、電源ボタンを5秒ほど長押しします。

スリープ操作

1 スリープにする

スリープにするはiPadの電源が入っているときに、電源ボタンを軽く1度押す。カチっと音がなり画面が真っ黒になればスリープ状態となる。

2 スリープを解除する

スリープを解除するには、電源が入った状態で、また真っ黒な画面の状態で電源ボタンを軽く1度押す。ロック画面が表示されればスリープ解除となる。

iPadを充電する

iPadのバッテリーがなくなると真っ暗な画面になり、赤色のバッテリーマークだけが表示されます。バッテリーの充電を行なうには、付属している充電器とLightningケーブルを使いましょう。

1 同梱の充電器具を用意する

iPadでは購入時にiPadを充電するための充電器と充電器とiPadをつなぐLightningケーブルが附属されているので、用意する。

2 充電器とiPadをケーブルで接続する

充電器をコンセントに差し込み、Lightningケーブルでipadと充電器を接続する。

3 iPadが充電される

iPadが充電される。充電できるかどうかは右上に稲妻マークが目印となる。このマークが出ていないと充電されていないので注意しよう。

4 PCを使って充電することもできる

充電器を使わなくても、PCのUSBポートとLightningケーブルを接続して充電することもできる。ただし、充電器に比べて充電時間が長くなる。

iPadの電源を入れて初期設定を行おう

iPadの初期設定を行おう

1 初期設定画面

初めてiPadを起動すると「こんにちは」という画面が表示される。ホームボタンを押そう。

2 使用言語を選択する

iPadで利用する言語を選択する。ここでは「日本語」を選択する。

3 使用する国を選択する

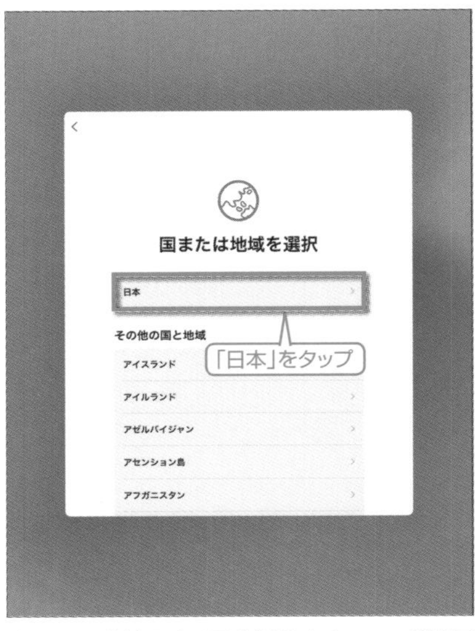

次にiPadを使用する国を選択する。ここでは「日本」を選択する。

4 クイックスタート画面

クイックスタート画面が表示される。「手動で設定」をタップする。

5 キーボードの設定を行う

文字入力で使用するキーボードを選択し、「次へ」をタップする。

6 Wi-Fiの設定

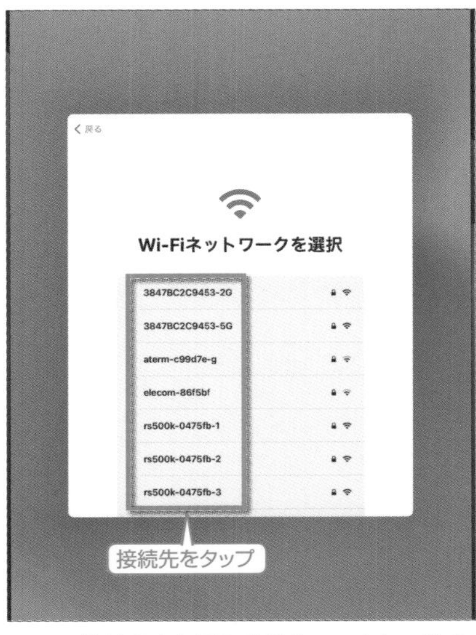

Wi-Fiの接続設定を行う。接続先のアクセスポイントをタップする。

基本は画面の表示に従っていくだけでよい

iPadを初めて起動したときは初期設定画面が表示されます。ここでは、Apple IDの設定やWi-Fiの接続設定、パスワード、指紋認証の設定など、iPadを使う上で重用な情報をまとめて入力します。あとで設定もできますが、画面に表示される案内に従ったほうが簡単です。

必ず済ませておきたい初期設定はWi-Fi設定です。Wi-Fi設定を有効にすればインターネットにアクセスできるようになります。また、Apple IDの設定も重要です。App Storeからアプリをダウンロードしたり、コンテンツをダウンロードするにはApple IDの入力が必要になります。

7 パスワードを入力する

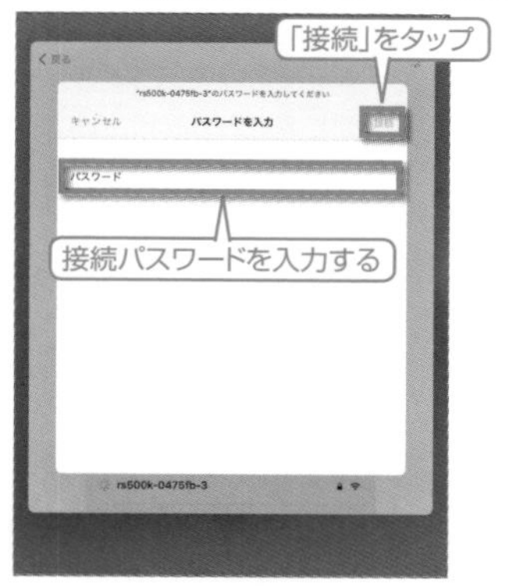

パスワード入力画面が表示される。Wi-Fiの接続パスワードを入力して、「接続」をタップする。(17ページに詳細解説)

8 接続を確認する

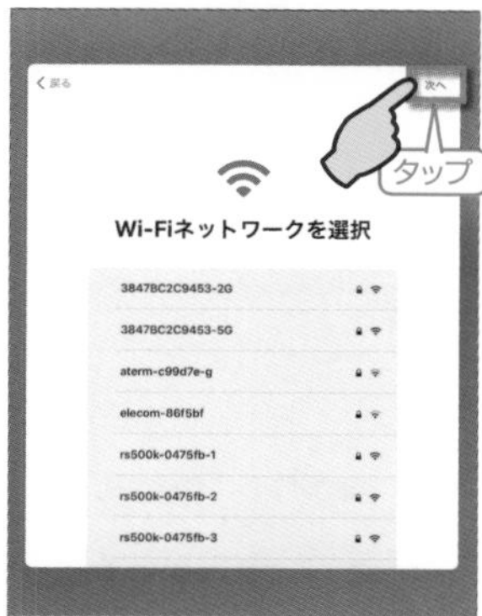

Wi−Fiへの接続を確認したら、「次へ」をタップする。

9 パスコードの設定

パスコードの設定画面が表示される。「パスコードオプション」をタップする。

10 パスコードメニュー

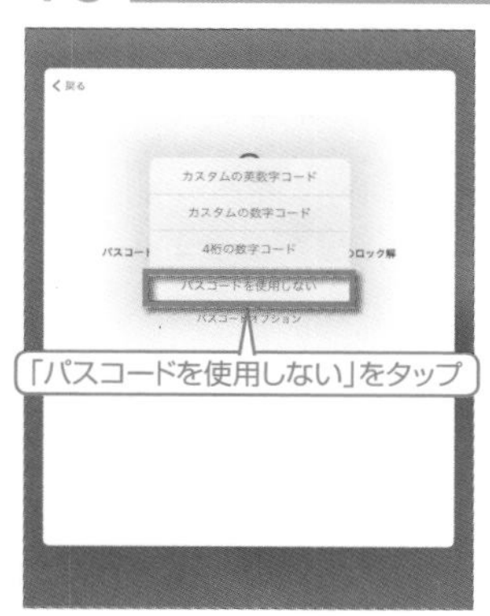

パスコードメニューが表示される。パスコードは後でも設定できるので、今回は「パスコードを使用しない」をタップする。

11 パスコードを設定しない

確認画面が表示される。「パスコードを使用しない」をタップする。

12 新しいiPadの設定をする

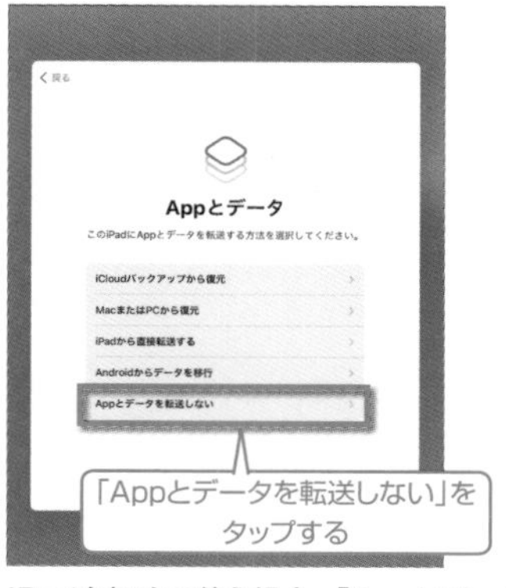

iPadを初めて使う場合、「Appとデータを転送しない」をタップする。

13 Apple IDを入力する

Apple ID入力画面が表示される。すでにApple IDを取得してる場合は、そのApple IDとパスワードを入力する。まだ持っていない人は新規取得する。

14 設定をスキップする

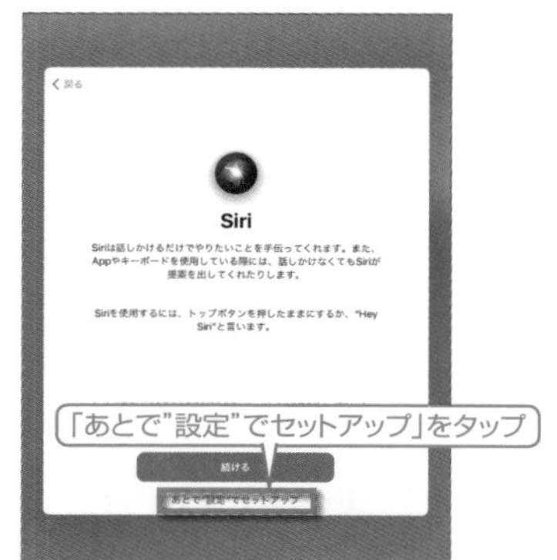

さまざまな設定画面が表示されるがスキップしてもよい。「あとで"設定"でセットアップ」をタップする。

15 初期設定を完了させる

初期設定が完了することこのような画面が表示される。iPadの初期設定はこれで完了。

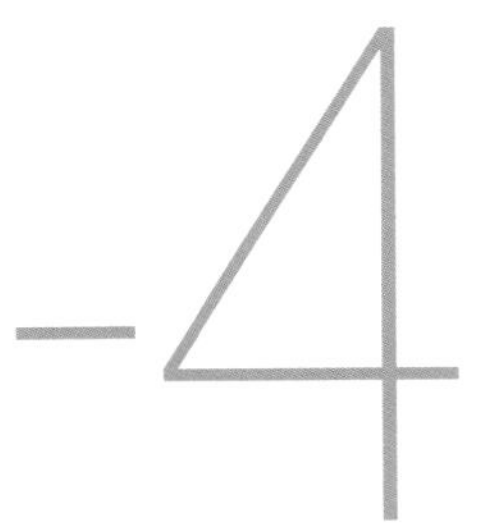

1-4 Wi-Fi設定をして インターネットに接続しよう

Wi-Fiとは

Wi-Fiとはインターネットに接続するための通信手段のひとつです。LANケーブルを使って機器同士を接続する必要がなく、無線でアクセスポイントに接続することでインターネットができるようになるのが特徴です。

Wi-Fiを使ったインターネット接続のしくみ（自宅）

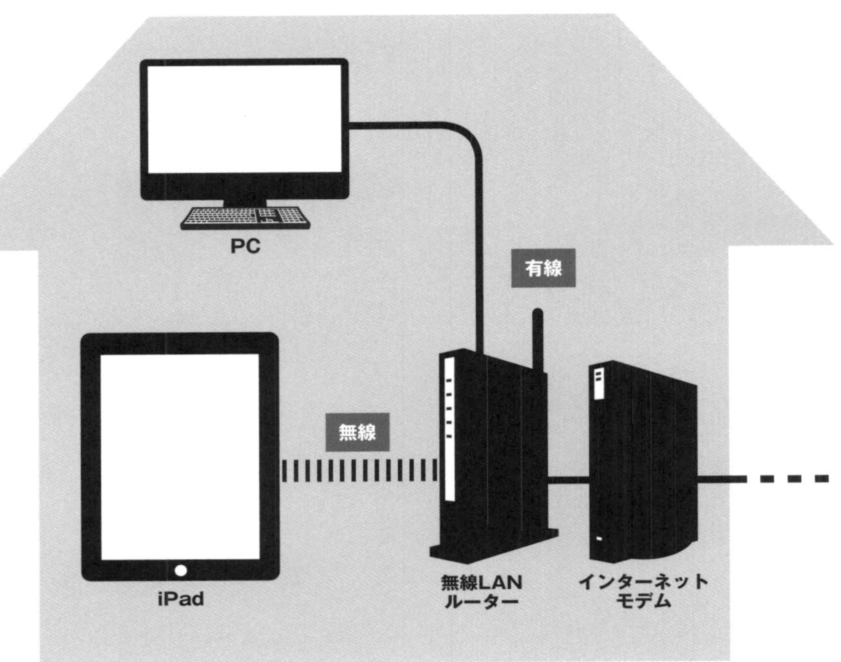

自宅でWi-Fiを利用するには、一般的に無線LANルーターが必要。また無線LANルーターはインターネット回線業者やプロバイダと契約することで利用できるようになる。自宅にWi-Fi環境が整っているか、必ずチェックしておこう。

Wi-Fiを使ったインターネット接続のしくみ（屋外）

屋外でWi-Fiを利用することもできます。セブンイレブンやファミリーマートなどのコンビニ、スターバックスやタリーズなどのカフェ、駅や空港などの公共交通機関などでは無料でWi-Fiに接続することができます。

セブンイレブン

ファミリーマート

スターバックス

タリーズ

JR東日本

東京メトロ

とにかくインターネットを利用できないとiPadは使えない

iPadを利用する上で特に重要となる初期設定がインターネット設定です。購入時に各キャリア(ソフトバンク、au、ドコモなど)と契約してあるiPadセルラーモデルを所有している人なら、iPadの電源を入れればすぐにインターネットできますが、Wi-Fiモデルを使っている場合は、手動でWi-Fi設定を行わないとインターネットができません。

iPadの初期設定画面で、Wi-Fiの接続設定画面が表示されます。近くにある利用可能なWi-Fiのアクセスポイントが表示されるので、自宅で利用しているWi-Fiルータのアクセスポイントを選択して接続設定を行いましょう。

初期設定で無線LANの設定ができなかった場合は?

初期設定でWi-Fi設定がうまくできなかった場合は、iPadの「設定」アプリを開き、「Wi-Fi」をタップしましょう。ここで、接続するアクセスポイントを指定してログインパスワードを入力すればインターネット接続は完了です。接続パスワード情報はルータの説明書に書かれています。

1 ホーム画面の「設定」をタップする

無線LANの設定を行なうには、ホーム画面から「設定」アプリをタップする。

2 「Wi-Fi」画面を開く

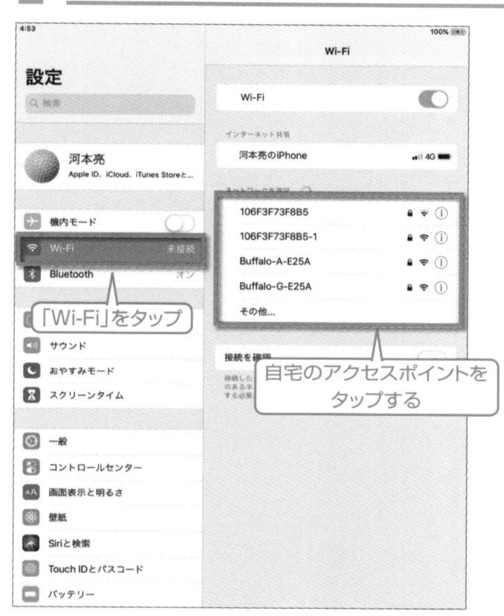

「Wi-Fi」をタップする。右上の「Wi-Fi」が有効になっているのを確認し、下に表示されるアクセスポイント一覧から、自宅の無線LANルーターのアクセスポイントを探してタップする。

3 パスワードを入力する

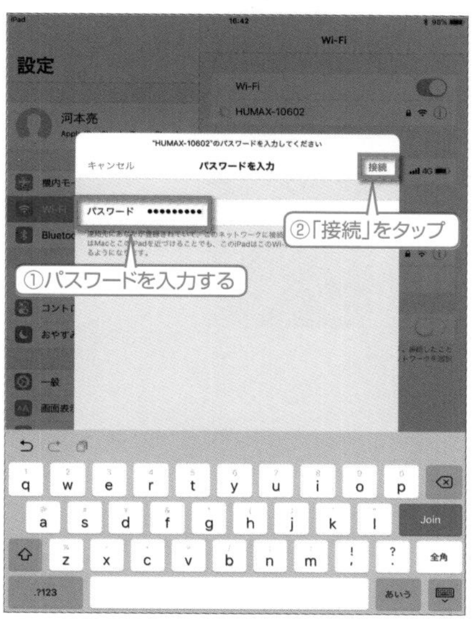

パスワード入力画面が表示されるので、アクセスポイントのログインパスワードを入力する。右上の「接続」をタップする。

4 Wi-Fi接続を確認する

Wi-Fiの接続が成功するとアクセスポイント横にチェックマークが付き、iPad右上にWi-Fiアイコンが表示される。

Apple IDを取得してサービスを利用しよう

Apple IDの取得でできること

iCloudサービスが利用できる

iPad内のデータをインターネット上にバックアップしたり、ほかのApple製品と同期することができる。

セキュリティが強化される

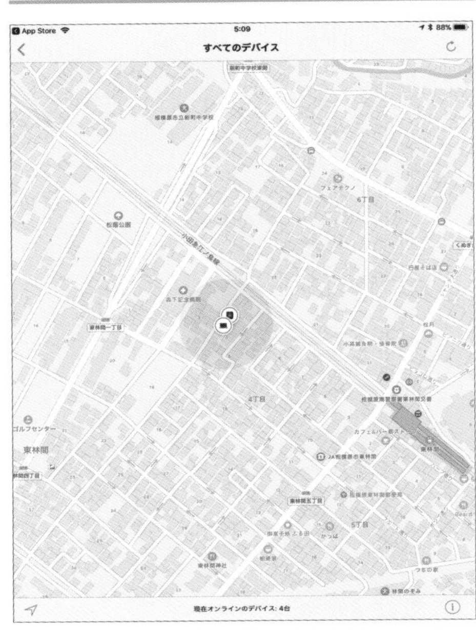

iPadが盗難された場合は、「探す」を利用してApple IDが登録されたデバイスを探すことができる。

アプリやコンテンツが購入できる

App StoreやiTunes Storeからアプリ、音楽、映画などのコンテンツが購入できる。有料コンテンツの場合は別途クレジットカードやiTunesカードの登録が必要になる。

アプリのIDとして利用する

Apple IDは、そのままFaceTimeやメッセージなどApple製アプリのIDになることも多い。アプリ用にIDを作成する必要はない。

コンテンツ購入やサービスを使いこなすのに必ず必要

Wi-Fi設定に続いて重要な初期設定となるのはApple IDの取得です。Apple IDはApple社が提供している個人用IDです。iPadのさまざまなサービスを利用する際にApple IDの入力が必要になります。App Storeからアプリをダウンロードしたり、iTunes Storeから音楽や映画などのコンテンツをダウンロードする際は必須です。また、標準アプリの「メッセージ」や「FaceTimen」を利用する際にもApple IDが必要になります。Apple IDは誰でも無料で作成できますが、iPhoneなどですでに取得しているのであれば、新規作成する必要はありません。既存のApple IDを登録しましょう。

Apple IDを取得しよう

iPadの初期設定時にApple IDの作成を忘れた人は、「設定」アプリを開き一番上にある「アカウント」メニューから作成しましょう。任意のメールアドレス（GmailやYahoo!メールなど）を指定するか、新しく作成するiCloudメールをそのままApple IDにすることができます。

1 「設定」アプリをタップ

Apple IDを作成するには、ホーム画面にある「設定」アプリを起動する。

2 「iPadにサインイン」をタップ

設定画面が表示されたら一番上の「iPadにサインイン」をタップ。

3 Apple IDを作成する

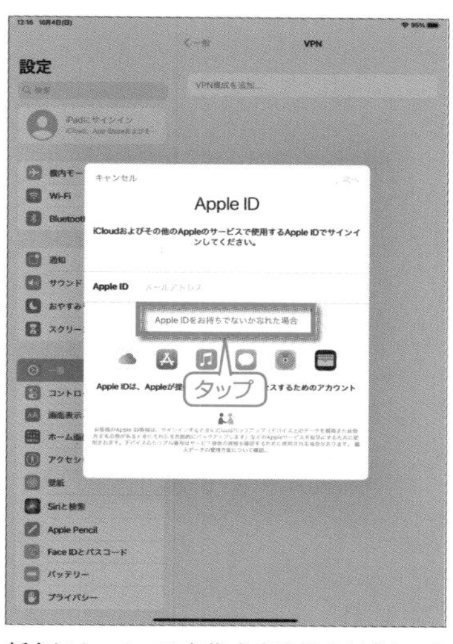

新たにApple IDを作成する場合は「Apple IDをお持ちでないか忘れた場合」をタップする。

4 Apple IDを作成する2

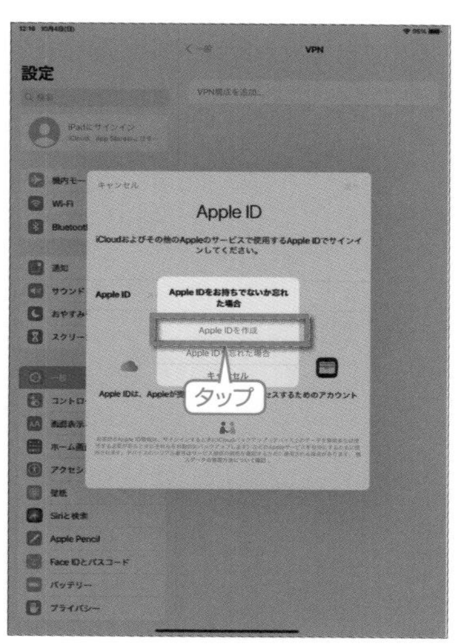

続いて表示されるメニューで「Apple IDを作成」をタップする。

5 名前と生年月日を設定する

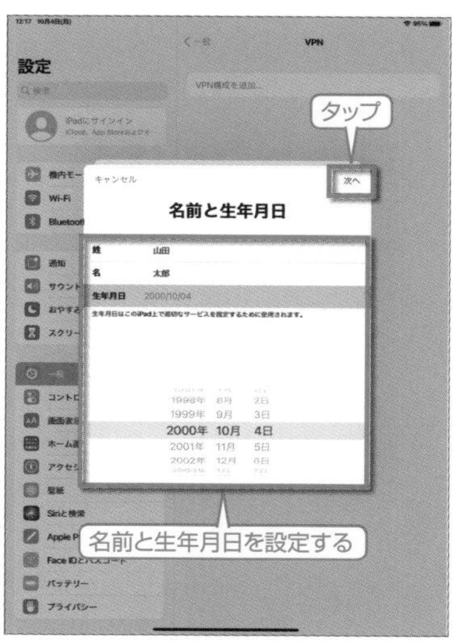

名前と生年月日を設定しよう。設定したら「次へ」をタップ。

6 Apple IDに使うメールアドレスを設定する

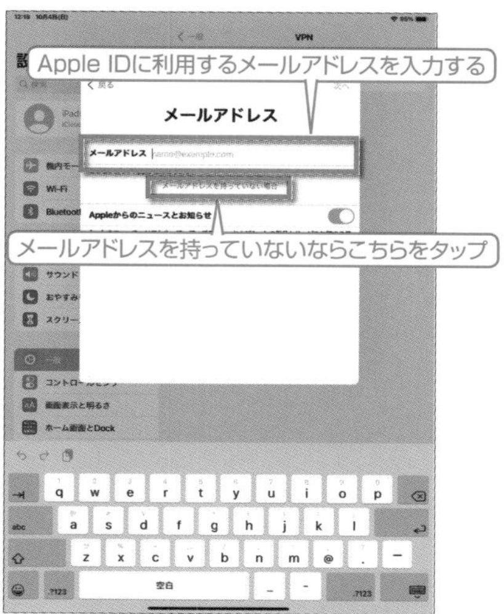

Apple IDとして利用するメールアドレスを設定する。Gmailなどすでにメールアドレスを持っている場合は「メールアドレス」にそのメールアドレスを入力する。メールアドレスを持っていない場合は「メールアドレスを持っていない場合」をタップ。

7 iCloudメールアドレスを作成する

「@icloud.com」の頭文字を設定する

前ページで「メールアドレスを持っていない場合」をタップするとiCloudメール作成画面が表示されるので、メールアドレスを作成しよう。

8 「メールアドレスを作成」をタップ

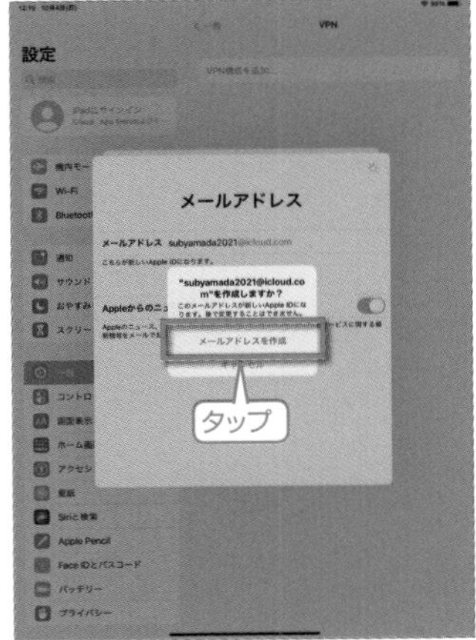

設定したiCloudメールのメールアドレスがそのままApple IDにもなる。「メールアドレスを作成」をタップする。

9 パスワードを設定する

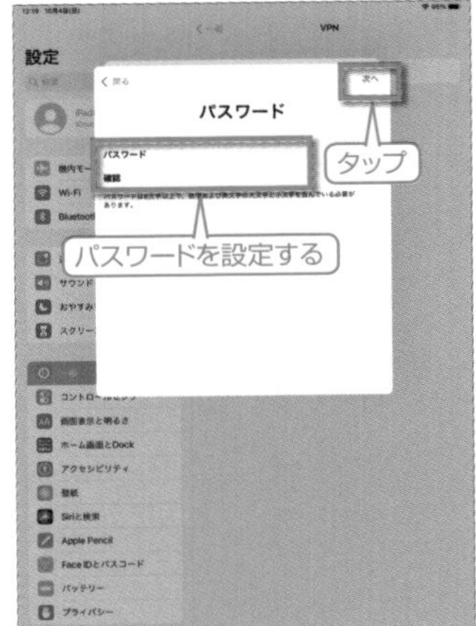

Apple IDの設定（メールアドレスの設定）が終わるとパスワード設定画面が表示される。パスワードを設定して「次へ」をタップする。

10 電話番号で本人確認する

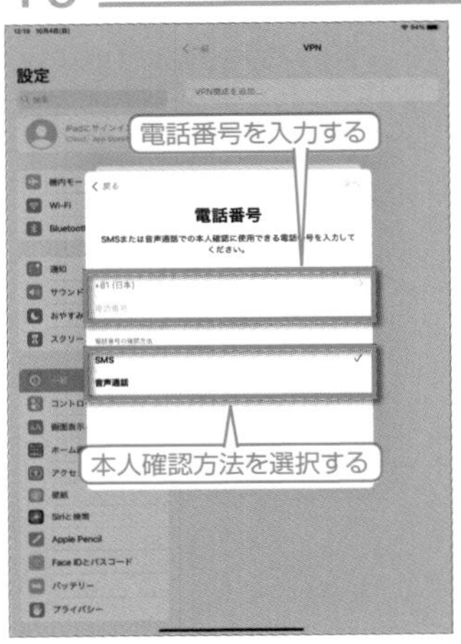

電話番号入力画面が表示される。利用している電話番号を入力する。電話番号の本人確認するのでSMSか音声通話かどちらで確認するか選択しよう。

11 確認コードを入力する

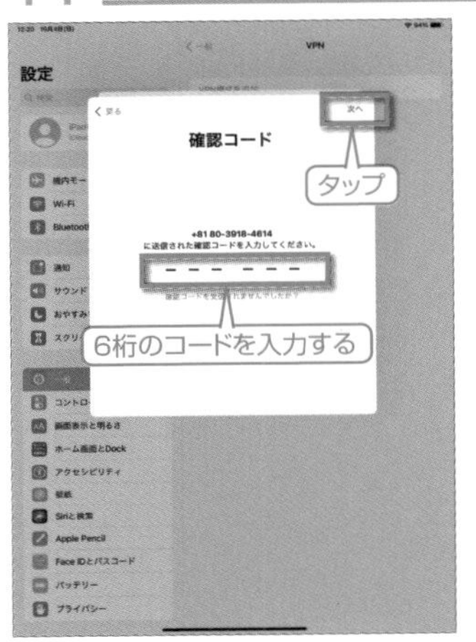

入力した電話番号に6桁の確認コードが送付されるので、そのコードを入力する。

12 Apple IDの登録完了

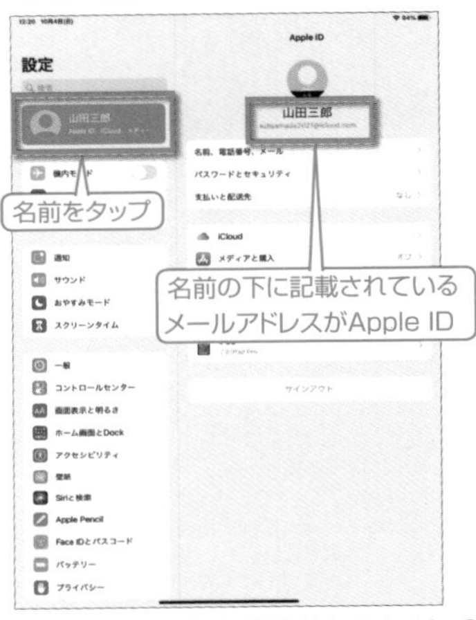

Apple IDの取得と登録が完了すると、設定画面の一番上に名前が表示される。名前をタップするとアカウント名や詳細情報が表示される。

Check!

Apple IDをサインアウトする

iPadに登録したApple IDをサインアウトしたい場合は、設定画面のアカウント画面にある「サインアウト」をタップしましょう。Apple ID作成時に設定したパスワードを入力すればサインアウトできます。

1 アカウント設定画面を開く

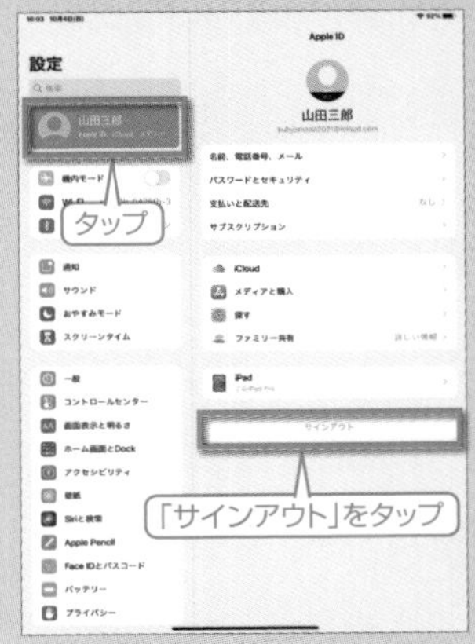

設定画面を開き、一番上の名前をタップ。アカウント画面が表示されるので、「サインアウト」をタップする。

2 パスワードを入力する

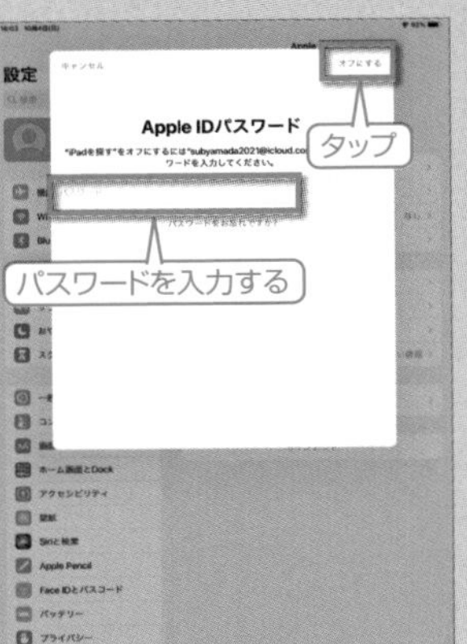

Apple ID作成時に設定したパスワードを入力して、「オフにする」をタップしよう。

Chapter 2

操作の基本をマスターしよう

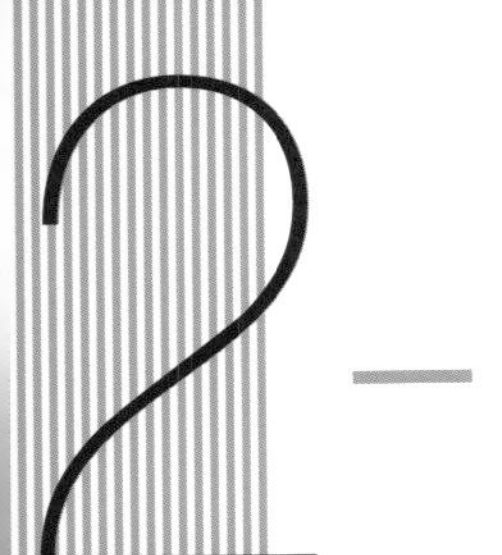

ホーム画面の使い方と見方を覚えよう

一目でわかるiPadのホーム画面

ステータスバー

画面最上部に表示される小さなアイコンがある場所。電波状況や時刻、バッテリー残量などさまざまな情報が表示される。

アイコン

ホーム画面にアプリのアイコンが並んでおり、タップするとアプリが起動する。表示されたアプリ画面からホーム画面に戻る場合はホームボタンを押そう。

壁紙

標準設定では赤みがかった壁紙が設定されているが、自由に好きな画像を壁紙に設定できる。

ホームボタン

このボタンを押すと、アプリ起動中でもすぐにホーム画面に戻ることができる。

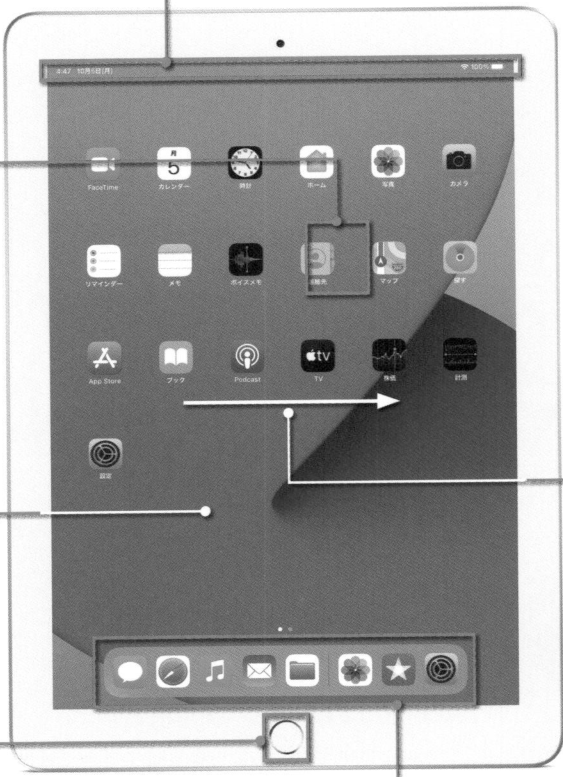

ページの切り替え

アプリケーションの数が増えて、ホーム画面に収まらないようになると、ホーム画面のページが追加される。ホーム画面上で左にフリックするとページを切り替えることができる。なお、右にフリックするとインストールしているアプリの内容を簡易表示するウィジェットと呼ばれる画面に切り替わる。

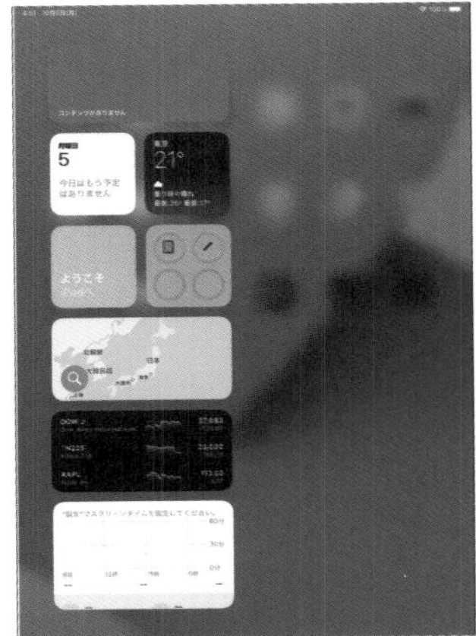

iPadを横向きにしてウィジェットを表示するとホーム画面上でウィジェットを固定表示させることができます。

ドック

画面下に固定された横長のバー。ドック上にあるアイコンはホーム画面を切り替えても固定表示される。仕切り線の左側に自分で追加したアプリが、右側に最近使ったアプリが自動で表示される。

ホーム画面には利用できるアプリが一覧表示される

iPadの電源を付けたときに表示される画面は「ホーム画面」と呼びます。ホーム画面はメールやブラウザをはじめ、iPadにインストールされているアプリを一覧表示する場所です。PCにおけるデスクトップ画面と同じようなものと思えばよいでしょう。各アイコンをタップするとアプリケーションが起動して、操作することができます。

ホーム画面では、アプリケーションを新たにダウンロードするごとに、アイコンが追加されていきます。アイコンがいっぱいになった場合は、ホーム画面を左右にフリックしてページを切り替えることで、追加したアイコンを表示することができます。

ホームボタンの使い方をマスターしよう

iPadのディスプレイの下に配置されている白くて丸い形の「ホームボタン」は、1回押すとホーム画面を表示します。また2回連続押すと「Appスイッチャー」画面が起動し、ほかのアプリに切り替えることができます。ホームボタンを長押しするとSiriを起動できます。

1 ホーム画面に戻る

アプリ起動中にホーム画面を表示したくなった場合は、ホームボタンを一度だけ押す。アプリが消えてホーム画面が表示される。

2 Appスイッチャーを起動する

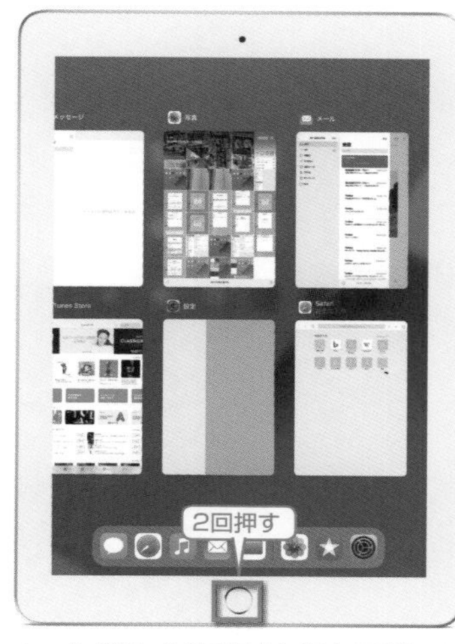

ホームボタンを2回押すと現在起動しているアプリを一覧表示するAppスイッチャーが表示される。アプリをタップするとそのアプリを表示できる。

3 Siriを起動する

Siriを起動したい場合は、ホームボタンを長押しします。するとSiriが起動する。iPadに向かって話しかけるとSiriが反応する。

ホームボタンのないiPadの場合

iPad Proと最新のiPad Airにはホームボタンがありません。ホームボタンがないiPadの基本的なジェスチャ操作を知っておきましょう。なお、ジェスチャ操作はホームボタンのあるiPadでも利用できます。

1 ホーム画面に戻る

アプリ起動中にホーム画面に戻るには画面下から上へ素早くフリックする。

2 Appスイッチャーを起動する

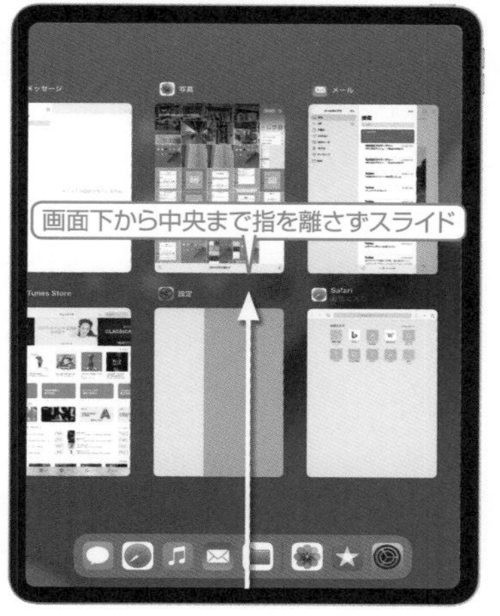

画面下から指を離さずゆっくり画面中央までスライドさせるとAppスイッチャーが起動する。

3 Siriを起動する

Siriを起動するには右上にある電源ボタンを長押しする。画面右下にSiriが起動する。

ホーム画面を使いやすくカスタマイズしよう

長押ししてアイコンを移動する

アイコンを移動するには、アイコンを長押しするとメニューが表示されるので「ホーム画面を編集」を選択する。アイコンが震えたら指を画面から離さず移動させましょう。画面端にアイコンを近づけることで隣のページへ移動することもできます。

1 アイコンを長押しする

アイコンを長押しすると、メニューが表示されるので「ホーム画面を編集」を選択する。

2 アイコンをドラッグする

アイコンが震えた状態になるので画面から指を離さずドラッグして好きな場所に移動しよう。

3 アイコンをドックに追加する

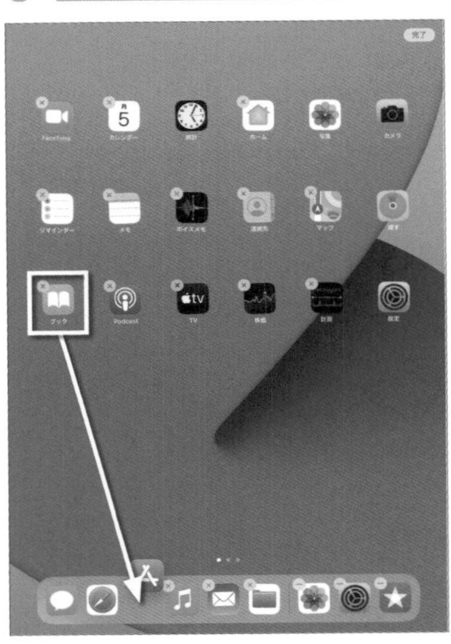

ドック上のアプリもドラッグで移動や追加ができる。ドック設定できるアプリの数はiPadのモデルによって異なる。9.7インチ標準iPadの場合は13個設置できる。

4 アイコンを隣のページに移動する

アイコンを隣のページに移動したい場合は、ドラッグして画面の端に移動させよう。自動的にページが切り替わり、隣のページに移動する。

アプリアイコンを好きな場所に移動する

ホーム画面に並んでいるアイコンは、好きな場所に移動することができます。アプリの数が増えてきて、ホーム画面が使いづらくなってきた場合は、よく使うアプリを最初のページへ移動しておきましょう。

また、ホーム画面下部にある横長のバナーはドックと呼びますが、ドック上に設置するアイコンも自由に変更することができます。ドックにアプリを登録すれば、ホーム画面に戻らなくてもアプリを呼び出せます。ホーム画面では標準iPadの場合、1ページ最大30個（ドックを除く）のアイコンを設置できます。30個を超えると次のページに自動的に移動します。

フォルダを使ってアプリをまとめる

アイコンが増えすぎてホーム画面が使いづらくなったらフォルダで整理する方法もあります。フォルダには名前を付けることができるので、カテゴリごとに分類しておくといいでしょう。

1 アイコンとアイコンを重ねる

フォルダを作成するには、アイコンを長押しして移動させる状態にして、フォルダにまとめたいアイコン同士を重ねよう。

2 フォルダに名前を付ける

フォルダ作成画面が表示される。入力フォームに好きなフォルダ名を設定しよう。そのままでもかまわない。

3 フォルダを好きな場所に移動する

作成したフォルダはアプリアイコンと同じように、長押ししてドラッグすることで好きな場所に移動することができる。

4 フォルダをドックに設置することもできる

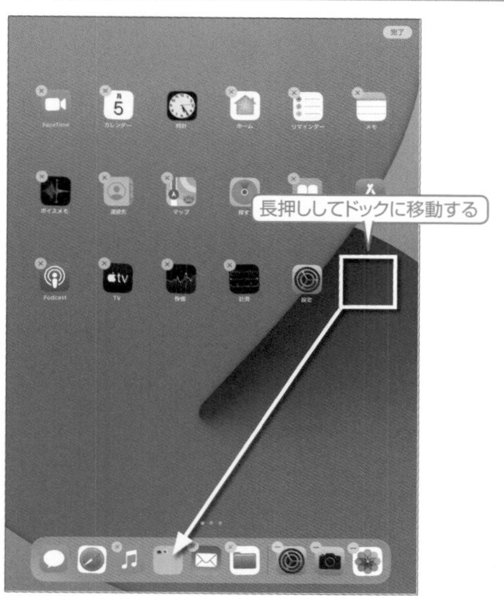

フォルダはドックに設置することもできる。カテゴリ別にアプリアイコンを整理して、ドックに設置しておくと使いやすくなる。

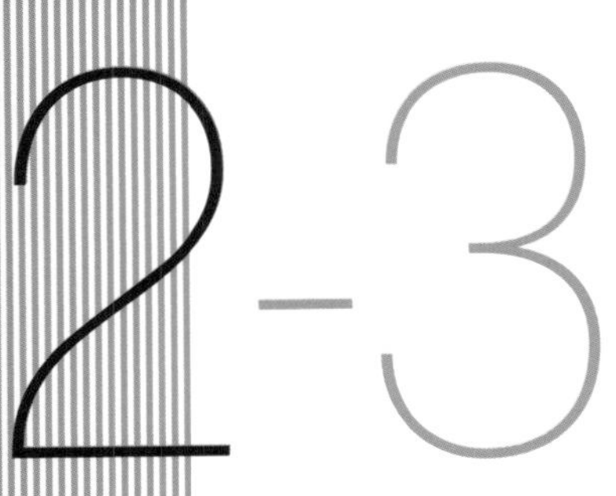

iPadの設定を変更して使い勝手をよくしよう

操作音を変更しよう

ロック時の音やキーボードをタップしたときの操作音をオフにしたい場合は、「設定」アプリの「サウンド」から行いましょう。コントロールセンターの「消音」ボタンから操作音をオフにすることもできます。

1 「設定」アプリから「サウンド」を選択する

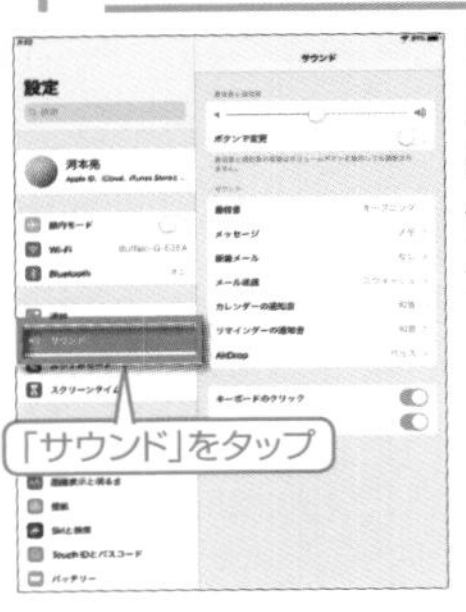

「設定」メニューから「サウンド」を開く。下にある「ロック時の音」と「キーボードのクリック」へ移動する。

2 スイッチをオフにする

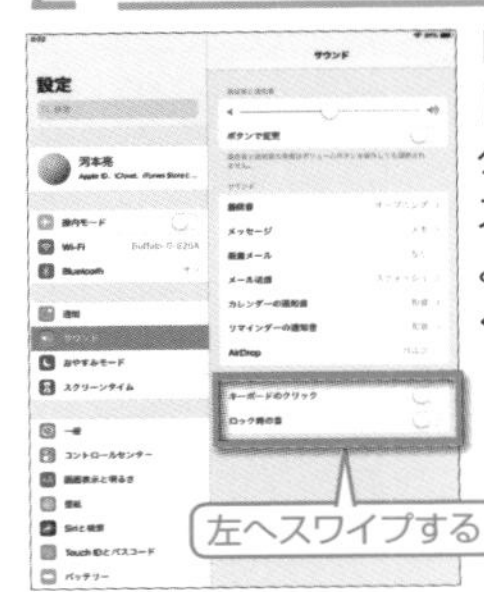

「ロック時の音」と「キーボードのクリック」のスイッチを左へスワイプしてオフにしよう。これで音が出なくなる。

3 コントロールセンターからも

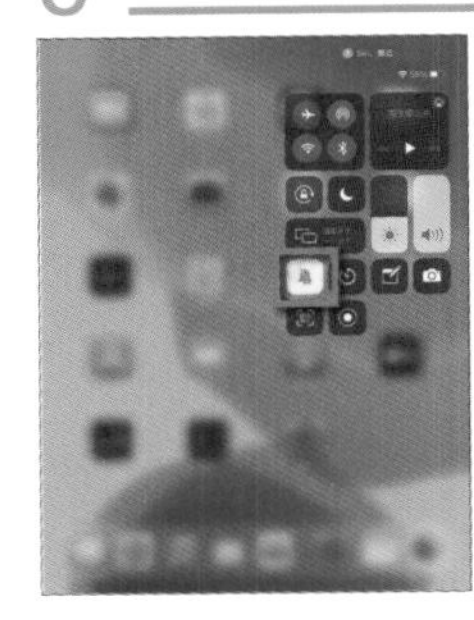

コントロールセンターにある「消音」ボタンをタップしても、「ロック時の音」と「キーボードのクリック」のスイッチをオフにできる。

画面の明るさを変更しよう

画面の明るさを調節するには「設定」アプリの「画像表示と明るさ」から行いましょう。手動でスライドバーを左右に調節することで明るさを調節できます。また、コントロールセンターからも調節できます。

1 画像表示と明るさを選択

画面の明るさを変更するには「画像表示と明るさ」を選択する。

2 調節バーを左右にドラッグ

明るさの調節バーを左右にドラッグしよう。明るさを調節できる。

3 コントロールセンターからも

明るさ調節はコントロールセンターにある調節バーを上下にドラッグしても調節ができる。

文字を大きくしよう

老眼などで文字が小さくて読みづらい場合は、文字を大きくしましょう。「設定」アプリの「テキストサイズを変更」からiPadに表示される文字の大きさを変更できます。太さも調節することができます。

1 「文字サイズを変更」をタップ

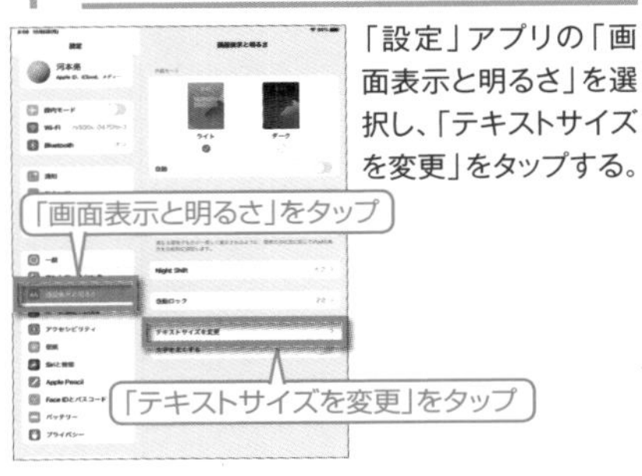

「設定」アプリの「画面表示と明るさ」を選択し、「テキストサイズを変更」をタップする。

2 スライダーを調節する

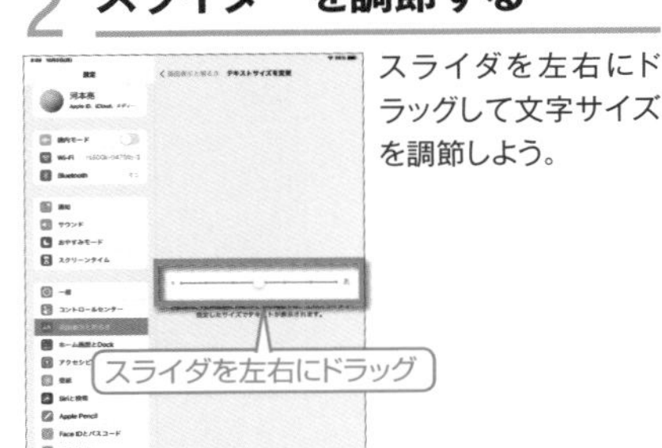

スライダを左右にドラッグして文字サイズを調節しよう。

3 文字を太くする

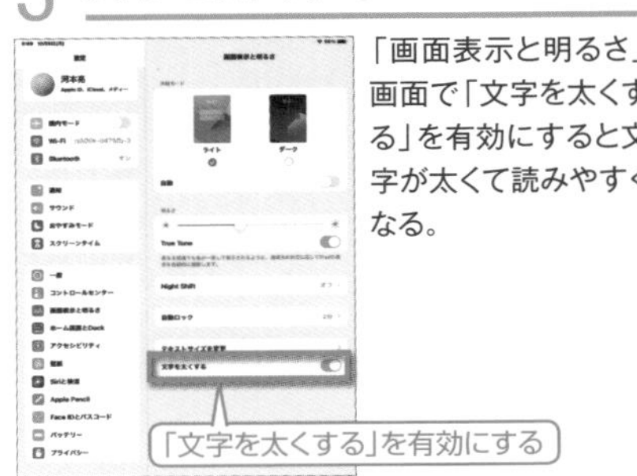

「画面表示と明るさ」画面で「文字を太くする」を有効にすると文字が太くて読みやすくなる。

「設定」アプリを使いこなそう

iPadは初期設定のままでも問題なく利用できますが、細かな設定を変更することでさらに使い勝手がよくなります。たとえば、目が悪い人は、画面表示の明るさや文字の大きさを変更することで使いやすくなるでしょう。また、タップするたびやロック時するたびになる操作音がわずらわしく感じる場合は、操作音オフにすると快適になります。また、標準では赤みがかった壁紙が用意されてますが、自分の好きな壁紙に変更することもできます。家族や恋人、ペットの写真を設定しておけば、iPadを写真立てのように使えるようになります。これらの変更は「設定」アプリから行います。

画面を固定しよう

iPadを回転させると、傾きに応じて画面も回転します。画面の回転を止めて現在の状態の固定したい場合は、コントロールセンターで「画面ロック」アイコンをタップします。固定中はステータスバーに画面ロックアイコンが表示されます。

1 コントロールセンターから固定する

コントロールセンターを表示させ、画面ロックアイコンをタップして有効にしよう。

2 画面の傾きが固定される

画面が固定される。これで寝ながら電子書籍や動画を鑑賞したときでも、不意に画面が回転しまうトラブルはなくなります。

3 固定を解除する

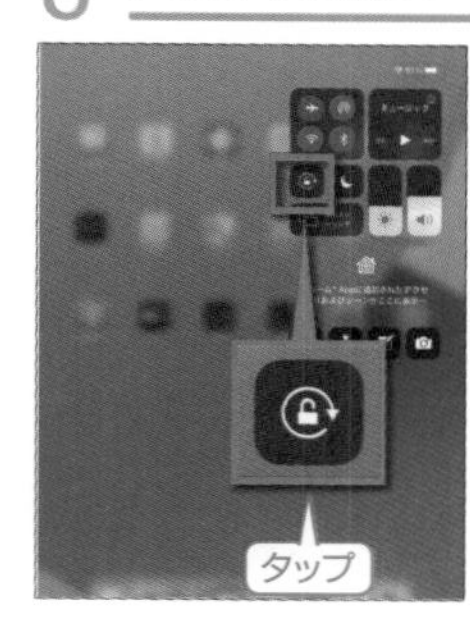

画面の固定を解除したい場合は、コントロールセンターを表示させ、もう一度画面ロックアイコンをタップしよう。

おやすみモードを利用しよう

ロック中に通知音や警告音などオフにしたい場合はおやすみモードを有効にしましょう。おやすみモードを利用する時間帯を指定したり、特定の人からの着信だけを受けるようにもできます。

1 「おやすみモード」を有効にする

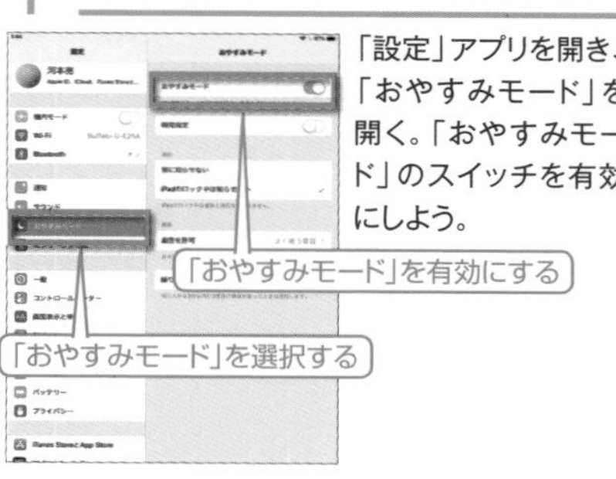

「設定」アプリを開き、「おやすみモード」を開く。「おやすみモード」のスイッチを有効にしよう。

2 時間を指定して有効にする

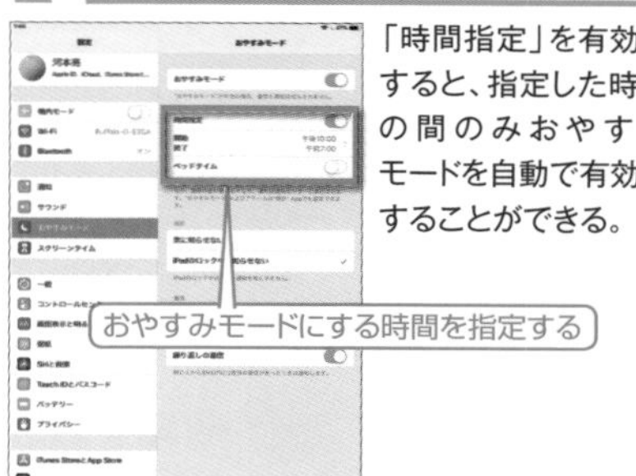

「時間指定」を有効にすると、指定した時間の間のみおやすみモードを自動で有効にすることができる。

3 特定の人の着信を許可する

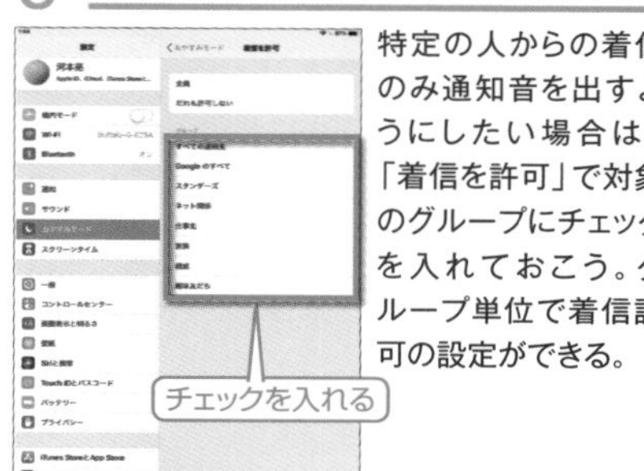

特定の人からの着信のみ通知音を出すようにしたい場合は、「着信を許可」で対象のグループにチェックを入れておこう。グループ単位で着信許可の設定ができる。

壁紙を変更しよう

iPadの壁紙を変更したいときは、「設定」アプリの「壁紙」を開きましょう。ホーム画面とロック画面の壁紙を変更できます。あらかじめさまざまな壁紙が用意されていますが、「写真」アプリ内の壁紙を指定することもできます。

1 「壁紙」をタップ

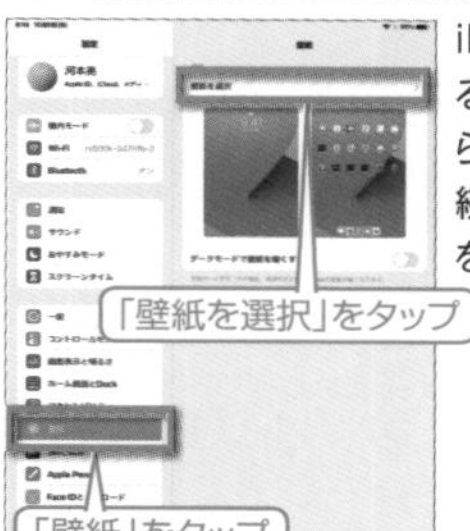

iPadの壁紙を変更する場合は、メニューから「壁紙」を選択する。続いて「壁紙を選択」をタップする。

2 「静止画」をタップ

iPadではさまざまな壁紙が用意されている。「静止画」をタップして壁紙を選択しよう。「写真」アプリ内の写真を設定することもできる。

3 壁紙を選択する

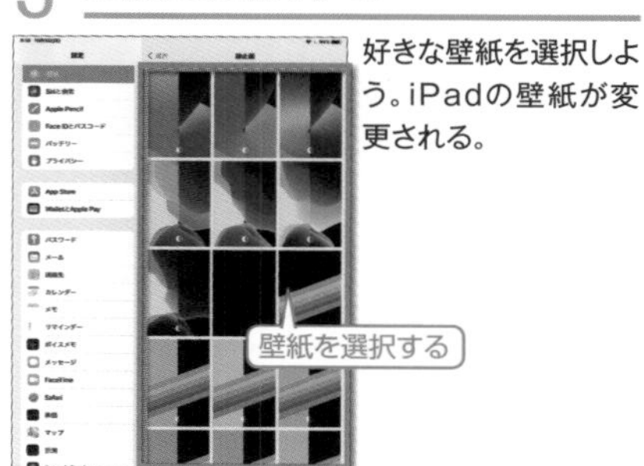

好きな壁紙を選択しよう。iPadの壁紙が変更される。

通知センターでお知らせをチェックしよう

メールの新着やスケジュールをチェックする

iPad画面の上部で下へスワイプすると「通知センター」が表示されます。通知センターでは、新着メールや新着メッセージ、電話の着信などアプリからの通知情報を一覧表示することができます。表示された通知をタップするとアプリを起動できます。

また、通知センターに表示された各通知を左へスワイプすると「消去」「表示」「管理」などのメニューが表示されます。「管理」をタップすると、そのアプリの通知頻度の設定ができます。通知センターには表示するが、サウンド再生したり、ロック画面には通知表示しないように調節できます。

通知センターを使おう

1 上から下へスワイプする

通知センターを表示するには、iPadの最上部に指を合わせ、下へスワイプする。

2 通知をチェックする

通知画面が表示される。新着メール、新着メッセージ、着信履歴などのアプリからの通知情報が日付別に一覧表示される。タップするとアプリを起動できる。

3 通知を消去する

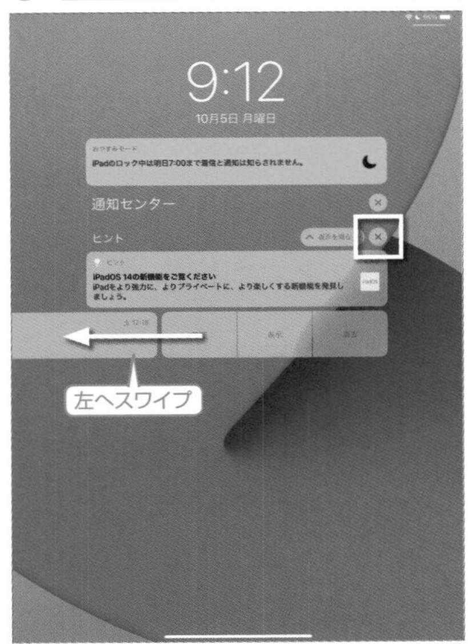

通知を消去する場合は、通知を左へスワイプして「消去」を選択する。まとめて消去したい場合は、日付横の「⊗」をタップしよう。

4 通知をカスタマイズする

左へスワイプしたときのメニューで「管理」をタップすると通知の調節が行える。「オフ」をタップするとそのアプリの通知をオフにしてくれる。

2-5 コントロールセンターですばやく設定変更しよう

よく使うiPadの設定に素早くアクセスできる

画面右上端から下へフリックすると「コントロールセンター」が表示されます。コントロールセンターでは、Wi-Fiの切り替えや音量調節など、iPadでよく使う設定にすばやくアクセスできます。わざわざ「設定」アプリを起動する必要はありません。

また、ホーム画面表示中だけでなく、アプリ使用中やロック画面などからでも呼び出すことができます。ここではコントロールセンターでできることを解説しましょう。

一目でわかるコントロールセンター画面

コントールセンターの基本画面

1 AirDrop のオン・オフ
無線でiOS端末同士でファイルのやり取りができる。

2 機内モードのオン・オフ

3 Bluetooth のオン・オフ

4 Wi-Fi のオン・オフ

5 再生コントロール
iPadで再生中の楽曲の再生操作ができる。

6 音量調節

7 明るさ調節

8 画面ミラーリング
Apple TVと連携してiPadの画面をTVにミラーリングできる。

9 消音モードのオン・オフ

10 傾きロックのオン・オフ

11 ライトを照らす

12 おやすみモードのオン・オフ

13 カメラを起動する

14 メモアプリを起動する

15 QR コードカメラを起動する

コントロールセンターに表示する項目をカスタマイズする

コントールセンターに表示する項目はカスタマイズすることができます。「設定」アプリの「コントロールセンター」で表示したい項目を追加しましょう。

1 コントロールセンターの表示項目を変更する

コントロールセンターの表示項目を変更するには、「設定」アプリを開き、「コントロールセンター」を開き、追加したい項目横の「+」をタップ。

2 コントロールセンターに表示される項目を確認

追加した項目は「含める」に移動する。ここに含まれる項目がコントロールセンターに表示されます。逆に削除したいときは、「ー」をタップしよう。

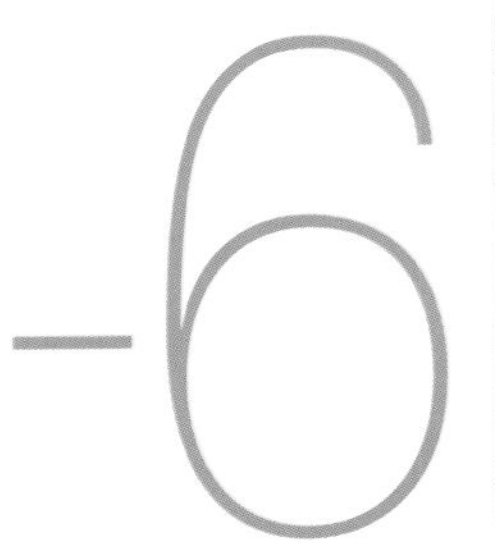

2-6 タッチパネルの操作方法を覚えよう

基本的なタッチ操作を覚えよう

タップ

画面を1本指で軽くタッチする操作。ホーム画面でアプリを起動したり、画面上のボタンやメニューの選択、キーボードの文字入力などを行う。

長押し(ロングタップ)

画面を1～2秒ほどタッチしたままにする操作。ホーム画面のアイコンを長押ししたあとに移動したり、Safariで表示されている画像を長押しすると保存メニューが表示される。

スワイプ

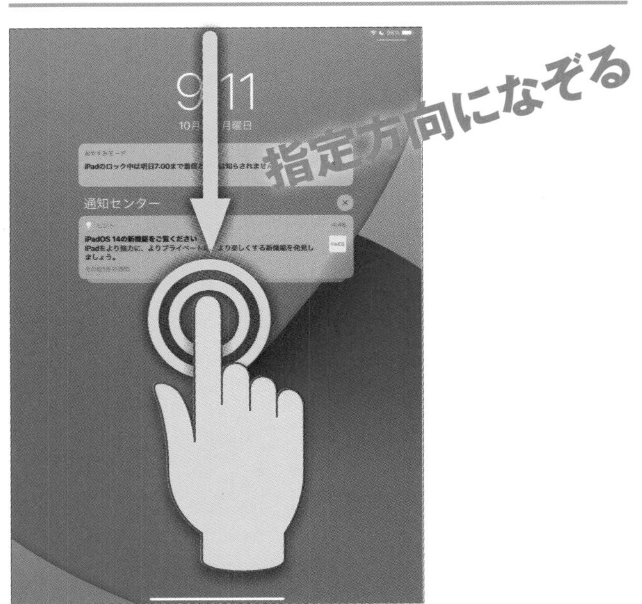

画面上でさまざまな方向へ「なぞる」操作。ホーム画面で上から通知センターや引き出したり、下からコントロールセンターを引き出したりするときに利用する。

フリック

画面上で軽く弾くように指を動かす操作。Safariで表示しているページをスクロールするときに利用する。フリックの場合は移動したい方向と反対の方向へ指を動かす。

「タップ」をはじめさまざまな指操作がある

iPadのディスプレイは、タッチパネルになっており、指で画面を触って直接操作することになります。画面を軽く1度叩く「タップ」と呼ばれる基本操作のほかにも、「ダブルタップ」や「ピンチイン・アウト」などさまざまなタッチパネル操作が用意されています。iPadを使いこなす上でタッチパネル操作を使いこなすには必須となります。数はそれほど多くないので、できるだけ覚えておきましょう。なお、タッチ操作は両手の指を使って同時に行うこともできます。たとえば、ファイルを複数選択する場合は、画面上の1つのファイルをタッチして押さえたまま、ほかのファイルを別の指で選択しましょう。効率よく複数のファイルを選択できます。

頻度は少ないがそこそこ使う指操作

ドラッグ&ドロップ

長押しと連動して利用することが多い。ホーム画面でアイコンを長押ししたあと、指を画面から離さずに動かす（ドラッグ）。そして、指を画面から離す（ドロップ）。文字を範囲選択するときもこの操作になる。

ダブルタップ

Safariで表示しているページを拡大したり、縮小するときに使う。地図アプリでも同様の操作で拡大縮小ができる。

ピンチイン

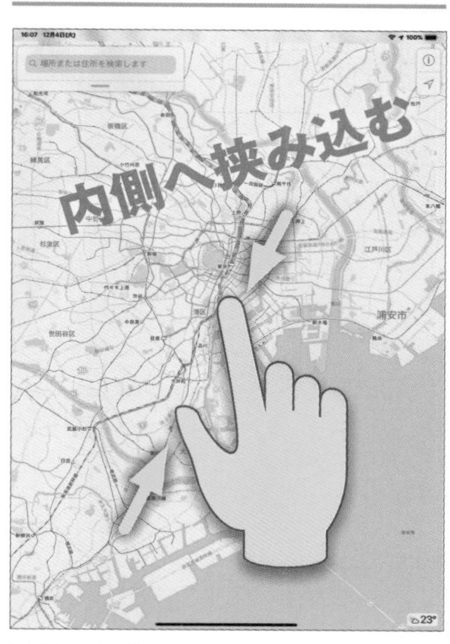

画面を2本の指でつまんで、内側に挟むように動かす。拡大したり画像を縮小したり、地図アプリで広域表示にしたいときに利用する。

ピンチアウト

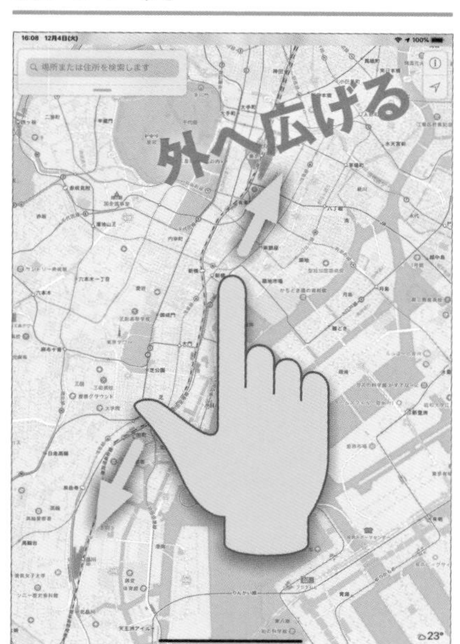

画面を2本の指でつまんで、外側に広げるように動かす。画像を拡大したり、地図アプリで地図を拡大したい場合に利用しよう。

2本指で回転

画面を2本指でつまんで、時計回り、または反時計回りに動かす。地図アプリで地図を回転させて向きを変えたいときに利用する。

2本指でスワイプ

画面を2本指でタッチして、そのまま指を離さず上下に動かす、地図アプリの場合、建物の角度を変えて立体表示にすることができる。

2-7 文字を入力しよう

4種類のキーボードを切り替える

標準で用意されている4種類のキーボードを切り替えるには、キーボード左下にある地球儀ボタンをタップしましょう。タップするたびにキーボードが変更します。「日本語-ローマ字」と「英語(日本)」は区別しづらいので注意しましょう。

日本語-ローマ字

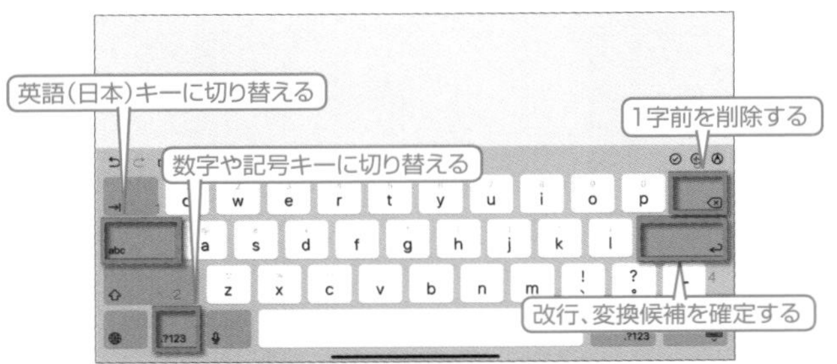

日本語をローマ字打ちで入力するキーボード。パソコンのキーボードに慣れている人におすすめ。左下の「?123」キーを押すと数字や記号入力にキーが変化する。

英語(日本)

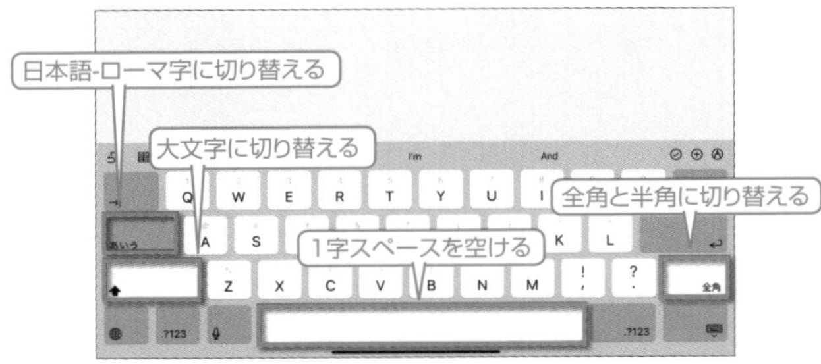

アルファベットで入力するキーボード。日本語-ローマ字と似ていてわかりづらいが、改行キーが「return」になっており「全角」キーがある場合が、英語(日本)キーだ。

絵文字

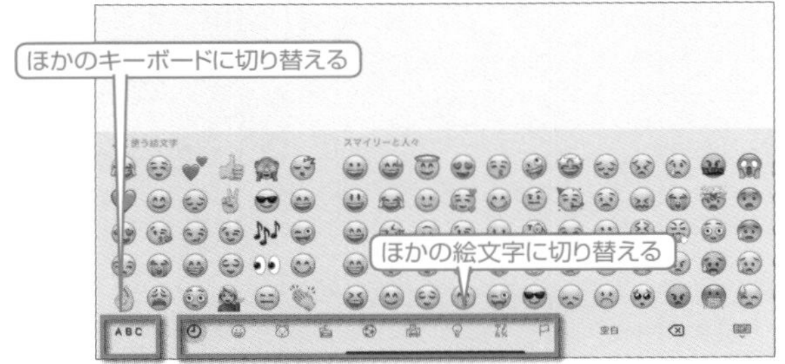

さまざまな絵文字を入力できるキーボード。画面下のタブをタップして絵文字の種類を切り替えることができる。地球儀マークがないが左下の「ABC」キーでほかのキーボードに切り替えられる。

かな

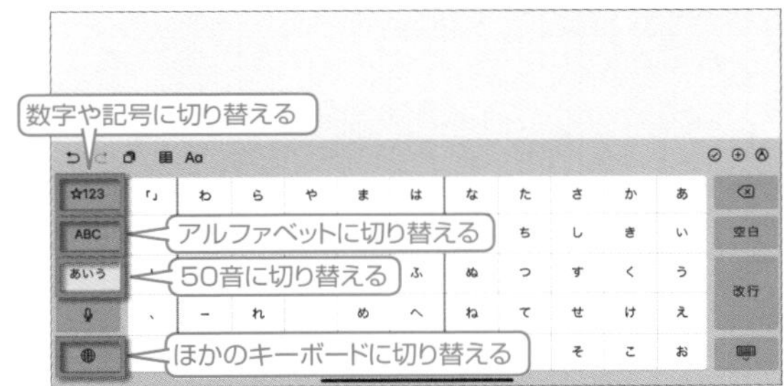

日本の50音順にキーが配置されたキーボード。PCを使ったことがなく、はじめてiPadを利用する人はこのキーボードが使いやすい。

「日本語-ローマ字」で日本語入力をしてみよう

1 「日本語-ローマ字」に切り替える

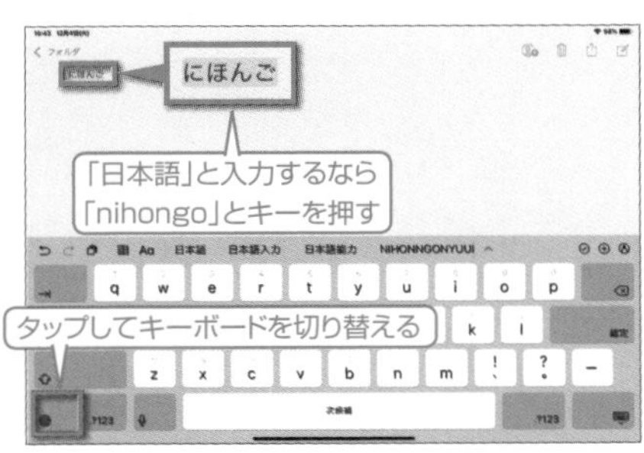

日本語入力を行なう一般的な方法は「日本語-ローマ字」キーボードに切り替えて、ローマ字で日本語入力する。たとえば漢字の「読み」を入力してみよう。

2 変換候補を選択する

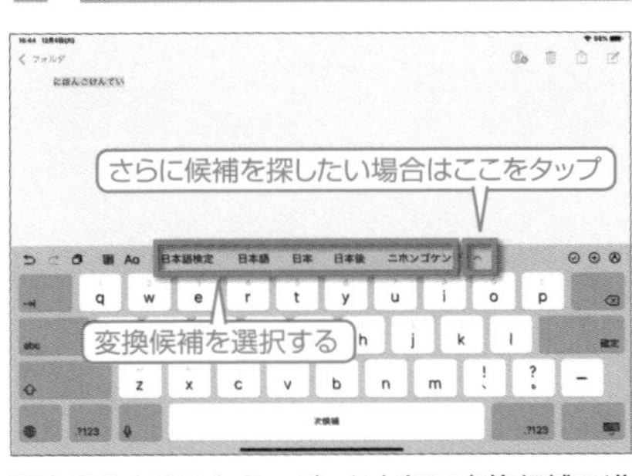

読みを入力するとキーボード上部に変換候補の漢字が表示される。入力したい語句を選択しよう。もし候補がない場合は右端の「↑」をタップ。

3 ほかの変換候補が表示される

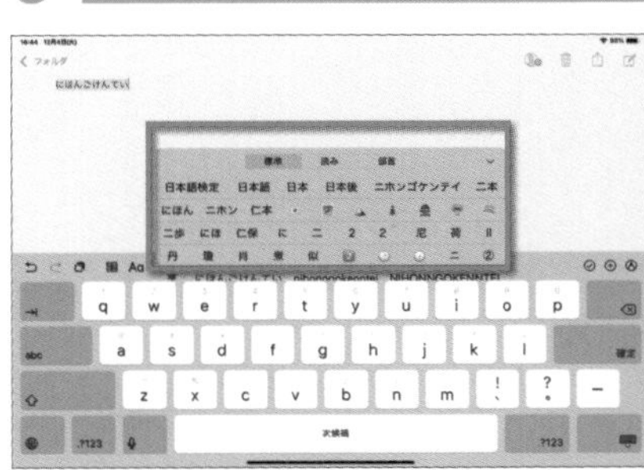

ほかの変換候補が表示されるので、目的の候補を選択しよう。

メールの新着やスケジュールをチェックする

iPadで文字入力を行なうには、文字入力画面をタップすると自動的に表示されるオンスクリーンキーボードを利用します。iPadの初期設定画面のキーボード設定で、すべての項目にチェックを付けていれば4種類のキーボードを利用することができます。

キーボードの種類について把握しておきましょう。「かな」と「日本語-ローマ時」の2種類の日本語で入力できるキーボードが最もよく利用します。アルファベットを入力する場合は「英語(日本)」キーボードに切り替えましょう。ほかに絵文字専用のキーボードが用意されており、タップ1つでさまざまな顔文字や絵文字を入力することができます。

4 数字や記号を入力する

数字や記号を入力する場合は、左下にある「?123」キーをタップすると、数字や記号を入力するためのキーボードに切り替わる。

5 下へフリックして数字を入力

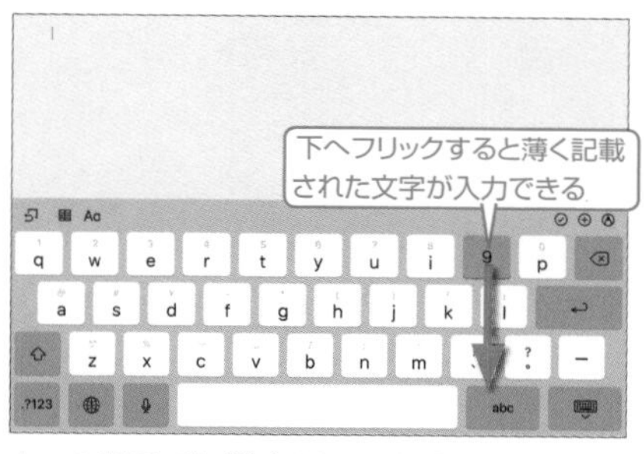

キーの背景に薄く数字や記号が記載されたキーは下へフリックすることで、そのキーを入力できる。キーボードをわざわざ切り替える必要はない。

6 大文字で入力する

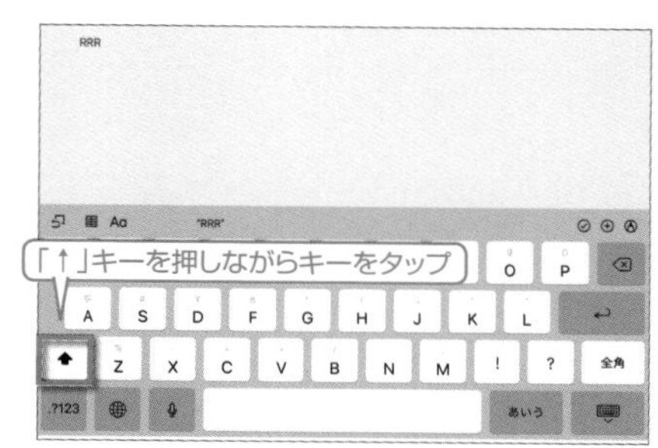

英語(日本)キーで大文字入力をしたい場合は、左側にある「↑」キーを押しながらキーをタップすると大文字で入力ができる。

携帯電話のようなフリック入力をするには?

携帯電話のフリック入力には慣れているが、パソコンのようなテンキーボード入力に慣れていないという人はフローティングキーボードに変更しましょう。携帯電話と同じフリック形式で文字入力ができるようになります。また、フローティングキーボードはiPadの好きな位置に移動させることができます。

1 フローティングキーボードにする

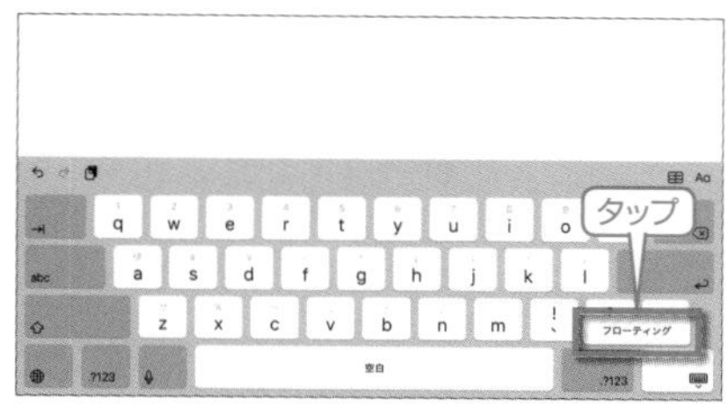

フローティングキーボードに変更するには、右下のキーボードボタンを長押しして「フローティング」をタップする。

2 フリック入力ができる

キーボードが小さくなる。日本語入力キーボードに変更するとフリック入力ができる。

3 キーボードの位置を変更する

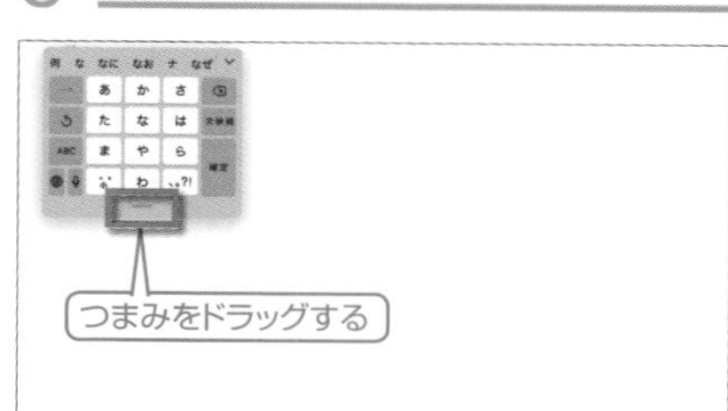

キーボード下にあるつまみをドラッグするとキーボードの位置を変更することができる。キーボード上でピンチアウトすると元のキーボードに戻る。

Check!

「かな」キーをインストールする

「かな」キーはiPadの初期設定でインストールし忘れてしまった場合は、「設定」アプリのキーボード設定画面から追加しましょう。また、キーボード設定画面ではほかにもさまざまな言語のキーボードをダウンロードできます。

1 検索から動画を探す

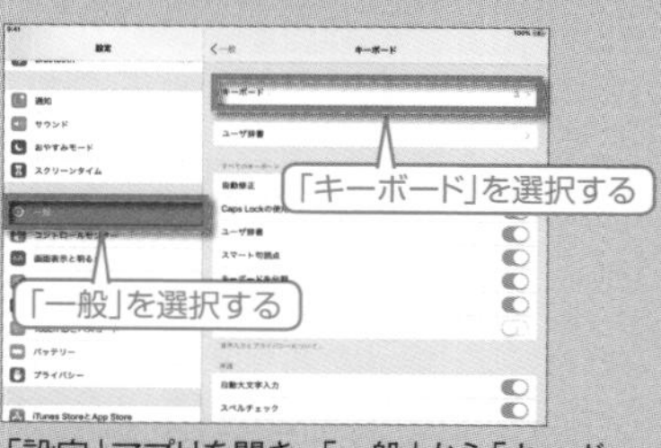

「設定」アプリを開き、「一般」から「キーボード」を選択する。

2 検索から動画を探す

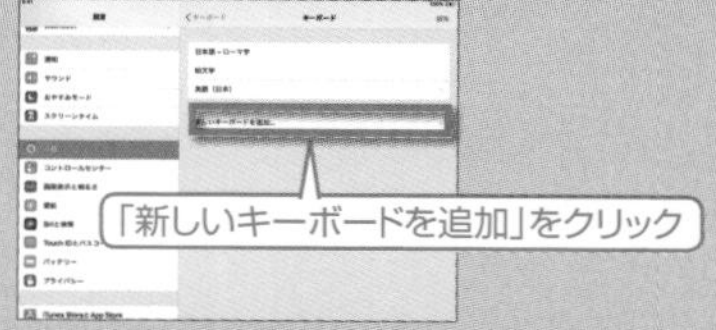

キーボード追加画面が表示される。ここでは現在インストールされているキーボードが一覧表示される。「新しいキーボードを追加」をクリック。

3 検索から動画を探す

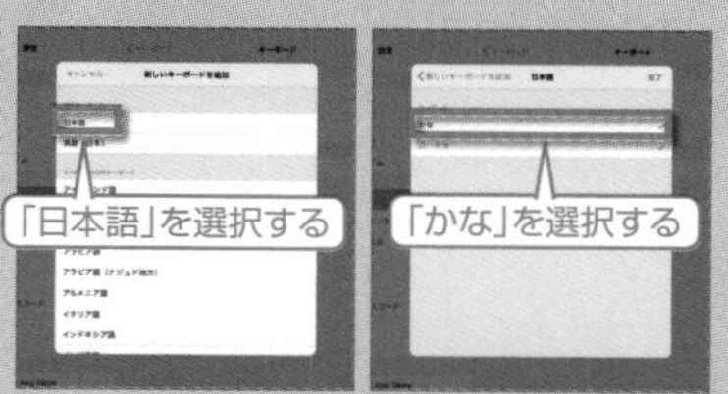

推奨キーボードで「日本語」を選択し、「かな」にチェックを入れてダウンロードしよう。

文字を大きくしよう

キーボードは標準では画面下部に固定表示されていますが、上下の好きな位置へ移動させることができます。キーボードの固定設定を解除しましょう。なお、分割状態のキーボードでも位置を動かすことができます。iPad Proは対応していません。

1 固定を解除する

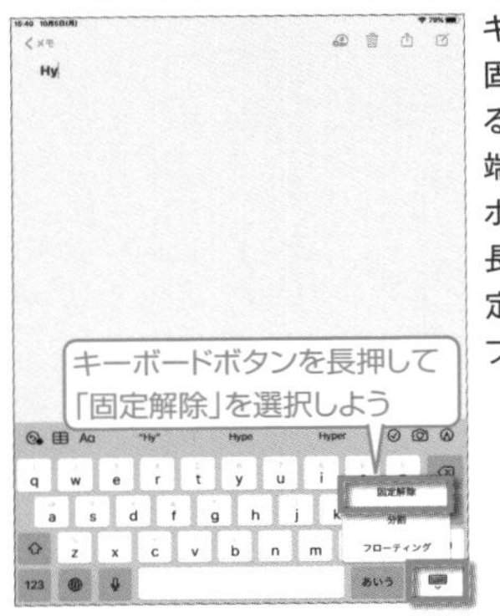

キーボードの固定を解除するには、右下端にあるキーボードボタンを長押して「固定解除」をタップしよう。

2 上下にドラッグする

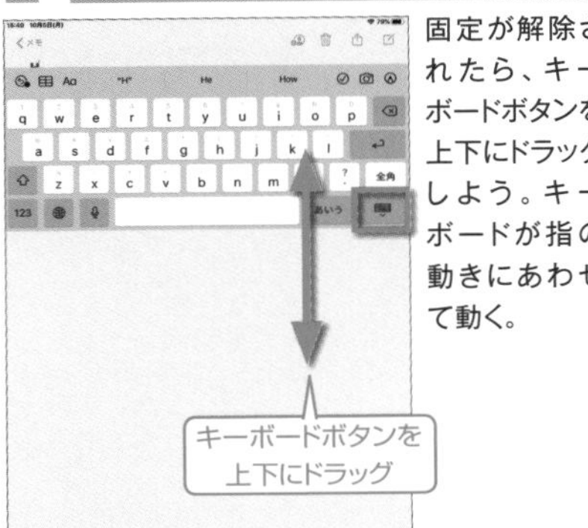

固定が解除されたら、キーボードボタンを上下にドラッグしよう。キーボードが指の動きにあわせて動く。

3 キーボードを固定する

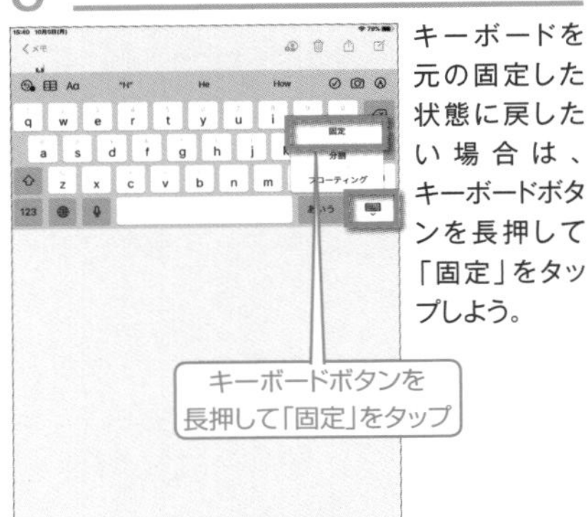

キーボードを元の固定した状態に戻したい場合は、キーボードボタンを長押して「固定」をタップしよう。

キーボードを並び替える

よく使うキーボードをすぐに表示させたい場合は、順番を並び替えましょう。「設定」アプリのキーボード設定を開き、編集モードにすることで並び替えることができます。不要なキーボードを削除することもできます。

1 「設定」アプリを開く

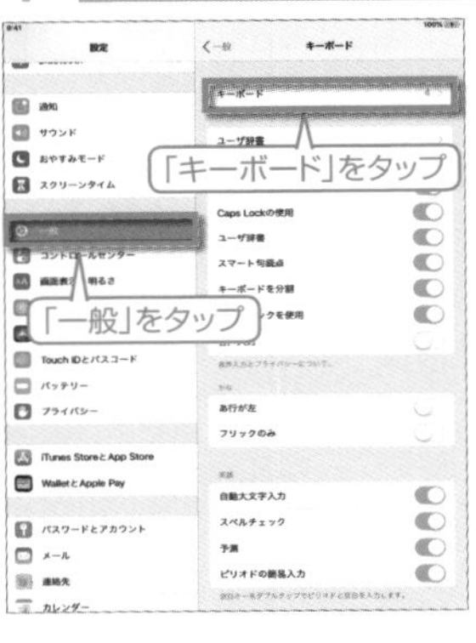

キーボードの並び替えをしたい場合は、「設定」アプリを開き、「一般」から「キーボード」をタップ。

2 「編集」をタップして並び替える

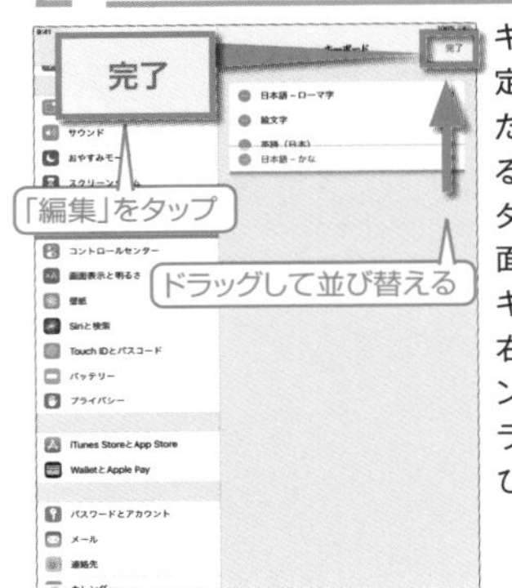

キーボード設定画面が開いたら、右上にある「編集」をタップ。編集画面になるのでキーボード名右にあるボタンを上下にドラッグして並び替えよう。

3 キーボードを削除する

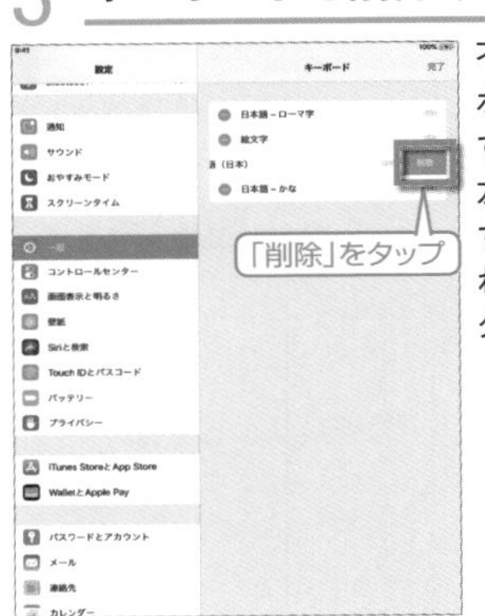

不要なキーボードを削除する場合は、左へスワイプすると表示される「削除」をタップしよう。

音声入力を行おう

iPadでは音声入力もできます。非常に認識精度が高く、どんな事を話しかけてもきちんと変換してくれます。キーボード入力が苦手な人は音声入力のほうが効率的に文字入力できるでしょう。

1 マイクボタンをタップする

音声入力を行なうには、キーボード上にあるマイクボタンをタップしよう。

2 iPadに向かって話しかける

iPadに向かって話しかけると音声内容を読み取って自動で文字入力が行われる。認識精度が非常に高いので、どんどん話しかけていこう。

3 句読点を入れる

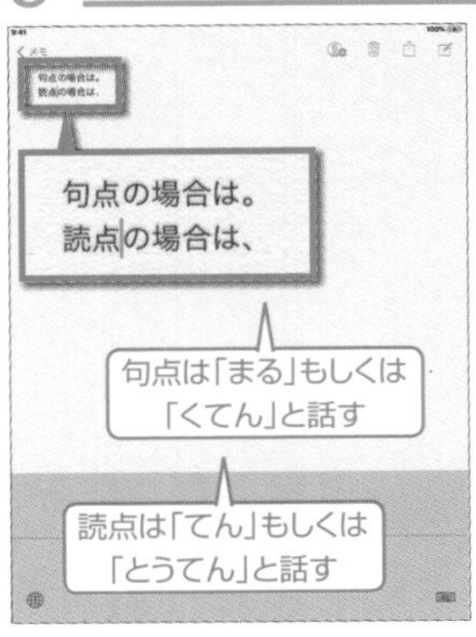

音声入力中に句読点を入れるには、句点の場合は「まる」もしくは「くてん」と話しかけよう。読点の場合は、「てん」もしくは「とうてん」と話しかけよう。

文字入力の便利テクニック

iPadのキーボードで効率よく文字入力を行なう小技はたくさんあります。入力の打ち方を覚えたり、キーボード設定を見直しましょう。入力後の文字を再変換機能を知っておくとあとで編集が楽になります。

1 日付や時間を素早く入力する

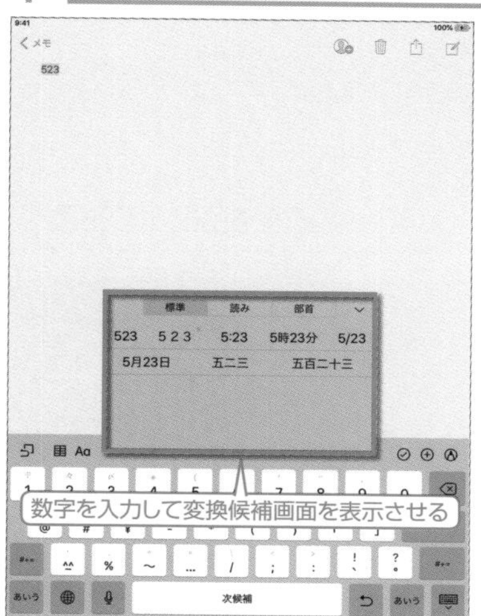

日付や時間を入力する際は数字列だけでも変換候補として表示される。たとえば「5月23日」と入力したい場合は、「523」と入力すればよい。

2 自動大文字入力を停止する

英語（日本）キーでは文章の冒頭が自動的に大文字になってしまう。これをオフにするにはキーボード設定画面で「自動大文字入力」をオフにしよう。

3 漢字を選択して別の漢字に再変換する

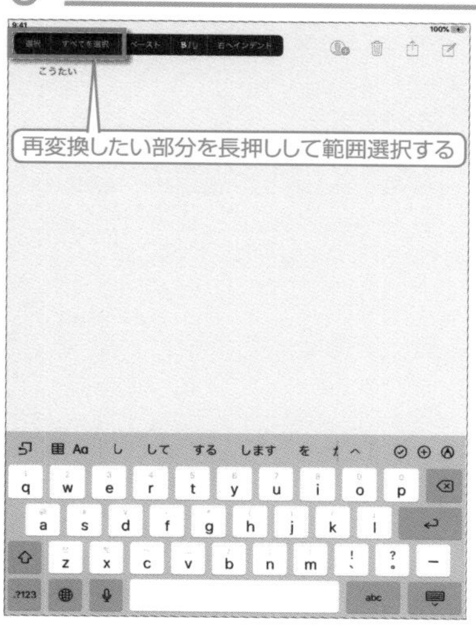

文字を入力していて、同音異義語の漢字を間違って入力した場合は、再変換したい部分を長押しして範囲選択する。

4 文字を再変換する

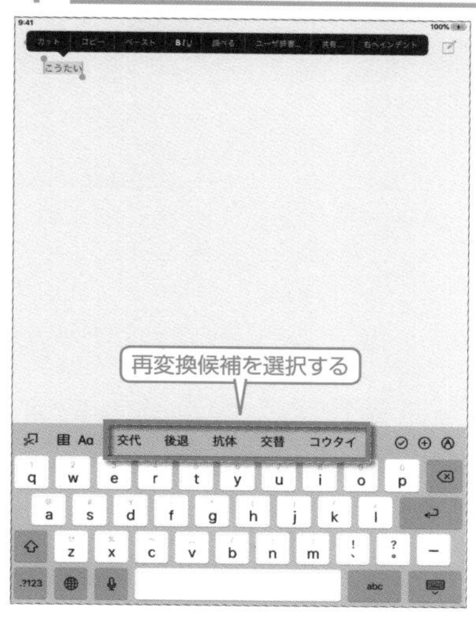

するとキーボード上に変換候補が表示されるの、適当な変換候補を選択しよう。

Check! いつも使う定型文は辞書登録する

「○○様　いつもお世話になっております。山田です。」など、メールの冒頭などに利用する定型文をiPadで入力する際は、ユーザー辞書に定型文を「単語」登録しておきましょう。辞書登録画面で登録したい定型文を「単語」に、その定型文を変換候補に表示させるための語句を「よみ」に入力すれば、登録した「よみ」を入力するだけで変換候補から素早く定型文を挿入できます。

1 ユーザー辞書を開く

「設定」アプリからキーボードの設定画面を開いたら、「ユーザ辞書」をタップして、右上の追加ボタンをタップする。

2 ユーザー辞書を開く

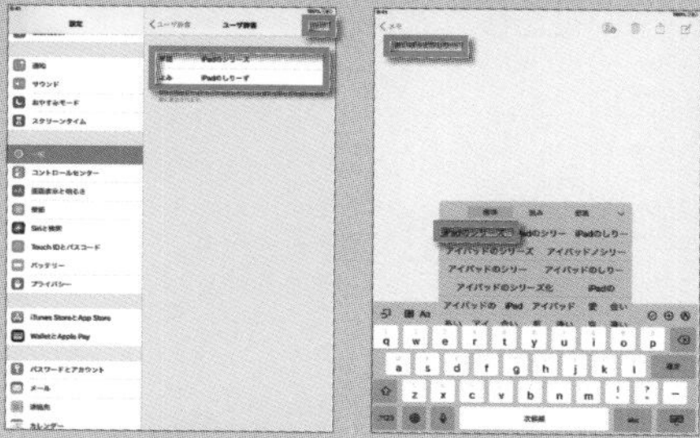

「単語」によく使う単語や定型文を登録し、「よみ」にその定型文を変換候補に表示させるための入力文字を登録しよう。登録後、「保存」をタップ。「よみ」の登録した語句を入力しよう。

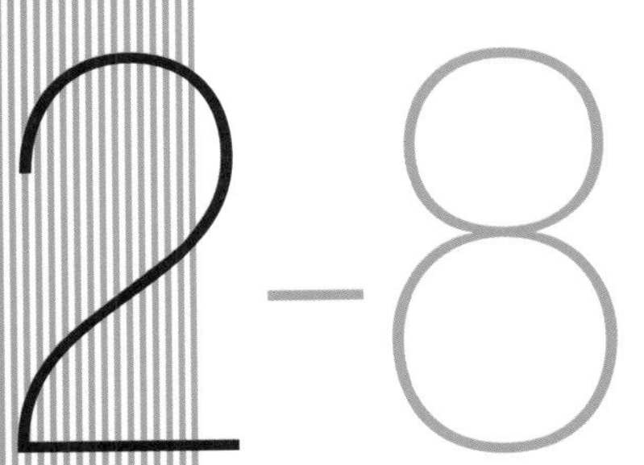

Siriを使って音声でiPadを操作しよう

Siriを呼び出して使ってみましょう

1 ホームボタンを長押しして呼び出す

ホームボタンを長押しするとSiriが起動する。起動したらいろいろ話しかけてみよう。

2 天気予報を聞いてみよう

「今日の天気」と話しかければ、現在地情報の今日の天気を教えてくれる。

3 スポーツ結果を聞いてみよう

「昨日のプロ野球の結果」と話しかければ、昨日のプロ野球の結果を一覧表示してくれる。

Siriを有効にしよう

iPadの初期設定でSiriを無効にしてしまった場合は、「設定」アプリの「Siriと検索」から手動で有効に切り替えましょう。Siriは初期設定では女性の声ですが、男性の声や言語を変更することもできます。

1 「Siriと検索」画面を開く

「設定」アプリを開き、「Siriと検索」を開く。「ホームボタンを押してSiriを使用」を有効にするとSiriが使えるようになる。

2 Siriの声を設定する

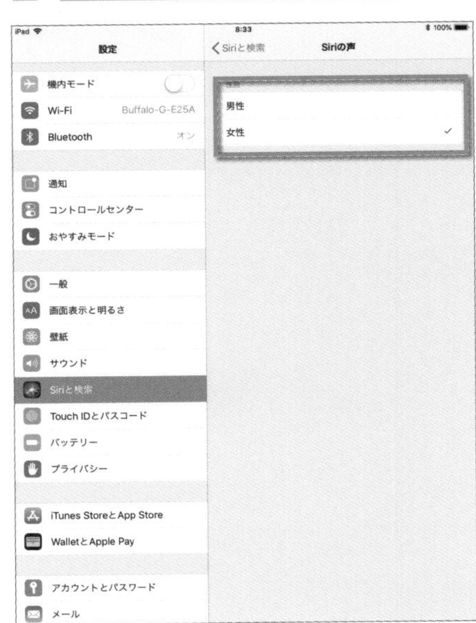

「Siriと検索」の画面で「Siriの声」を開いて、Siriの声の性別を変更することもできる。

iPadにはなしかけるでアプリ操作ができる

iPadには話しかけるだけでiPadの各種操作ができる音声アシスタント「Siri」が搭載されています。SiriはiPadの初期設定で有効にしていれば、ホームボタンを長押しすると利用できます。有効にしなかった場合は「設定」アプリの「Siriと検索」から有効にしましょう。「今日の天気は?」と話しかければ現在位置情報から今日の天気情報を音声で応答してくれます。「おすすめの音楽をかけて」と話しかければ、ユーザー好みの情報をSiriが選択して自動で再生してくれます。Siriを使って操作できる項目は何百通りもあります。キーボード操作が苦手な人は、音声でiPadを操作するといいでしょう。

Hey Siriを有効にして端末に触らずSiriを利用する

Siriはホームボタンに触らなくても、iPadに直接話しかけるだけで起動できます。「設定」アプリの「Siriと検索」で「Hey Siri」を有効にしましょう。iPadに「ヘイ、シリ」と話しかけるだけでSiriが利用できるようになります。

1 Hey Siriを有効にする

「設定」アプリから「Siriと検索」を選び、「"Hey Siri"を聞き取る」のスイッチを有効にしよう。

2 Hey Siriの設定画面が起動する

Hey Siriの設定画面が表示される。「続ける」をタップする。

3 Hey Siriの設定を行う

Hey Siriの設定画面に従って、自分の声を数回登録しよう。

便利なSiriの使い方をマスターしよう

1 カレンダーに予定を入力する

「予定を入力」の後に日時を話しかけると、カレンダーアプリに予定を入力してくれる。

2 単位換算に利用する

「100ユーロはいくら」と聞くと、最新の為替情報をもとに円に換算してくれる。

3 近所のお店を調べる

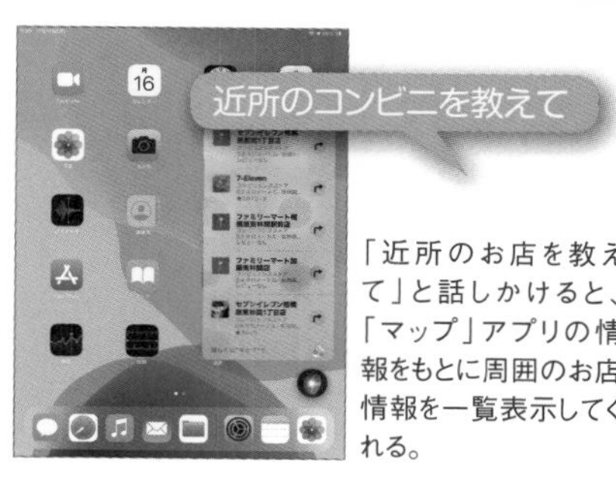

「近所のお店を教えて」と話しかけると、「マップ」アプリの情報をもとに周囲のお店情報を一覧表示してくれる。

4 指定した日時のメールをチェックする

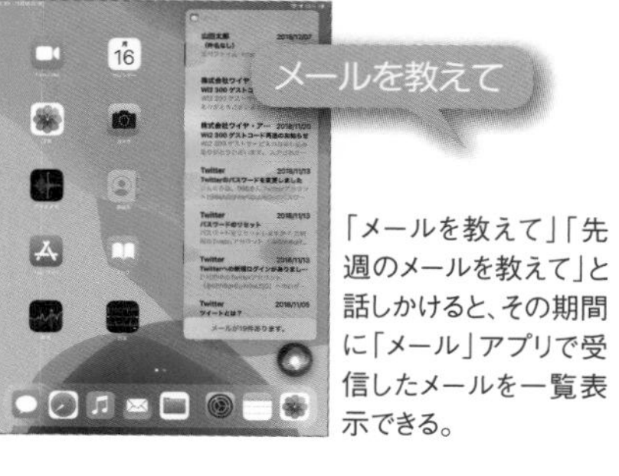

「メールを教えて」「先週のメールを教えて」と話しかけると、その期間に「メール」アプリで受信したメールを一覧表示できる。

5 アラームをセットする

「アラームをセットして」のあとに、日時を指定するとアラームを設定することができる。

6 音楽を再生する

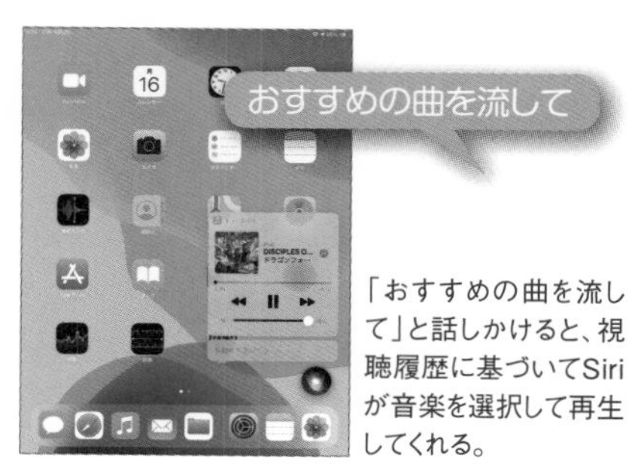

「おすすめの曲を流して」と話しかけると、視聴履歴に基づいてSiriが音楽を選択して再生してくれる。

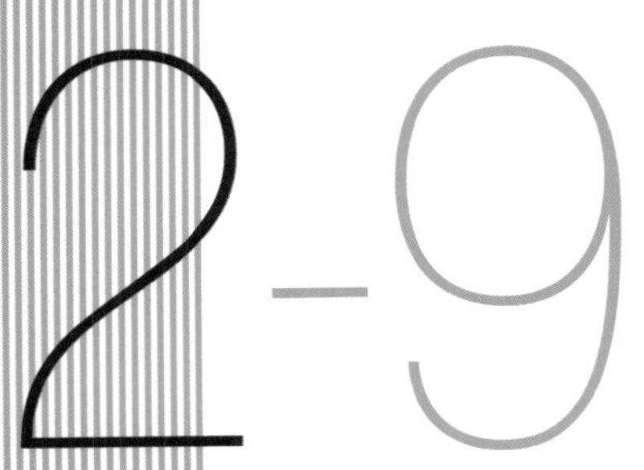

指紋認証機能 Touch IDを設定しよう

Touch IDはこんなことができる

Touch IDは指紋認証によるロック解除以外にApp StoreやiTunes Storeからコンテンツを購入する際の本人確認としても利用できます。購入時に毎回パスワードを入力する必要がなくなり非常に便利です。

1 Touch IDの使い方（ロック解除）

ロック画面でパスコード入力する代わりに、ホームボタンに指紋を登録した指を触れるだけで、ロックを解除してiPadを利用できます。

2 App Storeからコンテンツを購入

App Storeからコンテンツを購入する際、Touch IDを使えば毎回Apple IDとパスワードを入力する必要はない。

3 iTunes Storeからコンテンツを購入

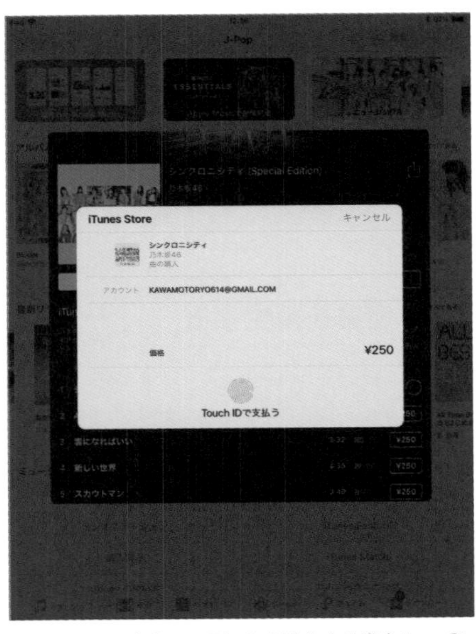

iTune Storeからコンテンツを購入する際もApp Store同様にTouch IDを使えばApple IDとパスワードを入力する必要はくなる。

4 アプリのロック解除にも使える

Evernoteなど一部のアプリはTouch IDでアプリのロックを解除して起動できる。iPadを共有しているときに個人的なメモを見られることを防げる。

ホームボタンを指を当ててロックを解除する

iPadのホームボタンには、ホームボタンに触れた指の指紋を識別するセンサーが搭載されています。これを「Touch ID」と呼びます。指でホームボタンに触れるだけでロックを解除することができる便利な機能です。また指紋認証なら、指紋を登録したユーザー以外がiPadを勝手に操作することを防ぐことができます。

Touch IDはiPadの初期設定で有効にすることができますが、していない場合は「設定」画面の「Touch IDとパスコード」で指紋の登録を行いましょう。指紋は複数登録することができるので、左手と右手の両方の指紋を登録しておくと使い勝手が良くなります。

Touch IDの設定を行いましょう

「Touch IDとパスコード」では、指紋の登録が行えます。初期設定で指紋を登録し忘れた人や、新たに指紋を追加した人は登録作業を行いましょう。また、ロック解除時のみなどTouch IDを適用する操作を指定することもできます。

1 「設定」アプリから設定を行なう

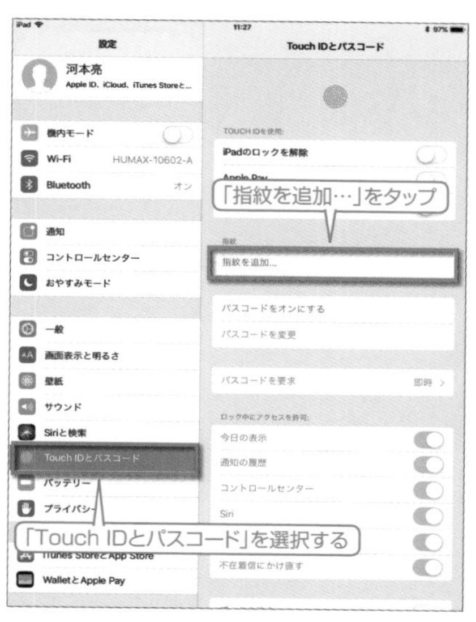

「設定」アプリを開き、「Touch IDとパスコード」を選択する。指紋を追加する場合は、「指紋を追加…」をタップする。

2 ホームボタンを登録する指で触れる

指紋登録の画面が表示されるので、iPad本体のホームボタンに指紋を登録する指で触れる。

3 ホームボタンに触れて話す作業を繰り返す

ホームボタンに指で触れて離す作業を、画面に表示される指紋のイラストが赤くなるまで繰り返す。

4 「続ける」をタップする

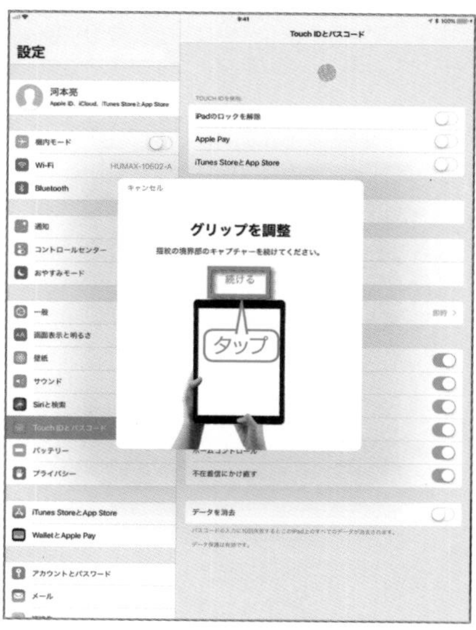

手順3の指紋イラストがすべて赤くなるとこのように表示されるので、「続ける」をタップしよう。

5 再び触れて離す作業を繰り返す

続けて、ホームボタンに置いた指を触れて離すを繰り返そう。このときに前後左右に少しずらして指紋周辺も認識させよう。

6 パスコードを設定する

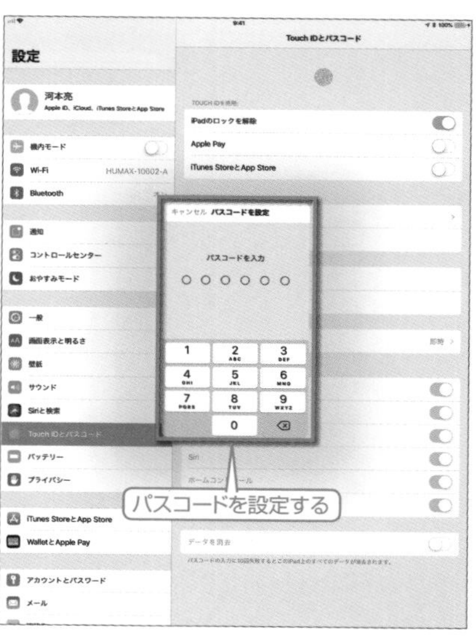

最後にパスコード設定を行なう。もし指紋認証でロック解除に失敗した場合は、ここで設定するパスコードでロックを解除しよう。

Apple Pencilで手書きを楽しもう

Apple Pencilの外観

Apple Pencilの外観はシンプルです。頭のキャップを取ると充電端子になっており、iPadの充電端子に挿し込むことで充電やペアリングによる使用が可能になります。Apple Pencilには第一世代と第二世代がありますが、ここでは第一世代について紹介します。

Apple Pencilをペアリングして使用できるようにする

Apple Pencilを利用するにはiPadとペアリング作業を行なう必要があります。方法は簡単です。LinghtningコネクタにApple Pencilを数秒差し込めば自動的にペアリングが行われます。

1 LinghtningコネクタにApple Pencilを差し込む

Apple Pencilを利用するには、iPadのLinghtningコネクタにApple Pencilを差し込みましょう。

2 ペアリングを行う

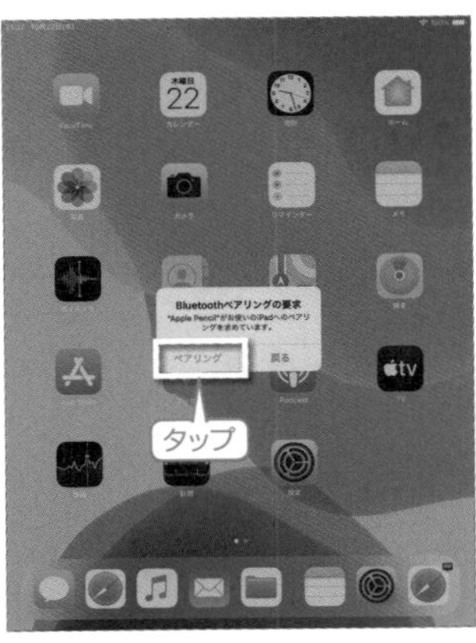

数秒待つとiPadの画面にペアリング要求画面が表示されます。「ペアリング」をタップしましょう。

3 Apple Pencilで手書きをしてみよう

ペアリングが終わるとApple Pencilで操作ができます。Apple Pencilの先でアイコンを叩くと反応するはです。

紙に鉛筆で描いているような書き心地が得られる

外出先でふと思いついたメモを取る場合、iPadのキーボードは少し使いづらく感じます。Apple Pencilを使って手書きでメモを取るほうが効率的でしょう。Apple PencilはApple公式のスタイラスペン。まるで鉛筆で紙に書くのと同じような使い心地が得られます。手書きの文字やスケッチ、写真やPDFに手書きの注釈を入れるときにも活躍します。Apple Pencilはアップルの公式サイトや家電量販店で購入できます。購入する際は型に注意しましょう。ホームボタンの搭載したiPad、iPad miniはApple Pencil第一世代対応です。ホームボタンのないiPad ProやiPad AirはApple Pencil第二世代対応です。

Apple Pencilで手書きのメモやスケッチに挑戦してみよう

Apple Pencilが特に役立つのはメモや簡単なスケッチを取るときでしょう。iPadに標準搭載されている「メモ」アプリを使えば、Apple Pencilを使って無地のキャンバスに手書きでメモを取ることができます。ペンや投げ縄などさまざまなツールを使って書いた内容を分かりやすく彩ることができます。

1 「メモ」アプリのインラインスケッチを使ってみよう

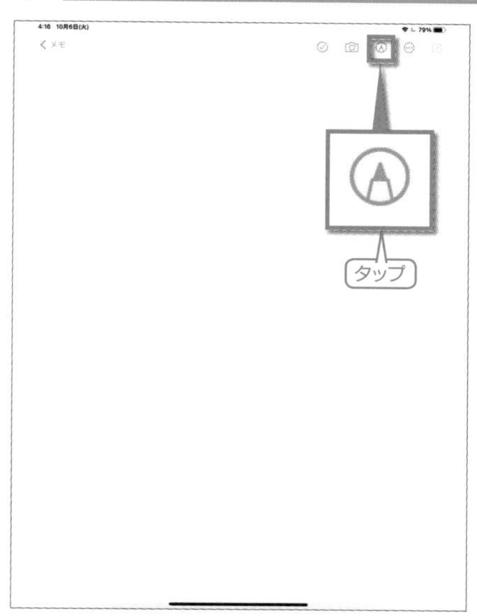

Apple Pencilを使って手書きスケッチを作成するには、「メモ」アプリを起動し、メモ欄右下にある鉛筆アイコンをタップする。

2 インラインスケッチで手書きしてみよう

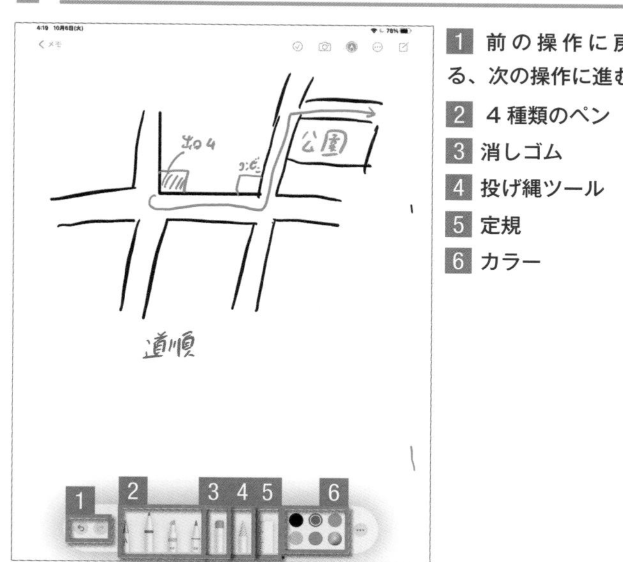

1 前の操作に戻る、次の操作に進む
2 ４種類のペン
3 消しゴム
4 投げ縄ツール
5 定規
6 カラー

iPadの画面下から手書き用のツールが表示される。ペンやカラーを選択して、キャンバス上に直接手書きスケッチを作成しよう。

3 保存してほかのアプリと共有できる

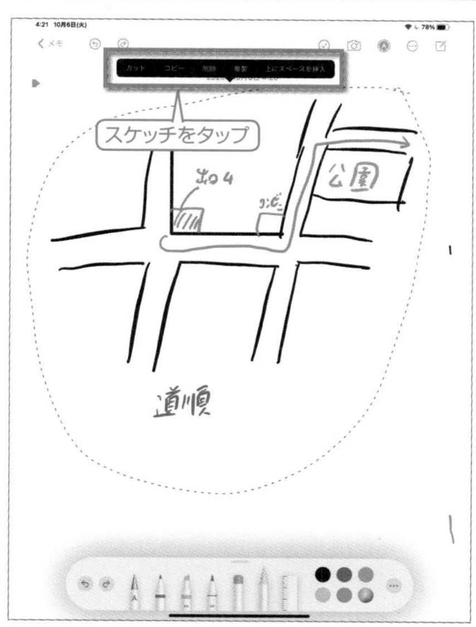

手書きしたスケッチは自動的に「メモ」アプリに画像形式で保存される。タップするとメニューが表示され、カット&ペーストでほかのアプリと共有できる。

4 ペンの太さを変更する

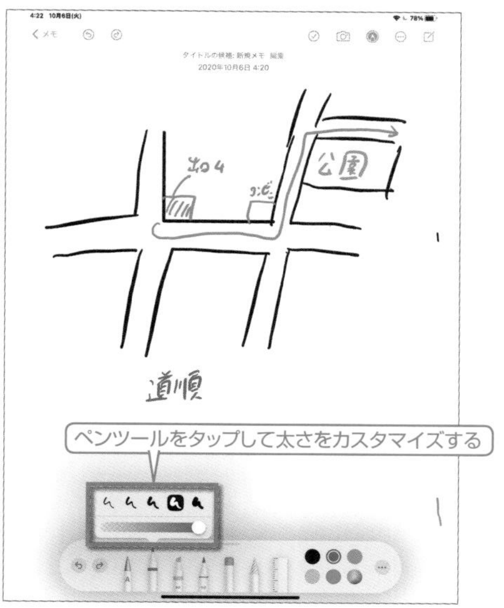

最新のiPadのiOSではペンの太さを調節できる。ペンツールをタップすると調節画面が表示される。

COLUMN

テザリングで インターネットに接続しよう

iPhoneのモバイルデータでインターネットに接続する

Wi-Fi専用のiPadの場合、自宅であれば自宅の無線LANルーターでインターネットに接続できますが、外出すると近くにWi-Fiスポットがない限り、インターネットに接続できず不便です。もし大手キャリアと契約しているiPhoneのユーザーなら、iPhonenのテザリング機能を利用しましょう。

テザリングとは、スマートフォンなどを外部モデム化し、インターネット接続させる機能です。Wi-Fiルータがなくてもスマートフォンのモバイルルータを使ってインターネット接続ができるようになります。

iPadからiPhoneにつないでインターネットをする

1 「インターネット共有」をタップ

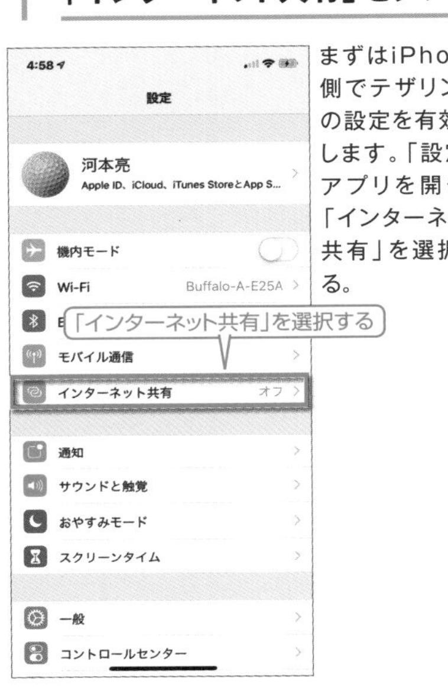

まずはiPhone側でテザリングの設定を有効にします。「設定」アプリを開き、「インターネット共有」を選択する。

2 インターネット共有を有効にする

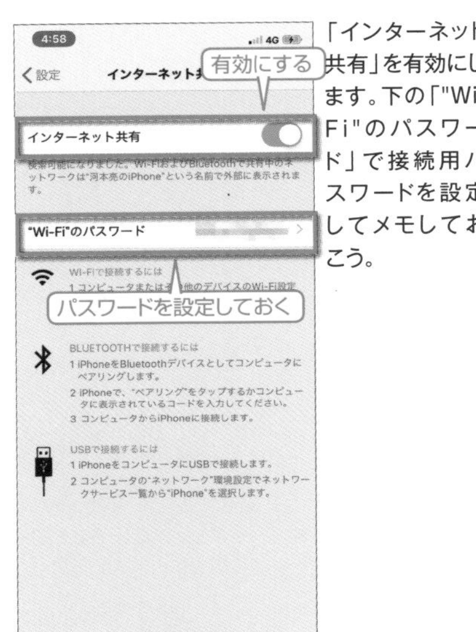

「インターネット共有」を有効にします。下の"Wi-Fi"のパスワード」で接続用パスワードを設定してメモしておこう。

3 Wi-Fi画面から「iPhone」を探す

iPadの「設定」アプリを起動し、「Wi-Fi」を選択。「インターネット共有」から「iPhone」の文字を探してタップしよう。

4 パスワードを入力する

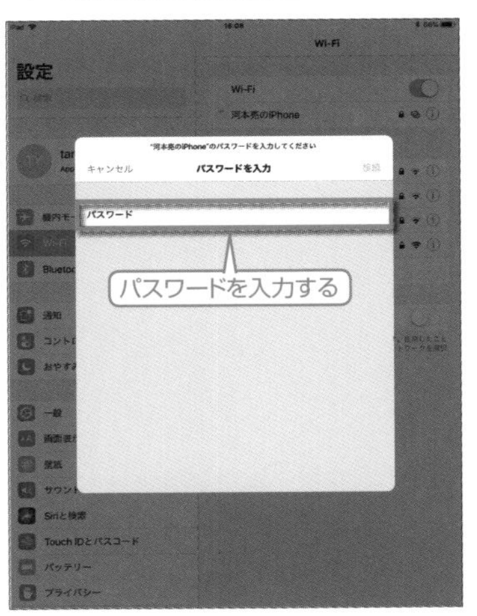

ログイン画面が表示されるので、先ほどメモしておいたパスワードを入力して「接続」をタップしよう。

5 iPhoneの接続を確認する

接続が完了すると一番上のWi-Fi下に「iPhone」が表示され、チェックマークが付く。また右上のアイコンがテザリングアイコンに変化する

6 ブラウザを起動する

ブラウザを起動してみよう。インターネット接続できているだろう。

Chapter 3

アプリの基本をマスターしよう

ホーム画面にある アプリを起動してみよう

アプリの起動と終了をしてみよう

1 アイコンをタップする

アプリを起動するには、ホーム画面にあるアイコンを軽く一度タップする。

2 アプリが起動する

アプリが起動する。各アプリ上にあるメニューを指で直接触って操作しよう。

3 ホームボタンを押す

アプリを終了するには、ホームボタンを押そう。アプリ画面が消えてホーム画面に戻る。

4 アプリを完全に終了する

アプリを完全に終了するにはホームボタンを2回連続で押す。Appスイッチャーが起動したら終了させたいアプリを上へスワイプしよう。

アプリの切り替え方法や終了の仕方も覚えよう

ホーム画面にあるアプリアイコンをタップすると、アプリを起動することができます。アプリの画面を閉じてホーム画面に戻りたい場合はホームボタンを押せばよいです。ただ、ホームボタンを押しただけではアプリ自体は完全に終了しておらず、背後で起動したままになっています。そのため、ミュージックアプリやラジオアプリなどはホーム画面に戻っても音声が鳴ったままになります。アプリを完全に終了する場合は、Appスイッチャー画面から終了させましょう。ホーム画面を2回連続で押すか画面下部から上へスワイプすると、Appスイッチャーを起動できます。

2つのアプリを同時に起動する

2つのアプリを同時に並べて使いたい場合は画面を分割させましょう。「Split View」と呼ぶ機能を利用することで、2つのアプリを並行して使えるようになります。ウェブページ内容を見ながらメモを取るときやYouTubeの講座番組を視聴しながらノートをとるときなどに便利です。

1 Dockを表示する

アプリ画面表示中に画面下から上へゆっくりスワイプしよう。Dockが表示される。Dockには登録したアプリと最近使用したアプリが3つ表示される。

2 Dockからアイコンをドラッグする

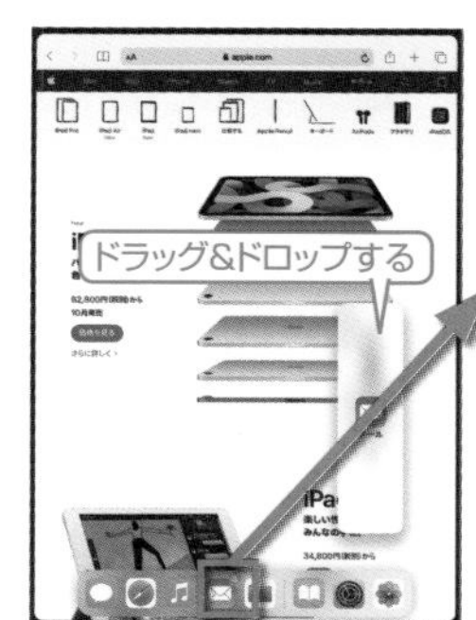

並行して表示したいアプリのアイコンをDockからドラッグ&ドロップしよう。

3 アプリが2つ同時に表示される

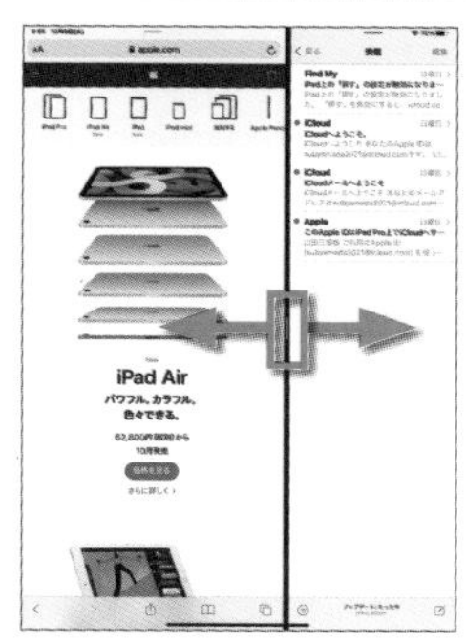

アプリが2つ同時に表示された。中央の分割線をドラッグすると画面の分割範囲を変更することができる。

4 アプリを並び替える

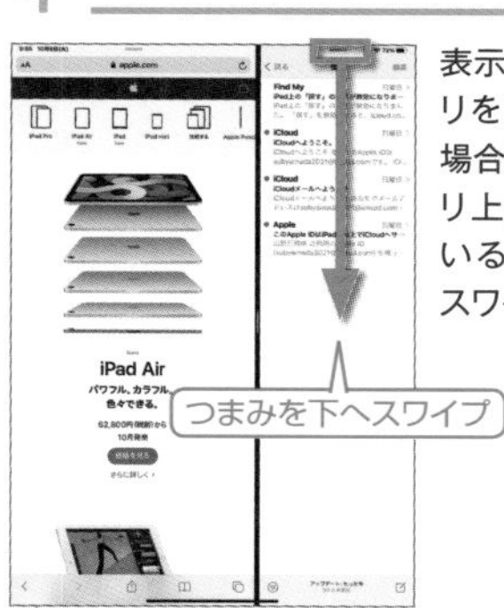

表示した2つのアプリを並び替えたい場合は、右側のアプリ上部表示されているつまみを下へスワイプする。

5 ウインドウを移動する

右側のアプリが少し浮いたようになったら、アプリ上部にあるつまみを左右にドラッグしよう。アプリが移動する。

6 並び替えの完了

最後につまみを上へスワイプすると、浮いた状態になっていたアプリが元に戻り、分割線が再表示される。

Check! ドラッグ&ドロップでアプリのデータをやり取りできる

並行表示しているアプリ上にあるデータは、ドラッグ&ドロップでアプリ間を簡単にやり取りできる。作成したメモ内容をメールに転記したり、Safariで表示しているページ内容を範囲選択して「ファイル」アプリにテキストファイルとして保存できる。

1 メモ内容をメールへコピーする

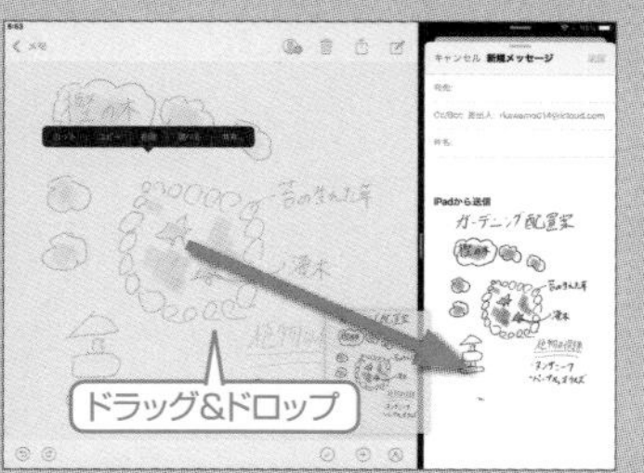

「メモ」アプリの内容を範囲選択して、メールの新規作成画面にドラッグ&ドロップ。

2 ウェブページを「ファイル」へ保存

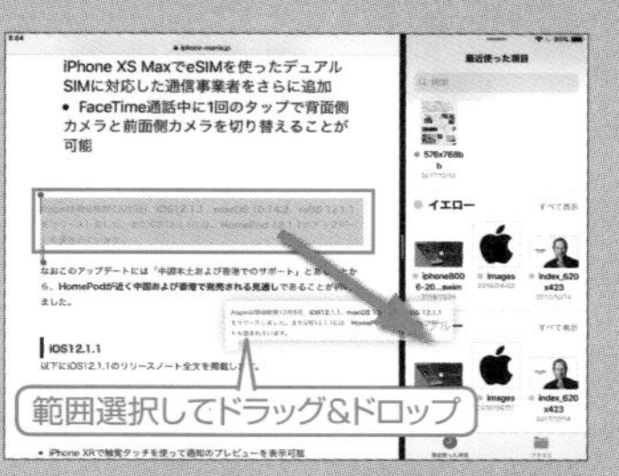

Safariで表示している内容を範囲選択して、「ファイル」アプリへドラッグ&ドロップするとその部分をテキストファイルで保存できる。

App Storeを使ってみよう

ひと目で分かるApp Store

App Storeを起動するには、ホーム画面からApp Storeのアイコンをタップしよう。

アカウント
タップすると登録したApple IDの情報が表示される。プリペイドカードやギフトカードのコードを利用する場合はここから行おう。

検索
キーワード入力でアプリを検索することができる。

ゲーム
ゲームアプリに特化したページ。アップルおすすめのゲームや、新着のゲームアプリが表示される。

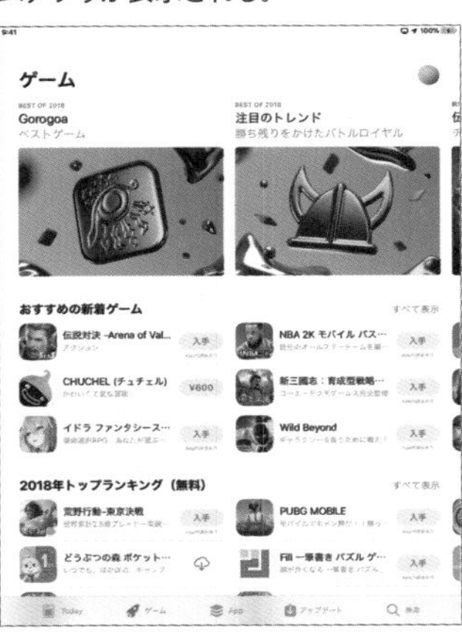

App
ゲームアプリ以外のアプリの新着アプリや人気アプリが表示される。有料アプリと無料アプリで分類してチェックもできる。

Today
日替わりでアップルがおすすめするアプリをチェックできる。今流行りのアプリやユーザー評価の高いアプリを探すときに利用しよう。

Arcade
月額600円で100以上のゲームに無制限にアクセスできるサービス。App内課金なしという点もグッド。

標準アプリ以外のアプリを使ってみよう

iPadには標準に搭載されているアプリ以外にも「App Store」からアプリをダウンロードしてアプリを追加することができます。App Storeはアップル社が運営しているコンテンツ配信サービスです。標準アプリ以外のさまざまな便利なアプリを探してダウンロードすることができます。

App StoreでアプリをダウンロードするにはApple IDを利用する必要があり(18ページ参照)、また支払い情報を登録する必要があります。Apple IDの作成時にクレジットカードやプリペイドカードなどの支払い情報をしていない場合は、「設定」画面から支払情報を登録しましょう。

クレジットカードやプリペイドカード情報を登録しよう

App Storeを利用するには支払い情報を入力が必須となります。支払い方法はクレジットカードやプリペイドカードなど複数用意されています。支払い設定はアプリダウンロード時に表示されるApple IDのログイン画面で、ログインした後行えます。すでに支払い情報を登録している人は設定する必要はありません。

1 アプリをダウンロードする

支払い設定はApp Storeからアプリをダウンロードする際に行える。「入手」をタップする。

2 Apple IDでサインインする

利用しているApple IDとログインパスワードを入力して「サインイン」をタップする。Apple IDを取得していない場合は、18ページを参照する。

3 利用規約に同意して進む

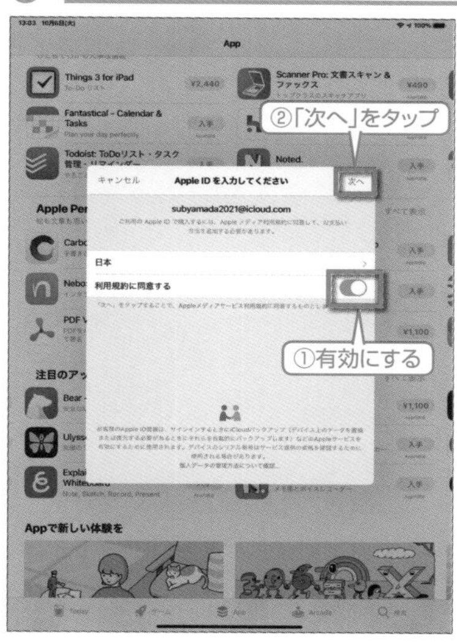

Appleコンテンツを利用する際の支払い方法設定画面が表示される。利用規約に同意するを有効にして「次へ」をタップ。

4 自分の名前を入力する

個人情報入力画面が表示される。ここでは名前とフリガナや住所、電話番号などを入力する。

5 支払い情報を入力する

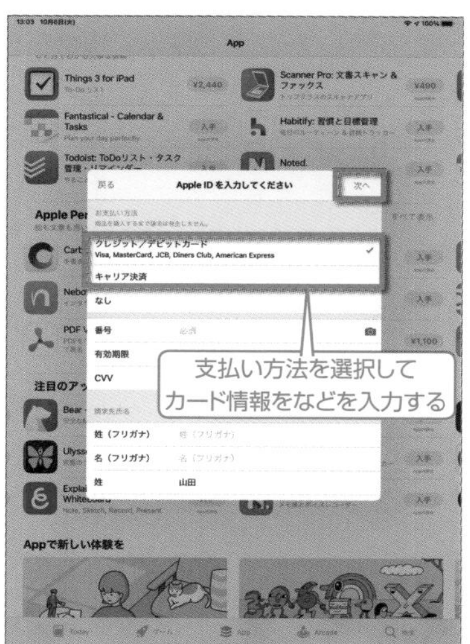

支払い方法を選択する。ここではクレジットカードで決済を行なうので「クレジットカード」にチェックを入れて、カード情報を入力する。入力後「次へ」をタップ。

6 App Storeが利用可能になる

支払い設定が終わると「Apple ID作成完了」という画面が表示され、App StoreをはじめすべてのAppleのサービスが利用できるようになる。

3-3 App Storeからアプリをダウンロードしよう

無料アプリをダウンロードする

まずは無料アプリをダウンロードしてみましょう。無料アプリか有料アプリかは、アプリの説明画面で分かります。ダウンロードボタンの部分が「入手」と記載されている場合は、無料でダウンロードできます。ただし、アプリ使用中に課金を必要とするアプリ（特にゲームアプリ）もあります。

1 検索からアプリを探す

目的のアプリ名が決まっている場合、右下の「検索」タブを開き、上部検索フォームにアプリ名を入力しよう。検索結果が表示されたらアプリ名をタップ。

2 「入手」をタップする

アプリの詳細が表示される。「入手」と記載されているアプリは、無料でダウンロードできる。タップしよう。

3 Apple IDとパスワードを入力する

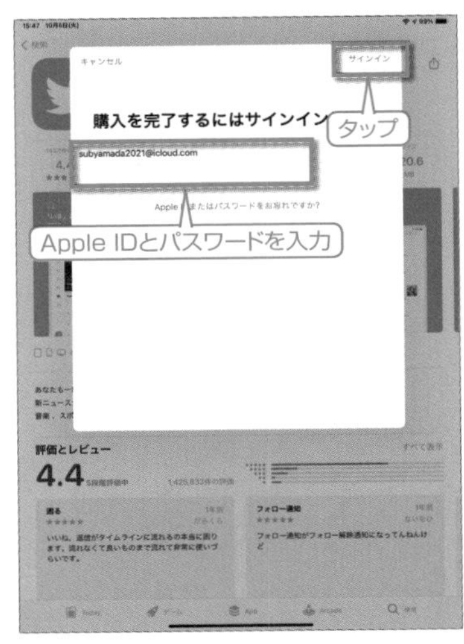

サインイン画面が表示される。Apple IDとパスワードを入力して「サインイン」をタップ。

4 パスワードを入力する

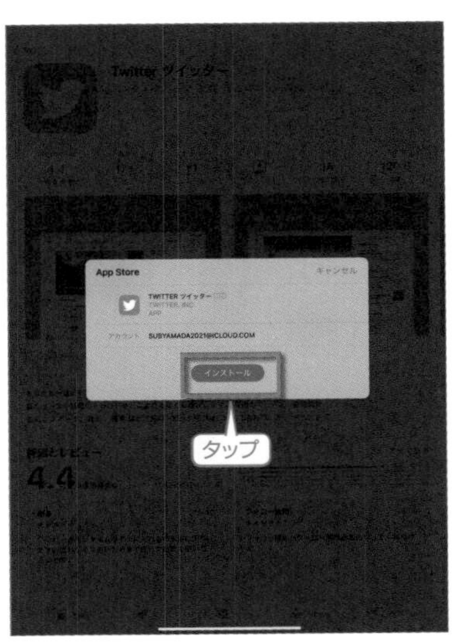

利用しているApple IDが表示される。「インストール」をタップする。

5 ダウンロード開始

ダウンロードが始まると、「入手」ボタンがダウンロードボタンに変化する。ダウンロードが終了するまで待とう。

6 ダウンロード完了

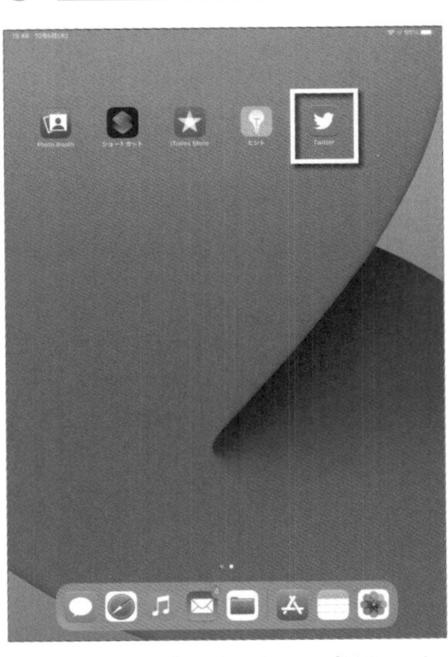

ダウンロードが完了すると、アプリのアイコンがホーム画面に追加される。タップするとアプリを起動できる。

さまざまな方法でアプリを探してダウンロードする

Apple IDと支払い情報の登録が終えたら、実際にApp Storeからアプリをダウンロードしましょう。ダウンロードしたいアプリがある場合は、下部メニューの右端にある検索画面からアプリ名を直接入力して探しましょう。特に目的のアプリがない場合は、「Today」画面のおすすめアプリや、「App」のランキングから、気になる人気のアプリを見つけてダウンロードするといいでしょう。なお、配布されているアプリには無料のものと有料のものがあります。ダウンロードが完了すると、ホーム画面にアプリアイコンが追加されており、タップすると起動することができます。

有料アプリを購入してみよう

有料アプリの購入方法も基本は無料アプリを購入するときと同じです。購入したいアプリのページを開いて、購入ボタンをタップします。「入手」と記載された無料版とは異なる価格ボタンが表示されています。価格を確認したらタップし、Apple IDのパスワードを入力すればダウンロードが始まります。

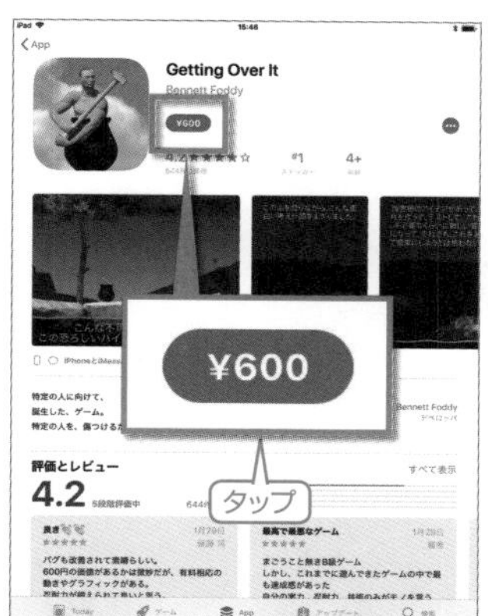

1 価格が記載されたボタンをタップ

購入したいアプリのページを開いたら、価格が記載されたボタンをタップする。

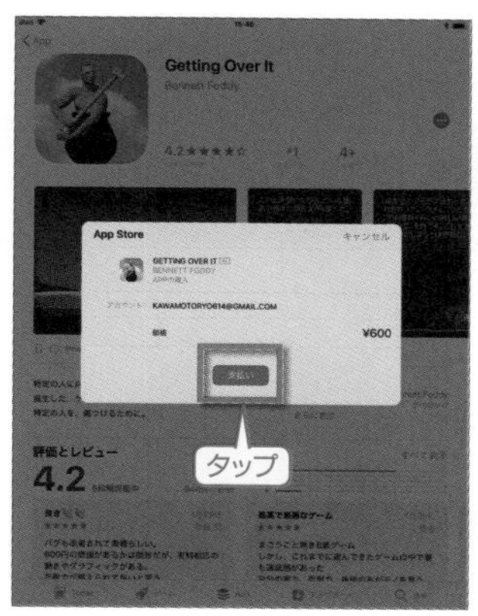

2 「支払い」をタップ

利用しているApple IDが表示される。「支払い」をタップする。

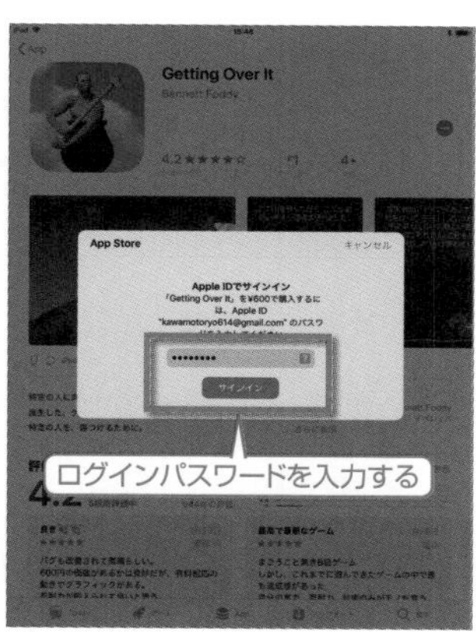

3 パスワードを入力する

続いてログインパスワードを入力して「サインイン」をタップしよう。

4 ダウンロード完了

ダウンロードが完了すると、アプリのアイコンがホーム画面に追加される。タップするとアプリを起動できる。

App内課金に注意しよう

App Storeでダウンロードできるアプリの中にはApp内課金が用意されているものがあります。ゲームアプリの中で使う通貨が代表的なApp内課金ですが、これらはダウンロード時の購入とは別に、アプリ内で支払いをする仕組みになっています。完全に無料だと勘違いしないようにしましょう。なお、App内課金のあるアプリは、App Storeのダウンロードページで「App内課金が有ります」と記載されています。

App内課金の種類	コンテンツの例	説明
消費型	ゲーム通貨 ゲームのヒント 追加のライフ追加の経験値	ゲームアプリのガチャ課金などが代表。必要時に毎回購入しなければならず、無料で再ダウンロードすることはできない。アプリを再インストールするとこれまで購入したアイテムは消る可能性がある。
非消費型	広告の除去 プロ版へのアップグレード ゲームのロック解除	1回のみ購入が必要で、それ以降はApple IDに関連付けられているほかのデバイスと機能を同期できる。アプリ削除後に再インストールしても利用できる。
サブスクリプション型	定期購読のサービス配信サービス	週単位、月単位、年単位で自動課金するアプリ。ニュースや雑誌アプリ、Apple Music、NetflixやHuluなどの配信サービスが代表。契約を解除しない限り毎月自動的に課金される。

3-4 インストールした アプリを削除しよう

ホーム画面からアプリを削除しよう

アプリを削除するには、ホーム画面にあるアイコンを長押しすると表示されメニューから「Appを削除」を選択するだけです。Safari、メッセージ、設定など一部のiPad標準アプリは削除できません。

1 アプリアイコンを長押し

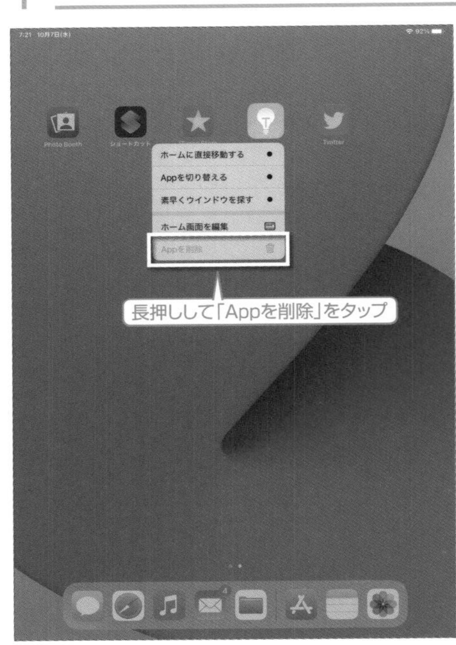

削除したいアプリを長押ししよう。メニューが表示されたら「Appを削除」を選択する。

2 「削除」をタップ

削除確認画面が表示されるので「削除」をタップしよう。アプリを削除することができる。

3 再度ダウンロード可能

削除したアプリはApp Storeから再度ダウンロードできる。有料アプリでも一度購入したものなら無料でダウンロードできる。

Check! サイズの大きなアプリだけを削除する

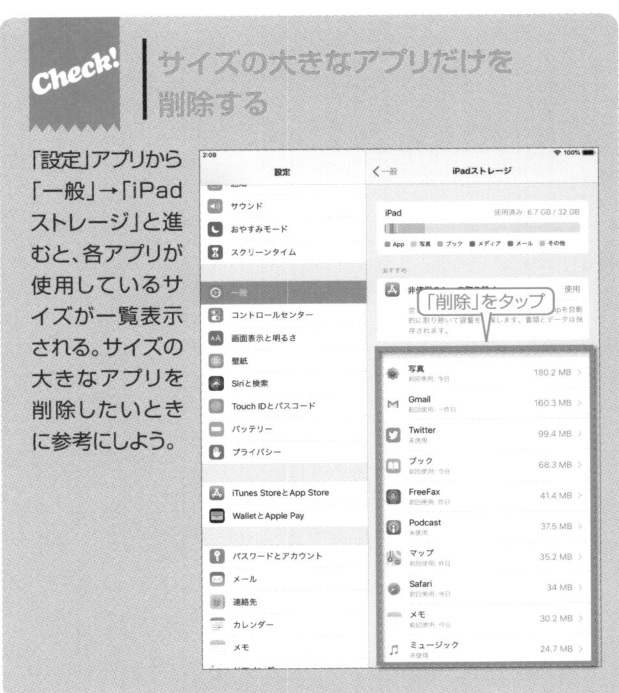

「設定」アプリから「一般」→「iPadストレージ」と進むと、各アプリが使用しているサイズが一覧表示される。サイズの大きなアプリを削除したいときに参考にしよう。

アプリが増えすぎるとiPadが使いづらくなる

アプリをインストールし過ぎると、ホーム画面が使いづらくなったり、iPadの空き容量が低下して動作が不安定化してきます。そんなときはアプリを削除しましょう。App Storeで一度ダウンロードしたアプリは、iPadから削除しても、あとで何度でも再ダウンロードすることができます。使わないアプリがあるのなら積極的に削除していきましょう。ただし、再ダウンロードしたときには前に使っていたデータは残らないことがあるので注意しましょう。なお、iPadで標準搭載されているアプリの多くも削除して、App Storeから再インストールできます。使わないなら削除しましょう。

購入したアプリの払い戻しをする

間違って購入したアプリや、購入したアプリに不具合があり操作不能なアプリの場合、返金を申し込むことができます。返金を申し込むには「問題を報告する」というページにアクセスが必要です。おおよそ5〜7日で返金処理がされます。なお、返金条件として購入後90日以内であり、また返金理由によっては受領されないこともあるので、もっともな返金理由を書きましょう。

1 「問題を報告する」にアクセスする

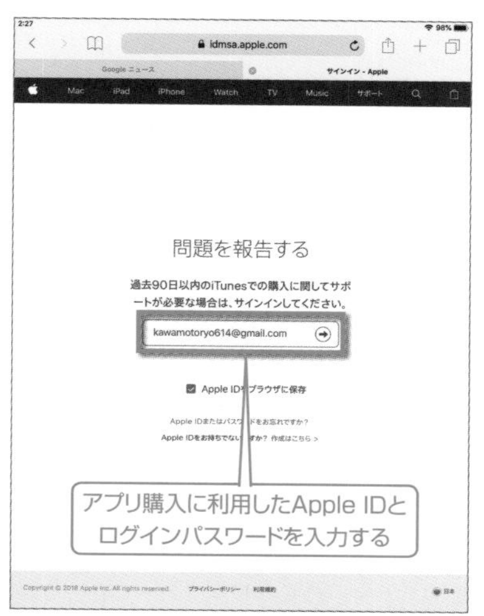

Appleの「問題を報告する」(https://reportaproblem.apple.com/)というウェブページにアクセスして、Apple IDとログインパスワードを入力しよう。

2 「Trust」をクリック

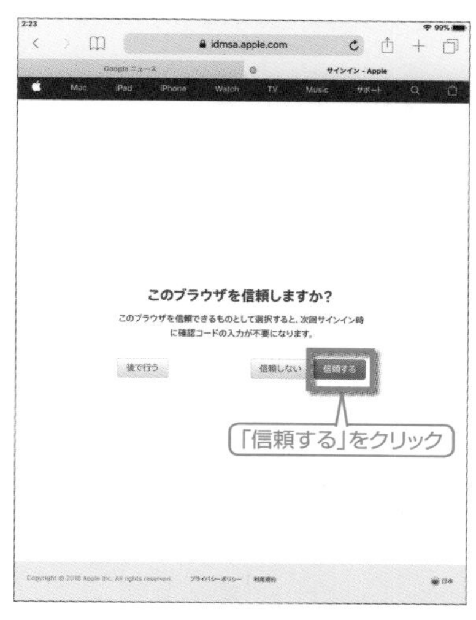

このブラウザを信用してよいか聞かれる。「信頼する」ボタンをクリックしよう。

3 「問題を報告する」をクリック

購入したアプリが一覧表示される。返金してもらいたいアプリ名横にある「問題を報告する」をクリックする。

4 返金理由をメニューから指定する

プルダウンメニューから返金理由を選択しよう。ここでは「誤ってアイテムを購入した」を選択してみよう。

5 返金理由の詳細を書く

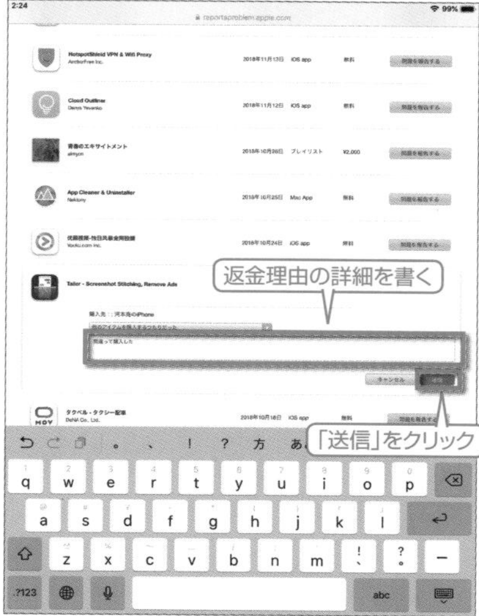

続いて選択した返金理由の詳細内容を下のフォームに入力しよう。入力後、「送信」をクリックする。

6 返金処理の開始

返金処理が行われる。返金は5〜7日間完了する。返金理由が正当でない場合は返金されないこともあるので注意しよう。

3-5 アプリの通知をカスタマイズする

アイコンに表示される通知やロック画面の表示を変更する

新着メールや新着メッセージが届いたときはサウンドを鳴らして知らせてくれたり、アイコン右上に未読数字(バッヂといいます)を表示してくれますが、あまり頻繁に通知が届くと煩わしくなります。余計な通知はオフにしましょう。「設定」アプリの「通知」で、各アプリごとに通知の設定を変更できます。

通知を一切にオフにするほか、通知サウンドのみをオフにしたり、バッジ表示をオフにするなど通知方法も自由にカスタマイズできます。ここでは最もよく通知を利用する「メール」アプリを例に通知をカスタマイズしてみましょう。

「通知」設定をカスタマイズしよう

1 「通知」画面を開く

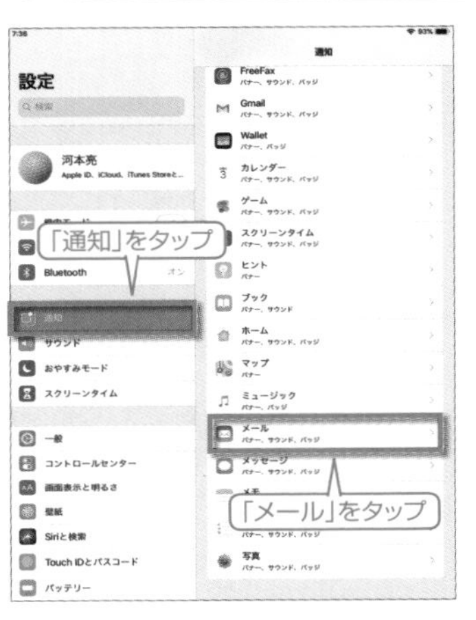

通知の設定を変更するには、「設定」アプリのメニューから「通知」を選択する。通知設定を変更するアプリをタップします。ここでは「メール」を例に変更する。

2 「通知を許可」をオフにする

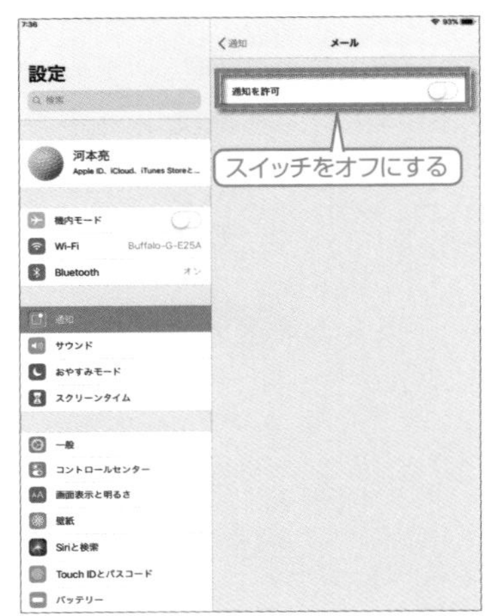

「通知を許可」のスイッチを左へスライドしてオフにしよう。これで「メール」アプリに関する通知は一切なくなる。

3 特定のアカウントの通知だけをオフにする

メールに複数のアカウントを登録していて、特定のアカウントのみの通知をオフにする場合は、アカウント名を選択する。

4 各通知設定をオフにする

通知設定画面が表示される。同じように「通知を許可」をオフにしよう。

5 サウンドをオフにする

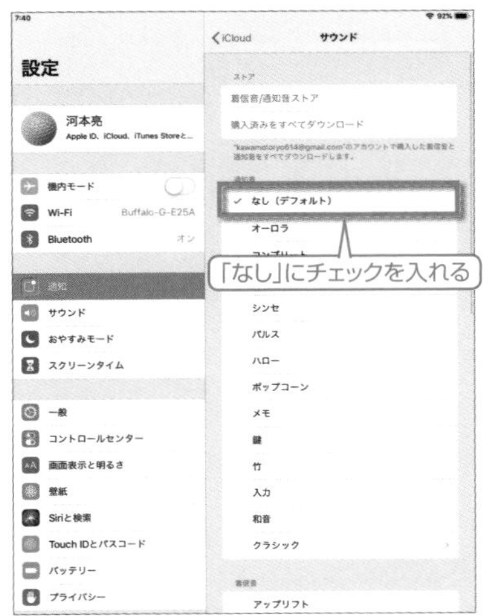

またサウンド設定を開き、「なし」にチェックを入れよう。これで特定のアカウントからの通知はなくなる。

Check! おやすみモードで通知をオフにする

おやすみモードで時間を指定して有効にしておくと、夜中、寝ているときだけすべての着信音をまとめてオフにできる。特定の時間のみすべての通知をオフにしたい場合は、「設定」の「おやすみモード」から時間を指定して有効にすればよい。

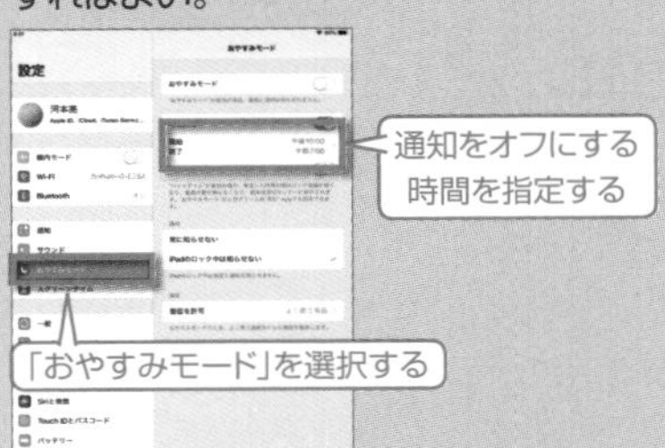

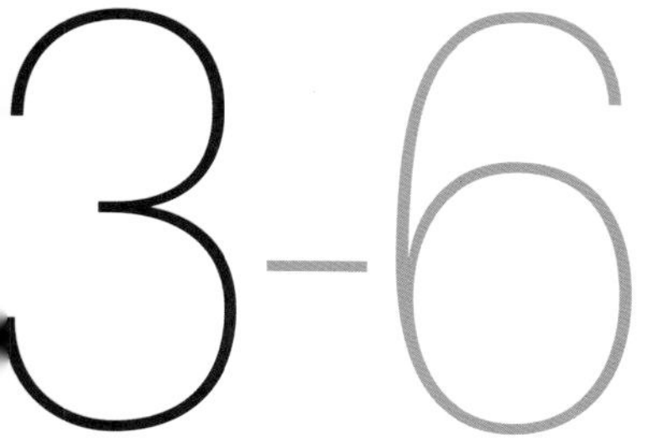

見放題サービスや購読性アプリの契約を解除するには?

放っておくと毎月引き落とされるので注意

App Storeでダウンロードするコンテンツの中にはの中には定期購読しないと利用できないサービスがたくさんあります。Apple MusicやNetflix、Huluなどの「見放題」サービスが代表的なアプリで、このような定期購読アプリを利用すると、契約を解除しない限り、定期的に自動的に課金されてしまいます。定期購読の解除方法は必ずしっておきましょう。自分が定期購読しているサービス内容を管理するには、「設定」画面から「アカウント」を開き、「サブスクリプション」を選択します。現在、定期購読しているサービスが表示されるので解約したいサービスを選択して、解約手続きを行いましょう。

購読しているアプリを解除しよう

1 アカウント画面を開く

設定画面からアカウント画面を開く。「サブスクリプション」を選択する。

2 有効サブスクリプション確認する

サブスクリプション画面が開く。「有効」に表示されているサービス名から解除したいサービスを選択する。

3 サブスクリプションをキャンセルする

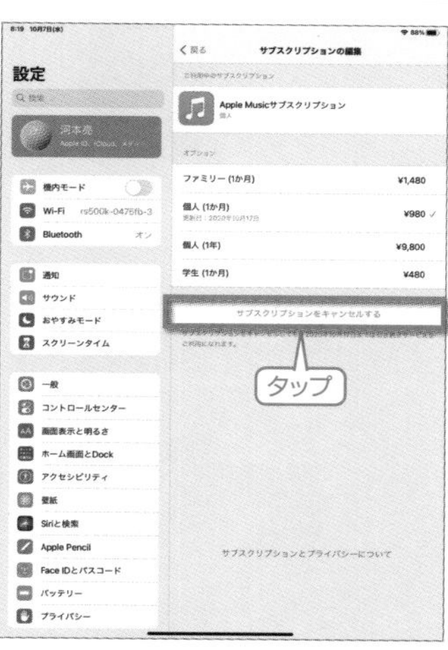

サブスクリプションの設定画面が表示される。解約するには「サブスクリプションをキャンセルする」をタップしよう。

4 確認画面

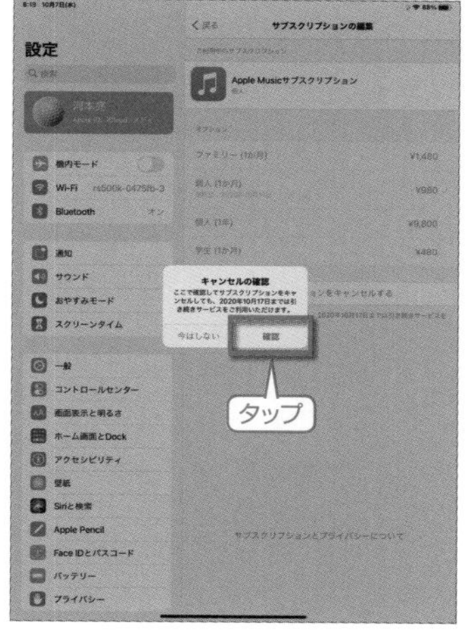

解約確認画面が表示される。「確認」をタップしよう。

5 サブスクリプション画面に戻る

サブスクリプション画面に戻ると、「○月○日に終了予定」と表示されていれば解約完了。終了予定日まではサービスは利用できる。

Check! iCloudストレージのプランを変更する

iCloudストレージのプラン変更は「サブスクリプション」画面から行えない。アカウント画面で「iCloud」→「ストレージを管理」→「ストレージプランを変更」からプランを変更しよう。

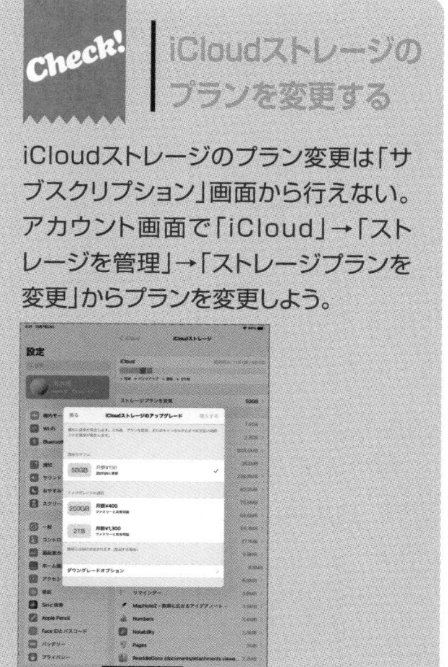

COLUMN

ウィジェットを使いこなそう

標準では表示されていないウィジェットを追加する

ウィジェットは単純な機能を持つ簡易アプリですが便利なものが数多くあります。

ホーム画面を右にスワイプ、または通知センターで右へスワイプするとウィジェット画面が表示されます。ウィジェット画面で表示されているウィジェットはごく一部で、設定画面からさまざまなウィジェットを追加することができます。

不要なウィジェットを非表示にすることもできます。ウィジェットはアプリアイコンを同じく長押ししてドラッグすることで自由に位置を変更することができます。ウィジェットを重ね合わせることで1つのグループにまとめることもできます。

ウィジェットをカスタマイズしよう

1 ウィジェットを表示する

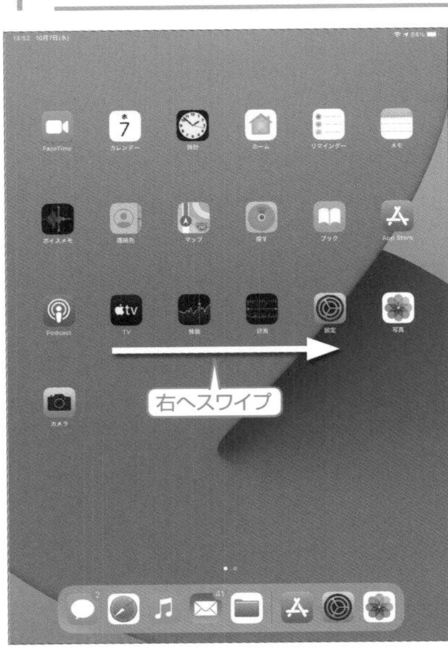

ウィジェット画面を表示するには、ホーム画面で右へスワイプしよう。通知センター画面で右へスワイプしても表示できる。

2 ウィジェットを編集する

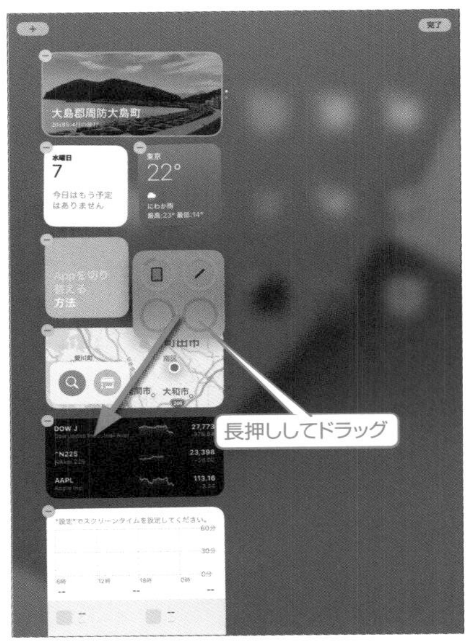

ウィジェットを長押しして震え始めたらドラッグするとウィジェットの位置を変更できる。

3 表示するウィジェットを選択する

ウィジェット左上にある追加ボタンをタップするとウィジェット追加画面が表示される。利用するウィジェットを選択しよう。

4 iPadを横向きにすると固定表示される

iPadを横向きにするとホーム画面左側にウィジェットを固定表示することができる。

Chapter 4

定番の標準アプリを使いこなそう

4-1 「メール」アプリを使いこなす

一目でわかる「メール」の基本画面

ドックにある「メール」のアイコンをタップしてアプリを起動する。

メールボックス

タップするとメールボックス一覧画面が表示される。メールアカウントの切り替えもこの画面で行う。

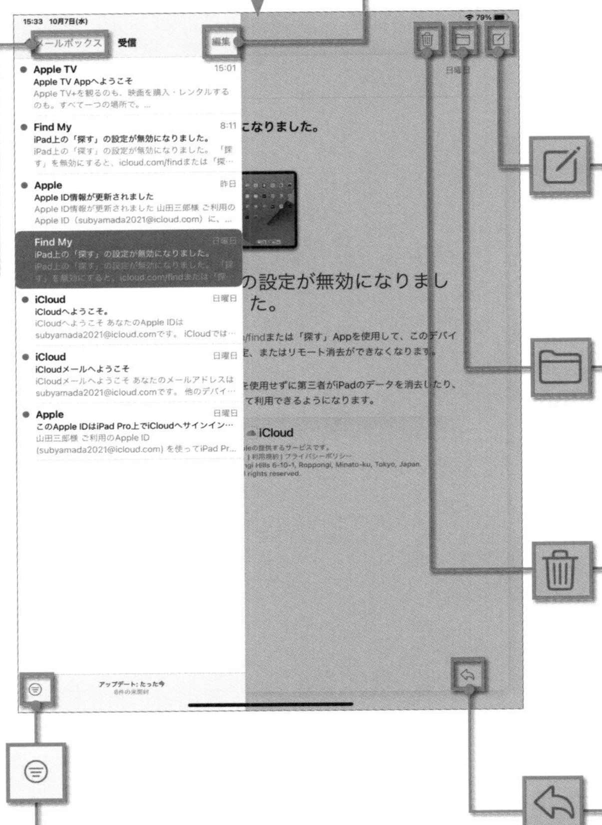

編集

タップすると、メールの横にチェックボックスが表示される。各メールを移動したり、削除することができる。複数のメールをまとめて処理する場合に便利。

新規作成

メールの新規作成を行う。

移動

別のメールボックスに移動できる。

アーカイブ/ゴミ箱

アーカイブまたはゴミ箱フォルダにメールを移動する。アーカイブに移動したメールを保管され、ゴミ箱に移動すると一定期間後に削除される。

返信

メールを返信、および転送することができる。

フィルタ

未開封やフラグ付きメールなど、指定した条件のメールだけを表示することができる。

さまざまメールを送受信できる

iPadに標準で用意されている「メール」アプリではiCloudメールやGmail、プロバイダメールまで、様々なメールが利用できます。そしてiPad上での簡単な操作で、メールの送受信や管理をすることができます。撮影した画像や動画をメールですぐに送ることができるのもiPadならではのメリットといえるでしょう。よく使うアカウントは設定から追加しておきましょう。標準ではApple ID取得時に取得したiCloudメール(○○@icloud.com)が登録されています。もし、「メール」アプリを起動して何もメールアドレスが登録されていない場合は、手動でメールアドレスを追加しましょう。「設定」画面の「メール」からアカウントを追加できます。

iCloudメールを「メール」に登録する

1 自分のメールアドレスを確認する

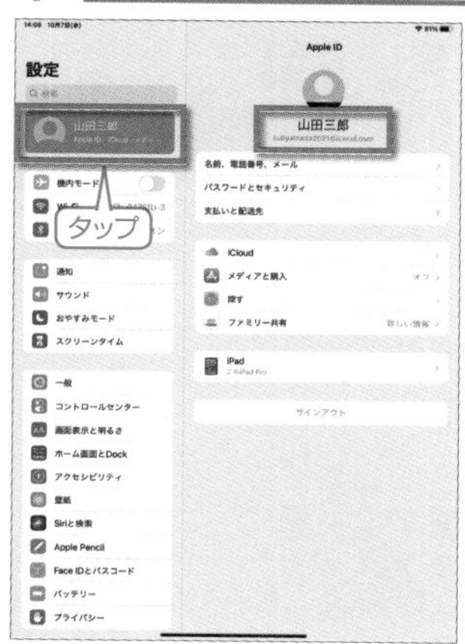

Apple ID取得時にiCloudメールを取得した場合、「設定」画面のアカウント画面に自分のiCloudメールアドレスが表示される。

2 手動でメールアドレスを登録

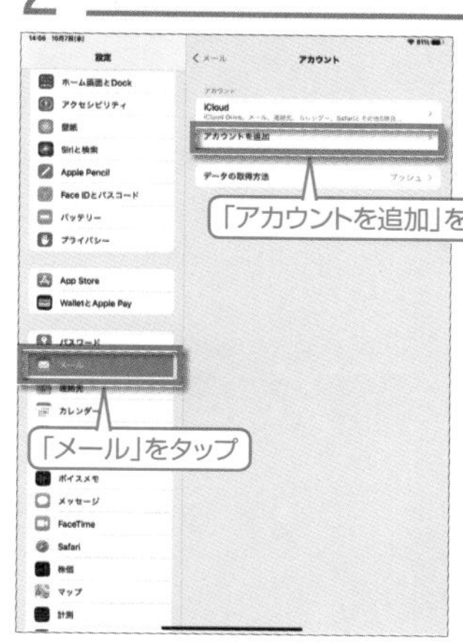

手動でiCloudメールアドレスを登録する場合は、設定画面から「メール」を選択して「アカウントを追加」をタップ。

3 「iCloud」を選択

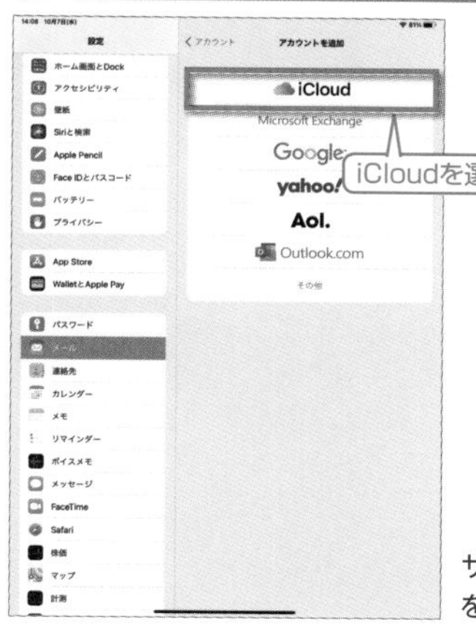

サービス名が表示される。「iCloud」を選択しよう。

4 iCloudメールのアドレスを入力

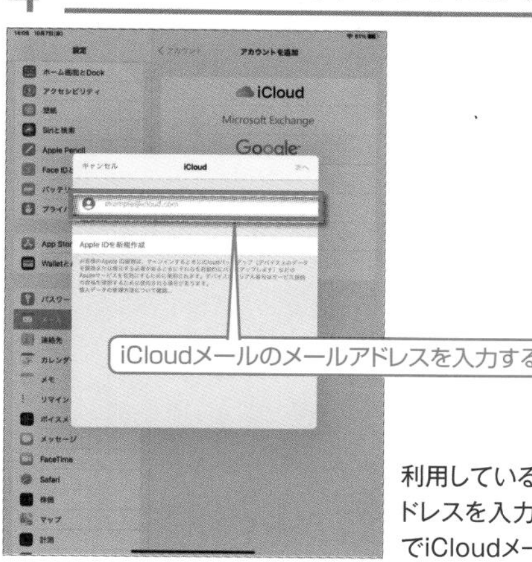

利用しているiCloudメールのメールアドレスを入力すれば、「メール」アプリでiCloudメールの送受信ができる。

Check! パソコンのメールアドレスの登録もできる

「メール」アプリではパソコンなどで利用しているプロバイダメールも送受信することができます。アカウント追加画面で「その他」を選択して、利用しているプロバイダのサーバ情報を入力しましょう。

1 「その他」をタップ

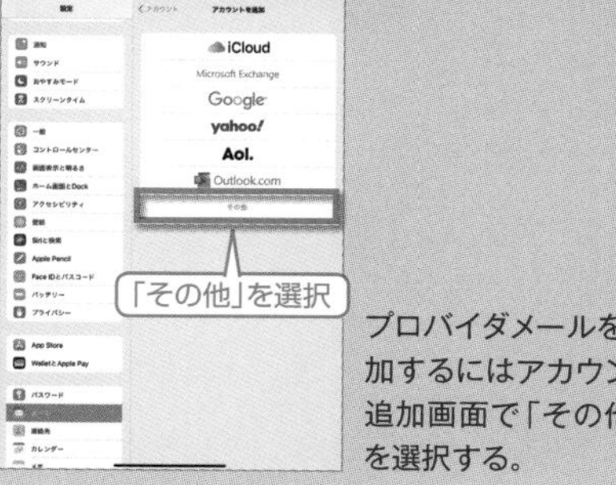

プロバイダメールを追加するにはアカウント追加画面で「その他」を選択する。

2 メールサーバ情報を入力する

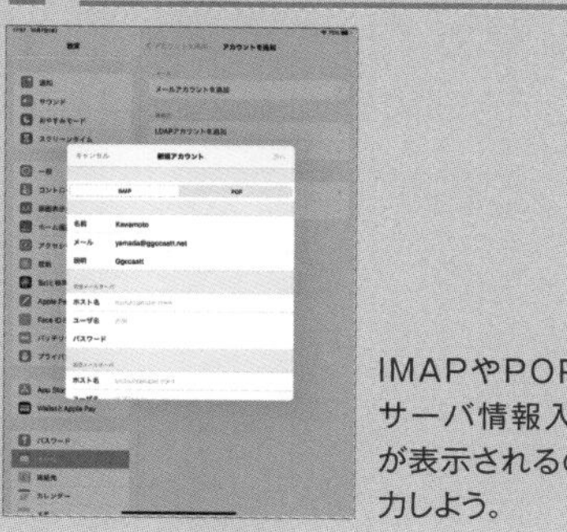

IMAPやPOPなどのサーバ情報入力画面が表示されるので、入力しよう。

受信したメールを読む

1 メールボックスを開く

メールボックスを表示して、メールを読みたいアカウントの「受信」ボックスをタップする。

2 メールを読む

左側にメール一覧が表示されるので、タップして内容を確認しよう。不要な場合は、手順3に従って処理しよう。

3 メールを管理する

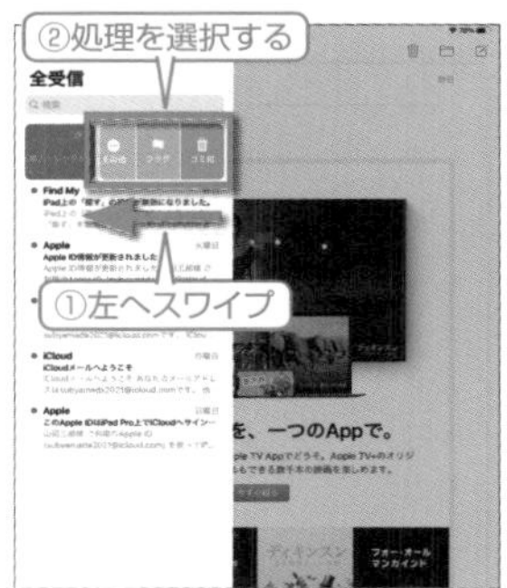

一覧のメールを左にスワイプすると、メニューが表示されるので処理について選択する。画面上の編集ボタンを使って、複数のメールを一度に処理することもできる。

フィルタリングや検索で目的のメールを探す

1 フィルタを確認

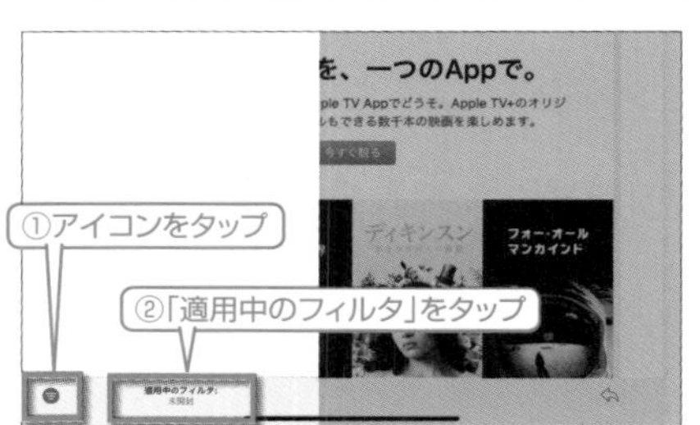

メールをフィルタリングで探す場合は、まず探したいメールボックスを開いて左下のアイコンをタップする。「現在のフィルタ」をタップするとメニューが表示される。

2 フィルタを変更する

適用したいフィルタにチェックを入れたら、メニュー右上の「完了」をタップする。フィルタの条件に一致したメールが一覧表示される。

3 検索欄でメールを探す

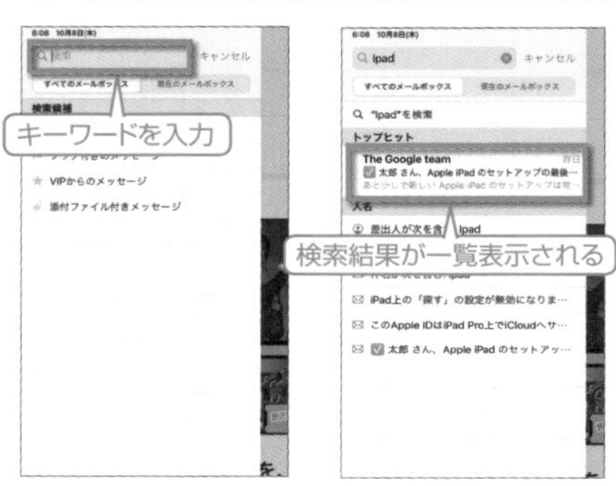

検索したいメールボックスを開き、画面上の検索欄にキーワードを入力する。入力したキーワードを含むメールが一覧で表示される。また、差出人の名前を入力すると、差出人での検索が可能になる。

メールを送信/返信する

1 メールの作成

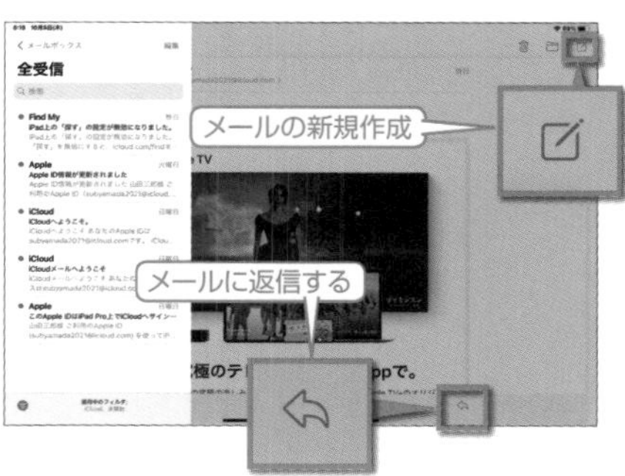

送信元（差出人）にしたいメールアカウントのメールボックスを開いて、「新規作成」のアイコンをタップする。現在開いているメールに返信を行う場合は「返信」のアイコンをタップする。

2 宛先や本文の入力

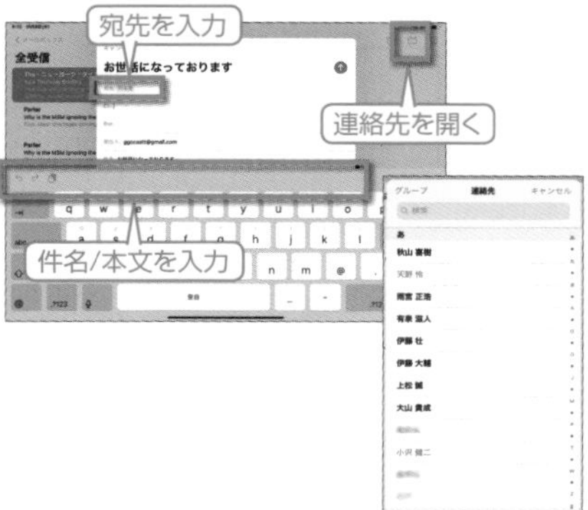

新規作成の場合は、まずは宛先となるアドレスを入力してから件名・本文を入力しよう。「＋」をタップして連絡先から、宛先を選択することもできる。

3 ファイルの添付と送信

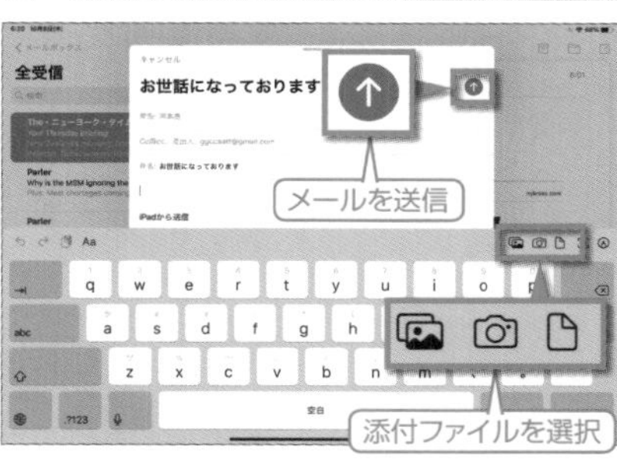

「送信」をタップすると、メールが送信されキーボード右上のアイコンから、添付ファイルを選択することができる。選択するファイルはiPad内部だけでなく、iCloudなどで共有しているファイルからも選択できる。

「メール」にGmailを登録する

1 設定を開く

設定を開いて「メール」を選択。「アカウントを追加」をタップして、次に「Google」を選択しよう。

2 Gmailアカウントを入力

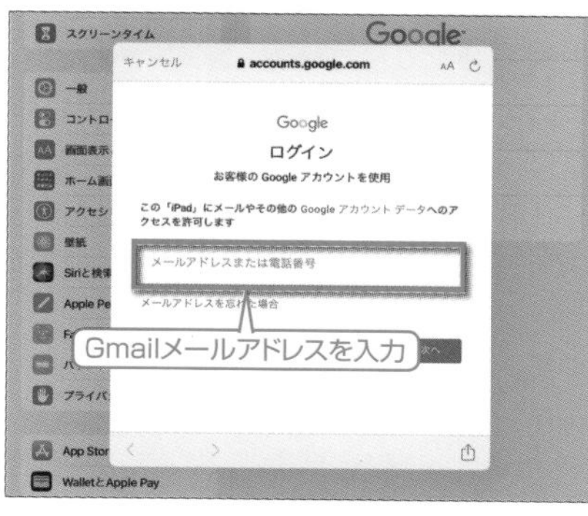

追加したいGmailアカウントを入力しよう。「次へ」をタップしてパスワードを入力し、本人確認などを済ませると、アカウントが追加される。

3 メールから確認する

「メール」を起動して、Gmailアカウントが追加されているか確認しよう。

メールに写真を添付する

1 本文を長押しする

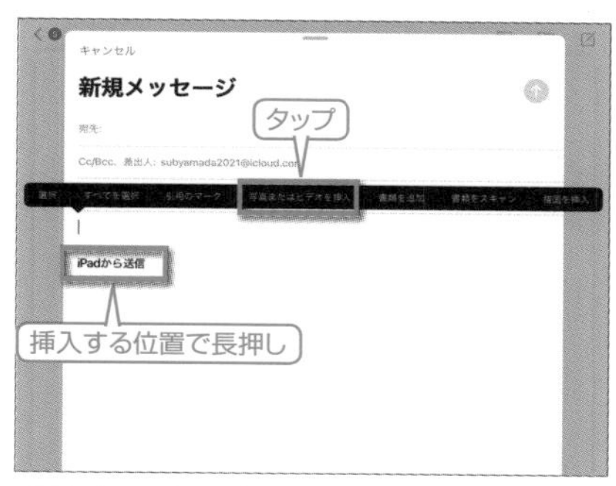

ソフトウェアキーボードの右上にある、カメラのアイコンからも写真を添付できるが、任意の場所を長押しすると、その場所に写真を挿入することができる。

2 画像の選択

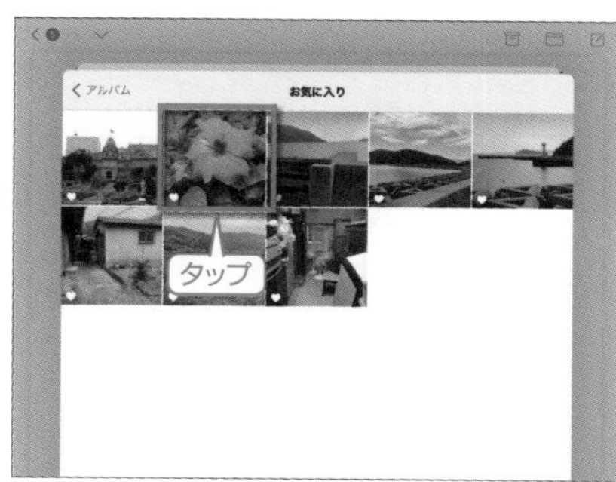

メニューから「写真またはビデオを挿入」を選択する。ここで選択できる画像ファイルは、「写真」アプリで管理している画像ファイルをそのまま扱うことができる。

3 圧縮サイズを指定

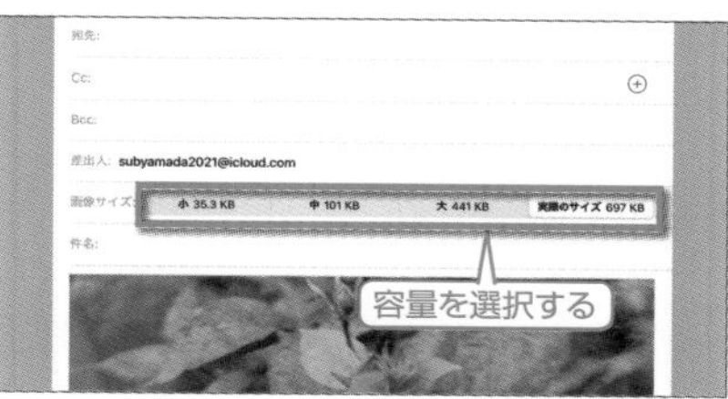

右側のファイルの容量をタップすると、添付する写真のサイズを選択することができる。大容量のファイルは、このメニューから調節しよう。

Check! メールの送信元を変更する

メールを作成していて、添付するファイルの都合などで送信するアカウントを変更したい場合でも、変更することができます。送信元をタップして、さらにタップすると「メール」に登録しているアカウントの一覧が表示されます。この中から、発信元として使いたいアカウントを選択しましょう。

4-2 「メッセージ」アプリを使いこなす

一目でわかる「メッセージ」の基本画面

ドックのアイコンをタップして「メッセージ」を起動する。

新規スレッド作成
タップすると新しいスレッドを作成できる。

詳細
相手の詳細が表示される。位置情報を共有したり、現在地情報を送信することができる。

編集
タップするとスレッドを選択する画面を表示する。選択したスレッドを削除することができる。

メッセージ一覧
送信したメッセージが表示される。

App Store
App Storeで販売されているステッカーを送信したり、手書きのメッセージなどを送信できる。

検索
キーワードを入力すると、キーワードを含んだやりとりのあるスレッドを表示。

音声入力
タップして録音した音声を送信する。入力ウインドウに文字を入力すると、送信ボタンに変化。

カメラ
「写真」アプリ内の写真や動画を添付したり、カメラを起動して撮影した写真をそのまま送信できる。

スレッド
過去にメッセージをやりとりした相手を一覧で表示。

入力ウインドウ
文字を入力してメッセージを送信する。

手軽にメッセージや音声のやりとりができる

基本アプリの「メッセージ」は、iPhoneではSMSやMMSの送受信も可能ですが、iPadは携帯電話で利用するSMSやMMSに対応しておらず、icloud.comなどのメールアドレスをApple IDとして使っているユーザーとしかメッセージ(iMessage)をやりとりすることができません。しかし、無料で利用できる上に機能が豊富で、AppleIDをお互いに知っているユーザーなら便利に使うことができます。「メッセージ」専用の、スタンプのような機能として「ステッカー」も利用できます。

App Storeから購入できますが、無料のステッカーも多いのでダウンロードして会話の中で有効に活用しましょう。

iMessageを設定してiOS間でメッセージをやり取りする

iPadでメッセージを送るにはApple IDとして登録されたメールアドレスを使う必要がありますが、標準ではApple IDに登録したメールアドレスがそのままiMessageのアドレスになっています。連絡先を登録している人たちの中に、iPhoneユーザーがいれば、メッセージを送ることができます。電話番号にメッセージを送る場合でも、自動で無料のiMessageに切り替わっているので安心して利用できます。

1 iMessageのメールアドレスを確認する

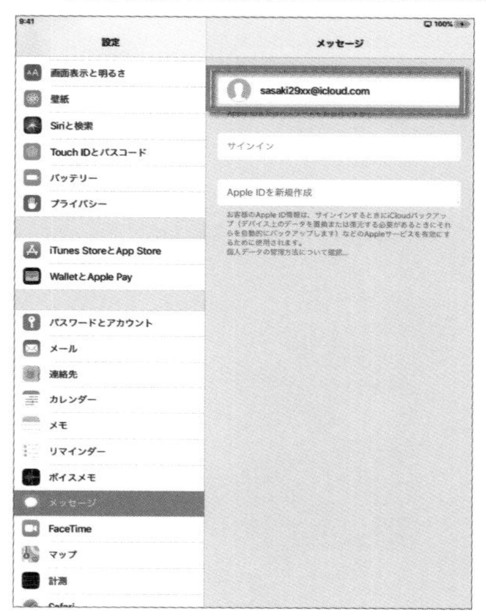

「設定」の「メッセージ」を開き、iMessageで利用するメールアドレスを確認しておこう。

2 iMessageを起動してApple IDでログインする

iMessageを起動する。Apple IDのサインイン画面が表示されるので、利用しているApple IDとパスワードを入力してサインインしよう。

3 新規メッセージを作成

「宛先」に、送信する相手のApple IDを入力する。入力した宛先が、青で表示されていれば大丈夫。赤になる相手には送信できない。

4 メッセージを入力

入力ウインドウをタップしてメッセージを入力する。送信ボタンを押すとメッセージが送信されるが、押せない場合はApple IDを間違えている可能性がある。

5 メッセージを送信

送信ボタンを押すと、メッセージが送信される。メッセージの設定で「開封証明を送信」に許可を出していると、相手のメッセージを読んだときに「開封済み」の通知が届くようになる。

Check! サジェスト機能で相手を探せる

相手がiPhoneユーザーであれば電話番号を入力してメッセージを送信できます。連絡先に登録しているユーザーの中に、対象となる電話番号があるかどうか「宛先」にユーザー名を入力してサジェスト(予測変換)機能で探してみましょう。青の番号ならiMessageを送信できます。

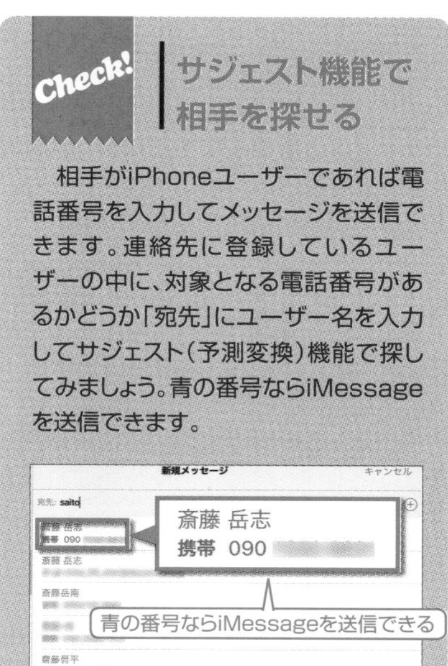

写真や動画を送信する

1 カメラもしくは写真アイコンをタップ

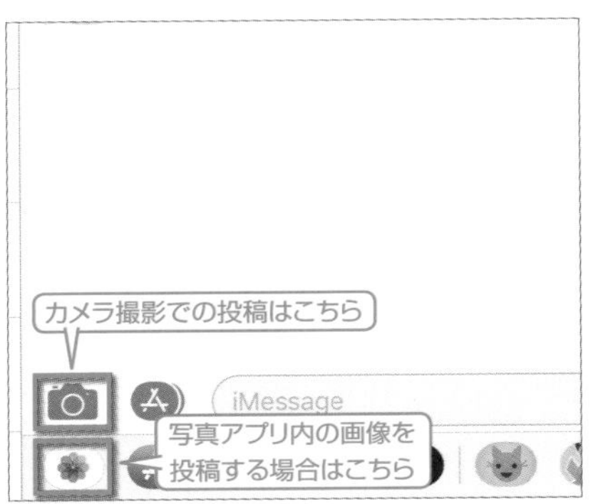

画像や動画を送りたい場合は、メッセージ入力欄横にあるカメラアイコンまたは、Aアイコンをタップして写真アイコンをタップする。

2 カメラ撮影して送信する

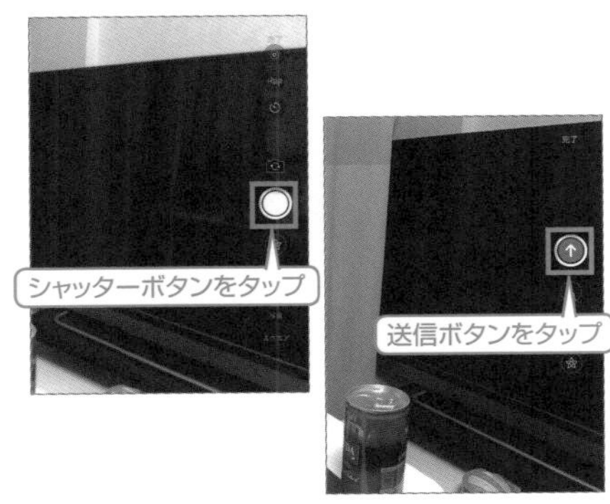

ここではカメラ撮影して写真を送信する。カメラが起動したら、シャッターボタンをタップ。続いて表示される送信ボタンをタップする。

3 添付した写真を送信する

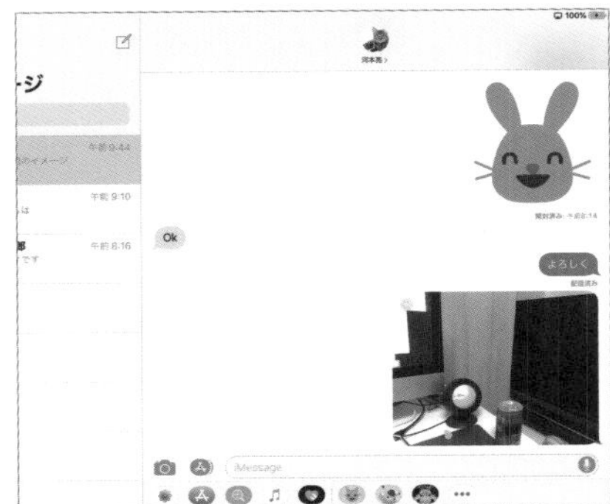

カメラ撮影した写真がメッセージ画面に送信される。カメラ撮影時にはマークアップで撮影した写真に注釈を入れたり、レタッチすることもできる。

ステッカーやエフェクトで見た目を華やかに

1 フキダシにエフェクトをつける

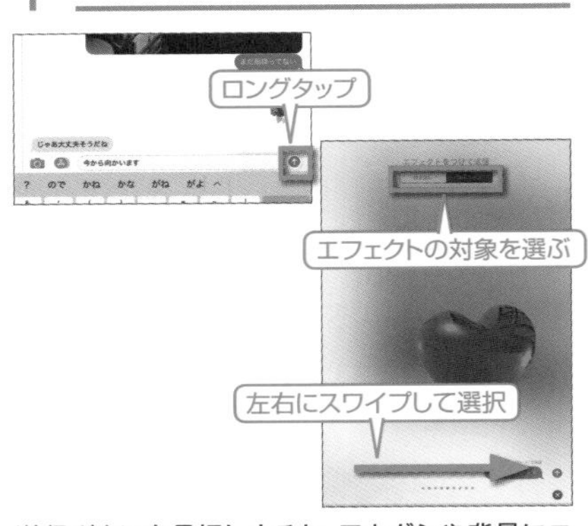

送信ボタンを長押しすると、フキダシや背景にエフェクトをつけることができる。背景のエフェクトは、左右にスワイプして選択しよう。

2 App Storeアイコンをタップ

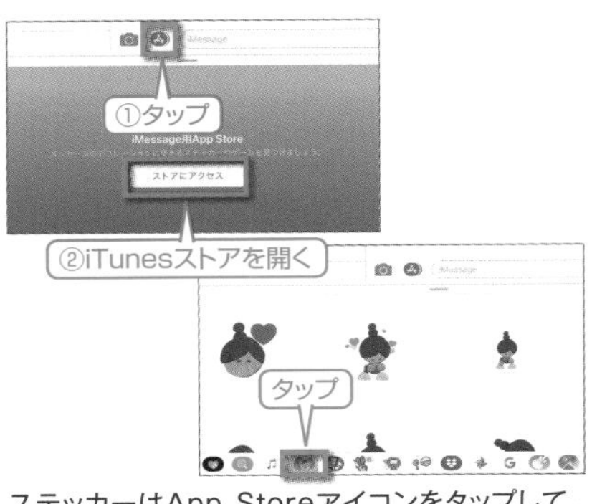

ステッカーはApp Storeアイコンをタップして、iTunesストアから購入することができる。無料のステッカーも多く揃っている。購入したステッカーは、画面下にショートカットが追加される。

3 ステッカーやエフェクトを送信

ステッカーは、他のメッセンジャーアプリでいうところのスタンプのようなもので、会話中に気軽に使うことができる。フキダシや背景のエフェクトはアニメーションしながら表示される。

手書きのメッセージを送る

1 App Storeアイコンをタップ

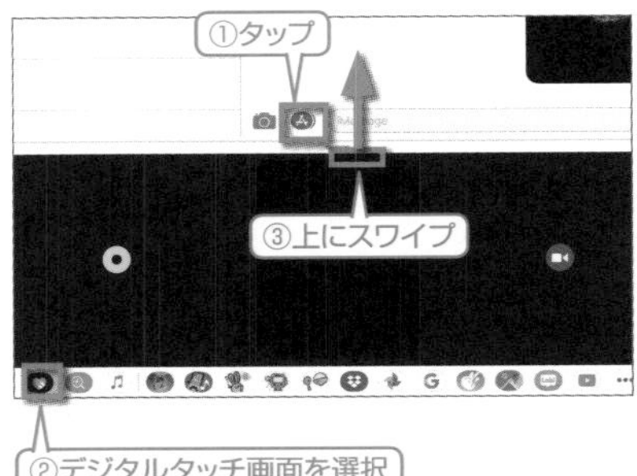

手書きのメッセージは、App Storeアイコンをタップしたメニューから選択できる。最初のキャンバスでは小さすぎるので、ツマミを上にスワイプして全画面表示にする。

2 デジタルタッチ画面を開く

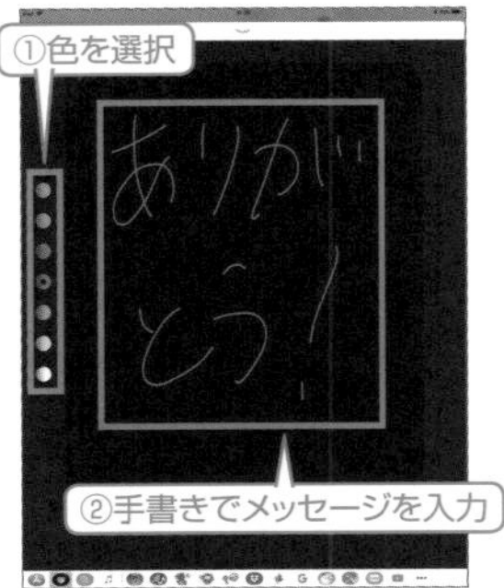

キャンバスを広げたら、手書きでメッセージを入力しよう。文字の色を左のメニューから指定することができる。入力したら、右下の送信ボタンをタップしよう。

3 アニメーションで表示される

入力した文字が、軌跡を描きながら表示される。派手なメッセージを送りたい場合は、活用してみよう。

「Safari」でインターネットを楽しもう

Safariの機能を活用して快適にネットサーフィン!

iPadに標準で搭載されているブラウザ「Safari」を使って、インターネットを楽しみましょう。ドックにある「Safari」のアイコンをタップすることで利用できます。iPadなら、大きな液晶画面を使うことができ、タッチやジェスチャー操作での快適なネットブラウジングが楽しめます。環境によっては、PCやスマートフォン以上に便利に使うことができるでしょう。

一目でわかる「Safari」の基本画面

ホームにある「Safari」アイコンをタップして起動する。

ブックマーク

ブックマークを開く。履歴や登録したリーディングリストを閲覧できる。

スマート検索フィールド

開いているページのURL情報を表示。タップすると登録したブックマークが表示される。また、キーワードを入力するとウェブ検索を行うことができる。

戻る/進む

「<」をタップすると一つ前のページに戻る。「>」をタップするとひとつ先のページに進む。

タブ

複数のWebページを開いておくことができる機能。タップすると表示するページが切り替わる。

共有メニュー

表示しているページをブックマークに追加したり、メールに送信したりできる。

タブの切り替え

現在開いているタブのサムネイル画像を一覧表示する。ページの内容を見ながら切り替えることができる。

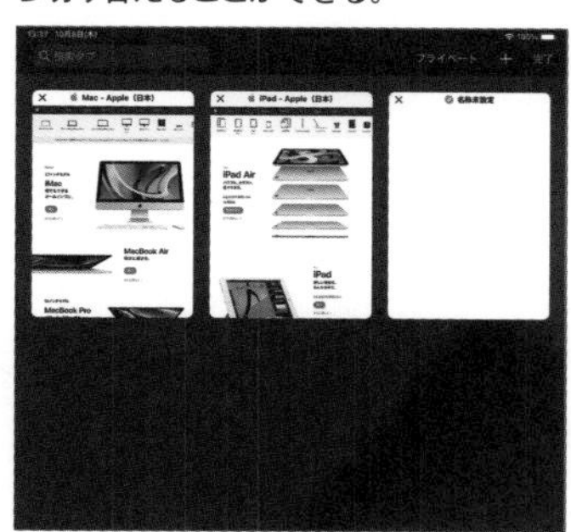

新規タブの追加

タップするとタブを追加することができる。

「Safari」の基本操作

ページのスクロール

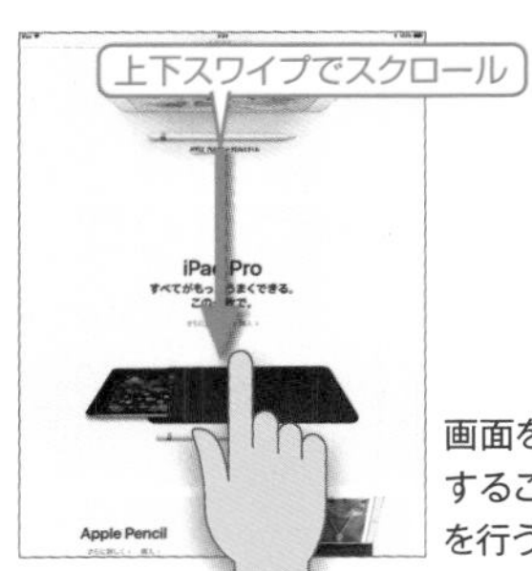

画面を上下にスワイプすることでスクロールを行う。

リンクされたページに飛ぶ

リンクされた文字や画像をタップすると、リンク先のページが表示される。

画面の拡大/縮小

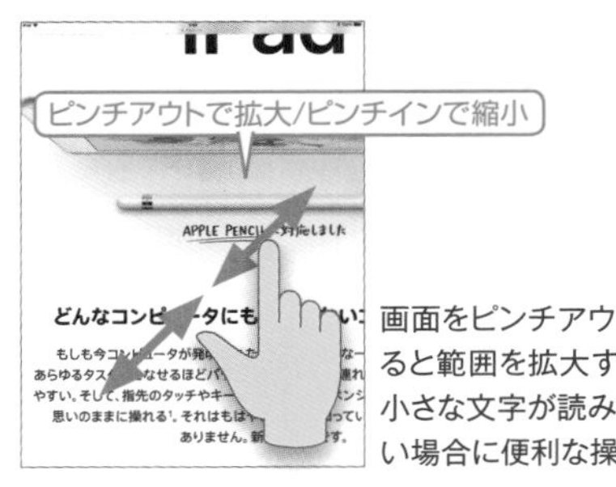

画面をピンチアウトすると範囲を拡大する。小さな文字が読みにくい場合に便利な操作。

ページの先頭に戻る

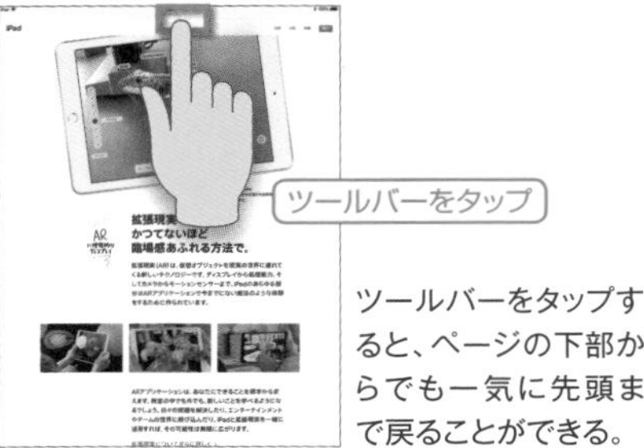

ツールバーをタップすると、ページの下部からでも一気に先頭まで戻ることができる。

ツールバーを表示

画面をスクロールさせると、自動でツールバーが隠れる。表示するには、画面上部をタップするか、画面を下にスクロールさせる。

スワイプでページを移動

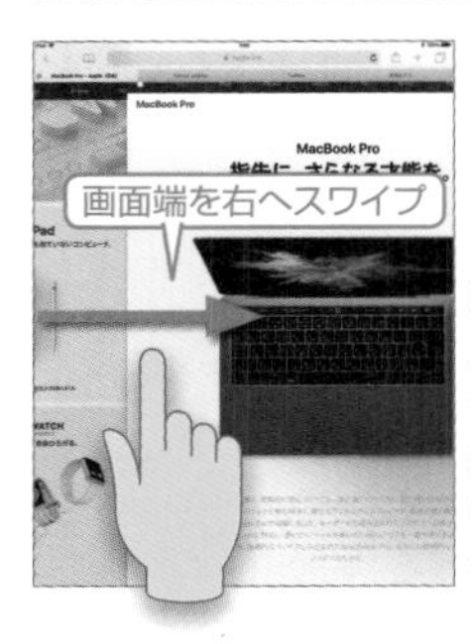

画面の左端から右へスワイプすると1ページ前に戻る。画面の右端から左へ向かってスワイプすると、1ページ進む。

ウェブサイトを検索してみよう

スマート検索フィールドには、検索したいキーワードを入力して目的のWebページやコンテンツを探すことができます。興味のあるキーワードを入力してみましょう。

1 キーワードを入力

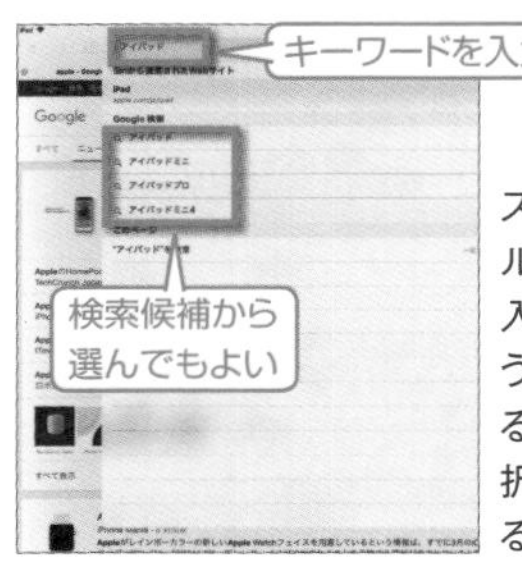

スマート検索フィールドにキーワードを入力して、検索を行う。途中で表示される検索候補から選択することもできる。

2 読みたいページをタップ

検索結果画面が表示される。下へスクロールして、目的のページを探したらリンクをクリックして読みたいページを表示させよう。

3 ニュースや動画のみを探す場合

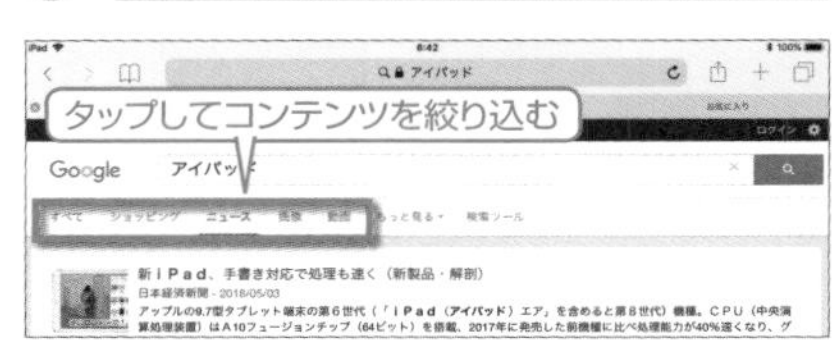

Safariの標準設定となっている検索エンジン「Google検索」では、検索ボックスの下にあるカテゴリーをタップして、表示するコンテンツを絞り込める。

よく見るページをブックマークに登録する

よく開くページは、ブックマークとして登録しておくのが便利です。登録したブックマークをタップすることで、いつでも目的のWebページを開くことができます。

1 「ブックマークを追加」をタップ

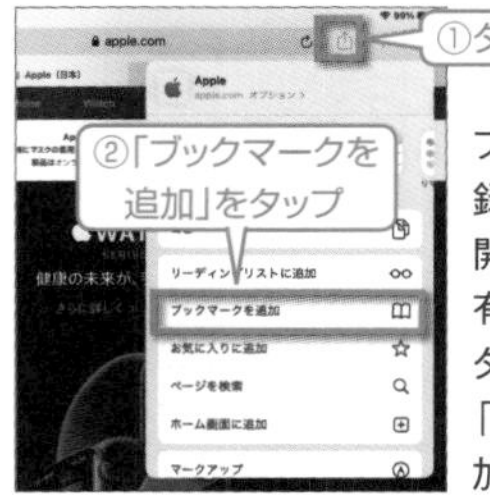

ブックマークに登録したいページを開いて、右上の共有メニューボタンをタップ。メニューから「ブックマークを追加」を選ぶ。

2 ブックマークを保存

ブックマークの追加メニューで「保存」ボタンをタップすると、ブックマークが保存される。標準では「お気に入り」フォルダに保存されるが、他のフォルダに保存することもできる。

3 保存したブックマークを開く

ブックマークボタンをタップして、保存したブックマークを開く。「お気に入り」を開くと登録したブックマークが一覧で表示される。

タブを活用しよう

タブは複数のページを開いておくことができる機能で、タップすることで表示するページを切り替えることができます。タブを切り替えて利用することで、情報収集も飛躍的に効率がアップします。リンクを2本指タップして、新規タブとして開く操作は非常に便利なので覚えておきましょう。

1 ニュースを読み比べる

同じニュースであっても、配信元によって情報が異なることも。タブで切り替えることで複数のニュースを読み比べることも簡単に。

2 タブをドラッグで移動する

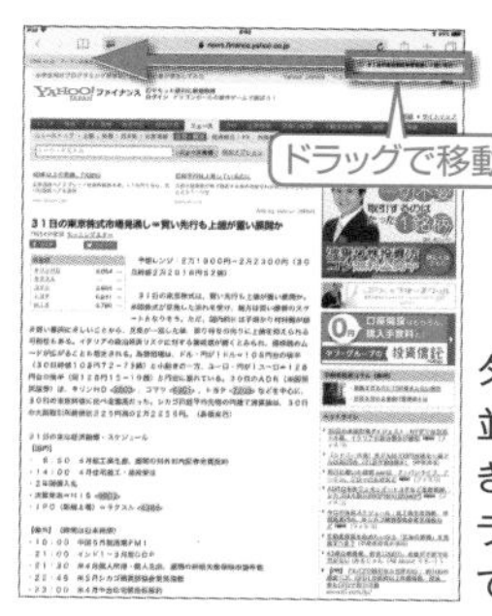

タブは好きな位置に並び替えることができる。重要なタブはドラッグして左に寄せておきたい。

3 不要なタブを閉じる

タブが増えすぎると、目当てのページや情報を見つけにくくなる。「⊗」ボタンで消していくか、タブの切り替えボタンから表示されるメニューで不要なタブを消そう。

リーダー表示で記事を読もう

ニュースなどの、文字が多いページを読むときには広告や余計なリンクなどが表示されなくなる「リーダーモード」が便利です。リーダーモードが利用できるページには、リーダーボタンが表示され、タップすることでシンプルな画面に切り替えることができます。

1 リーダーボタンをタップ

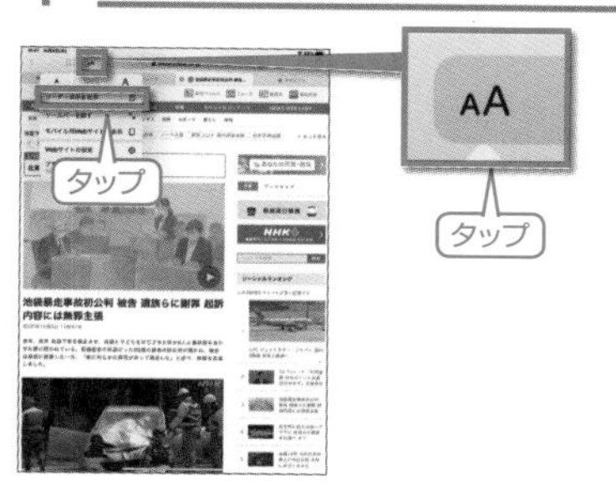

リーダー表示に対応するページは、アドレスバーにリーダーボタンが表示される。タップして「リーダー表示を表示」を選択する

2 リーダー表示に切り替わる

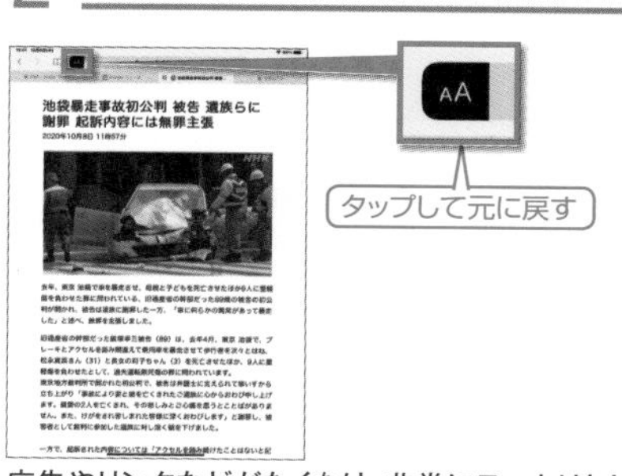

広告やリンクなどがなくなり、非常にスッキリとした表示に切り替わる。文字を読むのに集中したいページで活用しよう。

特定のページを自動でリーダー表示にする

特定のページ内では、常にリーダー表示にしたいという場合は、リーダーボタンを長押しして表示されるメニューから「ウェブサイトの設定」を選択し、自動的に切り替えるように設定しましょう。

リーディングリストを活用しよう

開いているページを、後から読みたいけど場合にはリーディングリストに追加するのが便利です。ニュース記事など、ブックマークする程でもないといったページをまとめて追加しておくのがいいでしょう。また、ネットにつながらないオフラインでも利用することができます。

1 リーディングリストに追加

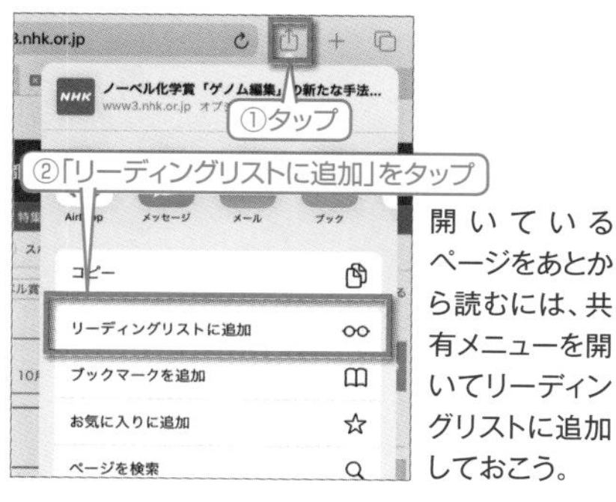

開いているページをあとから読むには、共有メニューを開いてリーディングリストに追加しておこう。

2 自動保存を有効にする

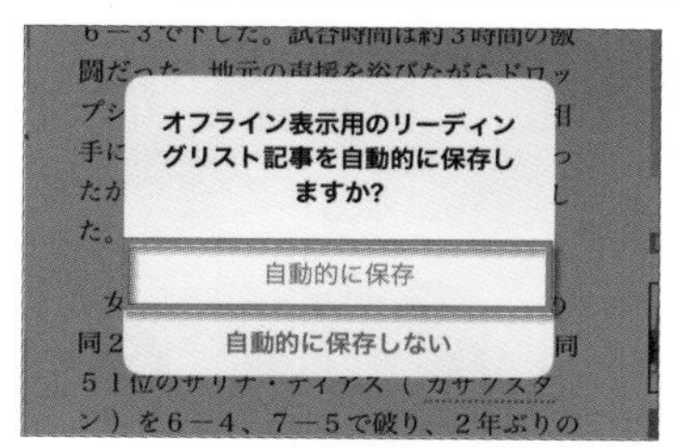

リーディングリストに追加したページの自動保存について聞かれるので、自動保存を有効にしておこう。

3 リーディングリストに追加したページを読む

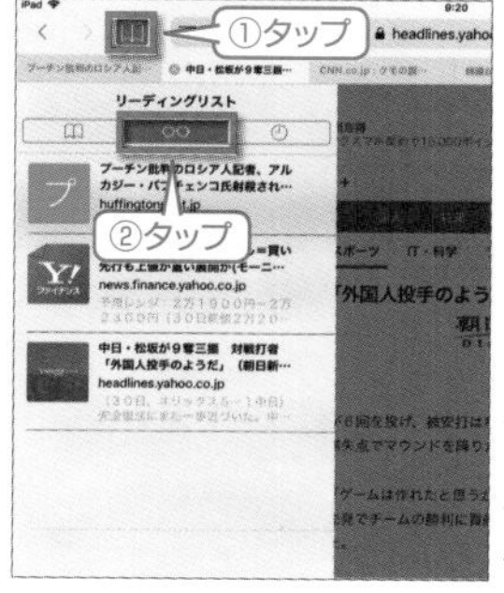

ブックマークボタンをタップし、「リーディングリスト」を選択すると、保存したページが一覧で表示される。

4-4 「マップ」を使って最短で目的地にいこう

一目でわかる「マップ」の基本画面

ホームにある「マップ」アイコンをタップして起動する。

検索欄
地名や施設名、住所などの条件で検索できる。「食べ物」「買い物」「遊ぶ」など目的別に施設を検索することも。

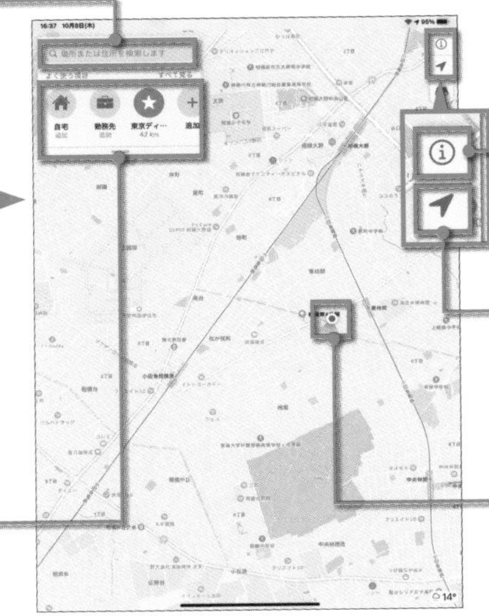

マップの設定
地図の表示を切り替えたり、現在地をマーク、場所の追加ができる。場所の追加では自宅や勤務先、「よく使う項目」を編集できる。

現在地を表示
タップすると現在地を表示する。

現在地
現在の位置は、青い点で表示される。

検索履歴/よく使う項目
履歴や「よく使う項目」として追加した地点を素早く表示できる。

マップを3D表示にする

2本指で上にスワイプすると、マップが3D表示になり、下にスワイプすると2D表示に戻る。

ストリートビュー

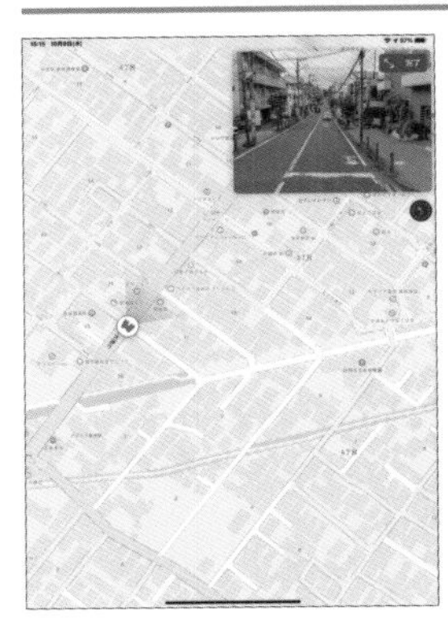

タップすると現在地周囲の風景写真を表示することができる。360度方向の切り替えもできる。

「マップ」の基本操作

1 今いる場所を表示する

今いる地点を表示するには、画面右上の矢印ボタンをタップする。現在地が地図に表示される。

2 住所を入力してマップに表示

検索欄に住所を入力。候補から該当する場所をタップすると、その場所が地図上に表示される。

3 マップの移動と拡大/縮小

画面上を1本の指でドラッグするとスクロール。2本の指でピンチアウトで拡大、ピンチインで縮小することができる。

シンプルかつ高性能な地図アプリ

標準アプリの「マップ」は、無料で使える地図アプリです。現在地や、検索した建物や施設、地点を地図上に表示することができます。また、場所を調べるだけでなく検索した地点までのルート案内、交通機関を利用した乗り換え案内なども可能となっています。

旅行や出張、訪問の前には適したルートをチェックしておくと安心です。iPadがオフライン状態になってしまっても、すでにデータを読み込んだ部分は利用することができます。Wi-Fi機器やテザリングしている端末の電池が切れても、落ち着いて行動ができます。そのため、初めて訪れる土地では非常に心強い味方となります。

4 地図の向きを変える

向いている方向に地図を合わせたい場合は、親指と人差し指で地図をドラッグすると回転させることができる。

5 地図の表示を変える

画面右上の「i」ボタンから地図の表示に「交通機関」を加えたり、「航空写真」に切り替えることができる。

6 航空写真を3D表示にする

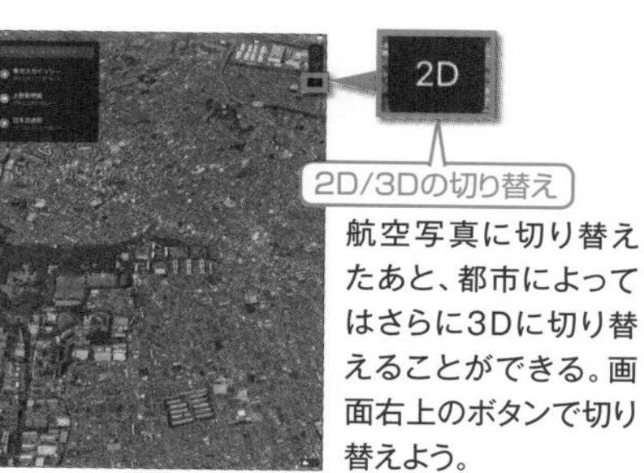

航空写真に切り替えたあと、都市によってはさらに3Dに切り替えることができる。画面右上のボタンで切り替えよう。

目的地への経路を調べる

マップには現在地から目的地までの経路をチェックし、目的地までの案内を行う機能があります。経路は、徒歩・交通機関・車を使った場合のルートを確認することができます。まず目的地を検索する必要がありますが、検索履歴やマップ上をロングタップした地点の情報画面から、手軽に始めることができます。よく使う施設や建物は、マークしたり「よく使う項目」に登録しておくのがいいでしょう。

1 目的地を入力

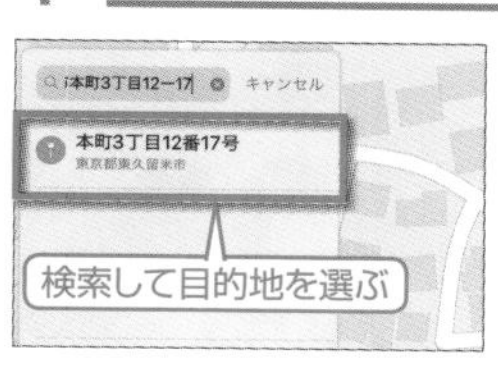

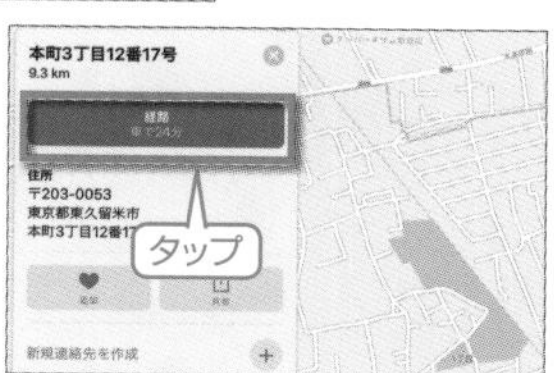

検索欄に地点や施設の名前を入れて検索。検索結果から「経路」をタップする。

2 経路を表示

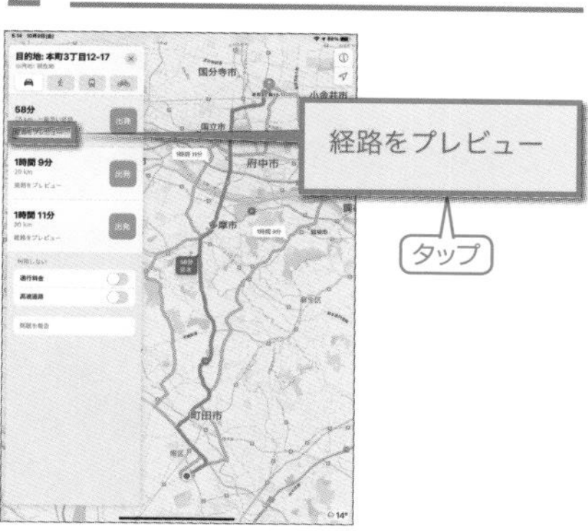

検索した地点までの経路が表示され、所要時間などを確認することができる。

3 経路の詳細をチェックする

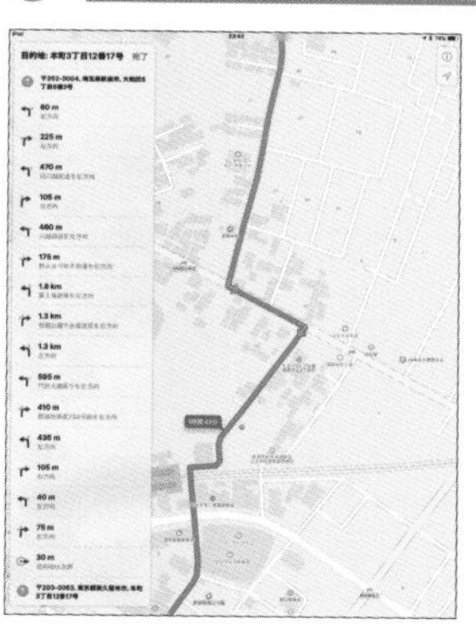

「経路をプレビュー」をタップすると、そのルート上でどのように進めばいいのかを確認することができる。

4 案内を開始

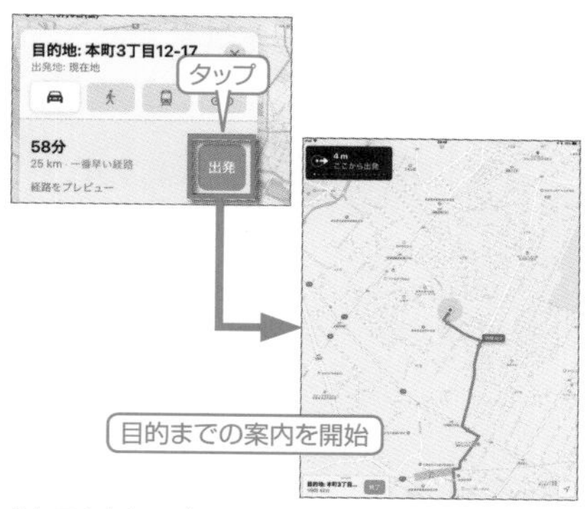

「完了」をタップして詳細を閉じ、「出発」ボタンをタップすると目的地までの案内が開始される。

5 交通機関を使ったルートを調べる

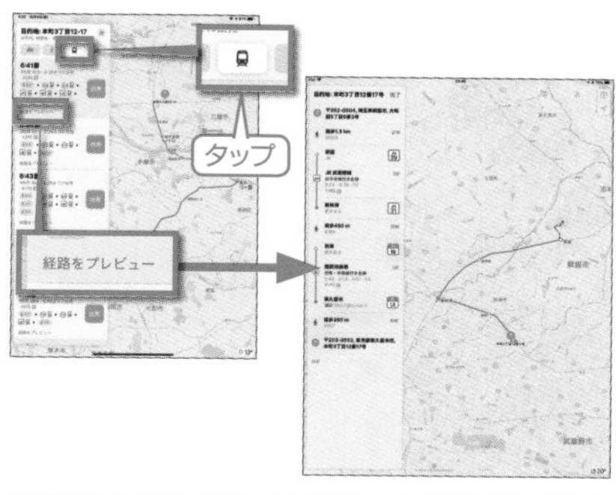

電車のアイコンをタップすると、交通機関を乗り継いで目的地に向かうルートが表示される。詳細から、乗り継ぎの詳しい内容や運賃を確認できる。

6 車でのルートを調べる

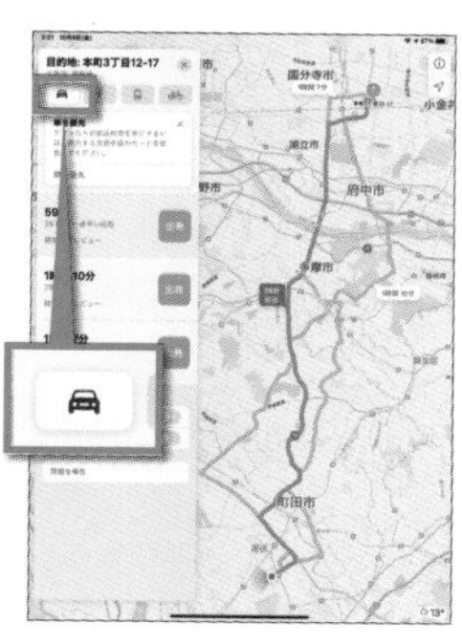

車のアイコンをタップすると、車を使ったルート案内が表示される。ルートによって有料道路を使うことも明記される。

4-5 「メモ」でメモろう!

一目でわかるでわかる「メモ」の基本画面

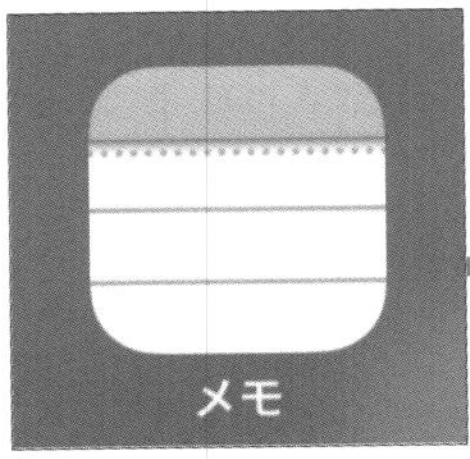

ホーム画面の「メモ」アイコンをタップして起動する。

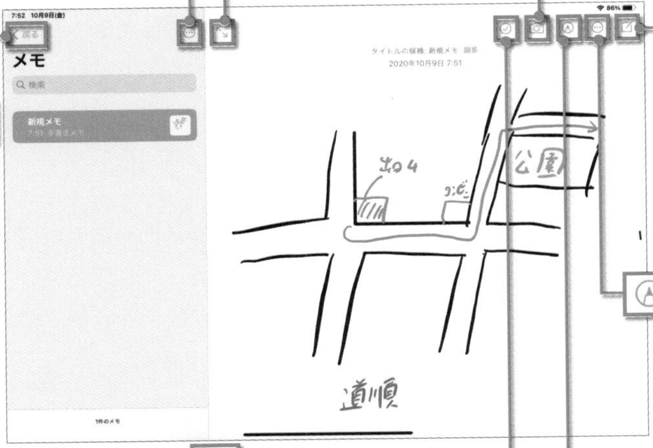

メモ一覧の編集
メモの並び方を変更したり、メモの表示形式を変更する

全画面表示

カメラ
書類をスキャンしたり、写真またはビデオを撮影してメモに添付する

新規メモを作成する

フォルダ一覧
フォルダリストの表示

メニュー
メモを共有したり、ピンで固定したり、ロックするなどその他のメモ操作一覧が表示される。

チェックボックスの追加

マークアップ
手書きでメモをを挿入する

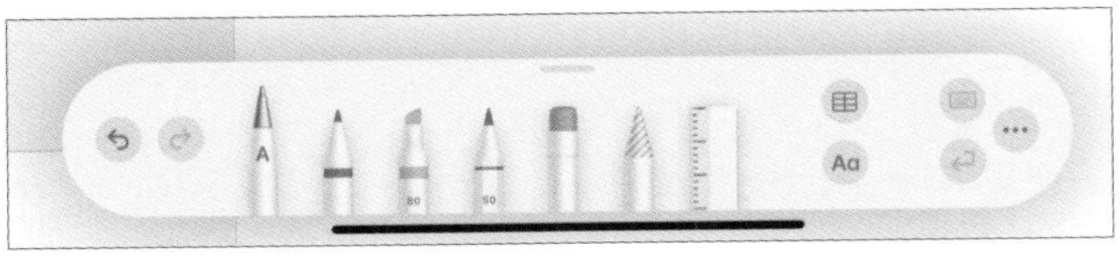

メモの基本操作

1 新規メモを作成

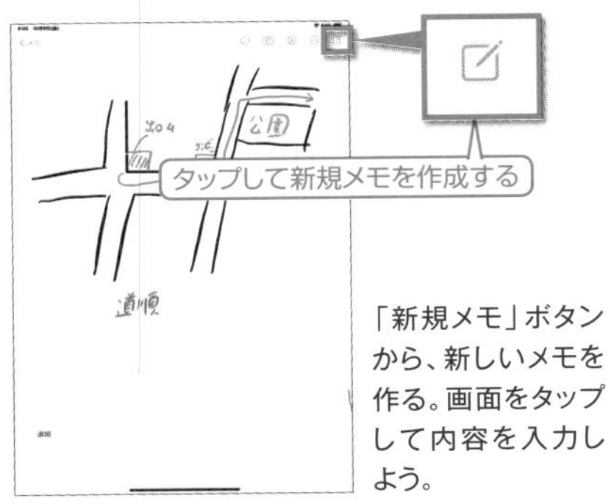

「新規メモ」ボタンから、新しいメモを作る。画面をタップして内容を入力しよう。

2 文字を装飾する

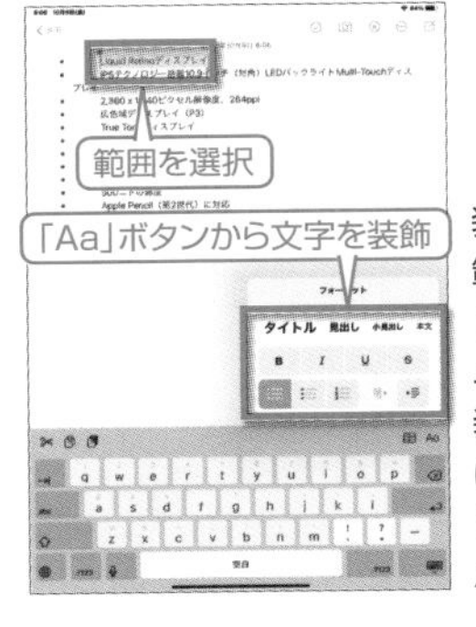

装飾したい文字の範囲を指定して、「Aa」ボタンのメニューから文字を装飾。メニューからは、番号付きのリストや箇条書きも作成できる。

3 メモのフォルダ分け

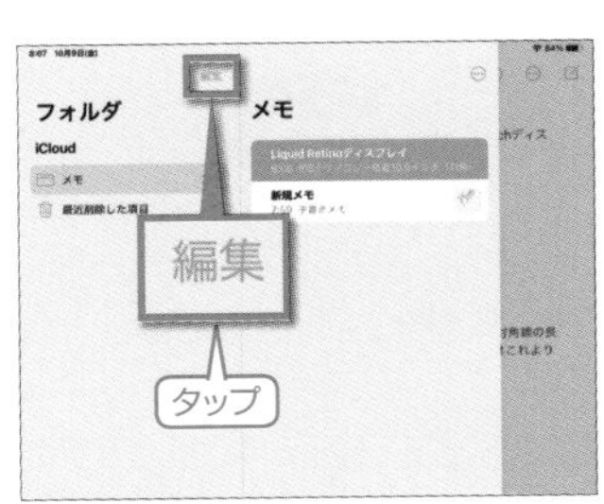

初期状態では、作成したメモはすべて同じ場所に保存される。編集ボタンから、ジャンルごとにフォルダを分けて管理しよう。

さまざまな情報を扱うことができる万能エディタ

iPadの「メモ」はシンプルさと多機能さを両立させた便利なアプリです。仕事や勉強についてメモを取ったり、チェックボックスを表示させて大事なことを忘れないようにする忘備録としても活用できます。テキストの装飾や、写真や画像の挿入・手書きのスケッチもできるので、日記やブログ、仕事の書類の下書きとしても役立ちます。

内容はiCloudで自動的に同期されるので、iPhoneやパソコンからも確認・編集が可能です。「Apple Pencil」があると、さらに便利に使うことができます。キーボードが苦手な人は手書きでメモをとるのもいいでしょう。

4 メモを選択して移動

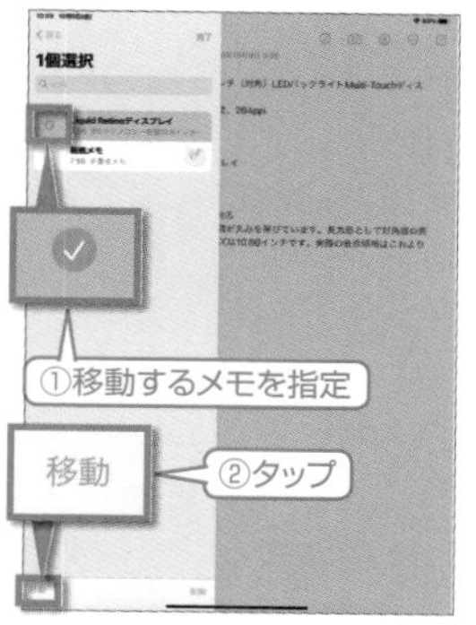

別のフォルダに移動するメモを選択して、画面左下の「移動…」をタップする。

5 フォルダに名前をつける

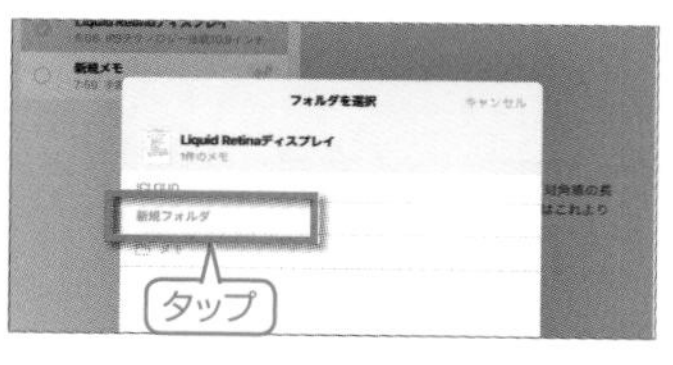

「新規フォルダ」をタップし、フォルダの名前を入力する。入力したら「保存」をタップする。

6 ジャンルごとにフォルダを作る

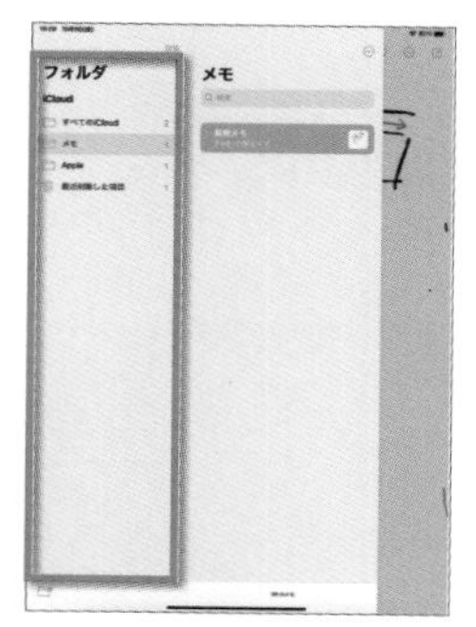

フォルダ画面に戻るとフォルダが作成されている。このフォルダ画面から新規フォルダを作成したり、編集したりできる。

書類をスキャンしてメモに保存

1 メニューを開く

画面右上のカメラボタンをタップして「書類をスキャン」を選択する。

2 スキャン画像を保存

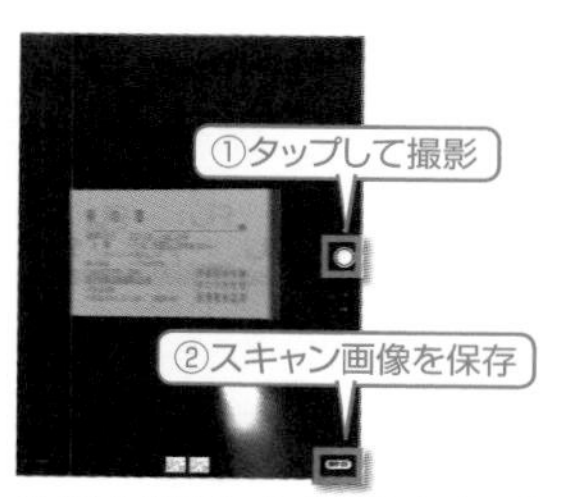

書類を撮影したら「保存」→「スキャンを保持」を選択すると、メモに書類のスキャン画像が挿入される。

Webページをメモに張り付ける

1 Safariでページを開く

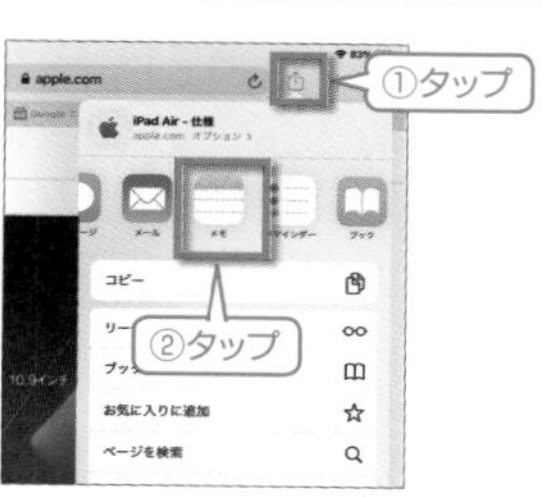

Webを閲覧中に、メモに追加したいページがある場合は、開いているページの共有メニューを開いて、「メモに追加」を選択する。

2 メモを選択して保存

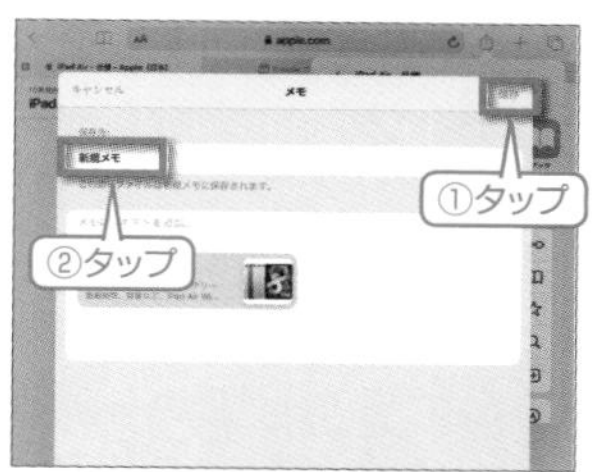

右上の保存を選択すると、ページが新規メモに保存される。保存先は、「新規メモ」をタップすると変更できる。

Apple Pencilを使った手書きが便利!

「Apple Pencil」を使うと、メモをさらに効率的に利用できます。Apple Pencilでのタップを活用することで、iPadのロック画面から直接「メモ」アプリを起動したり、メモにスケッチを直接描くことができるようになります。

1 ホーム画面から直接メモ書きする

ロック画面でApple Pencilを使って2回タップすると、新規メモが自動で開かれる。急いでメモを残したいときに非常に便利な機能。

2 スキャンした書類に書き込む

Apple Pencilでスキャンした書類をタップすると編集モードに変わる。マークしておきたい部分を自由に装飾しよう。

3 メモにスケッチを挿入する

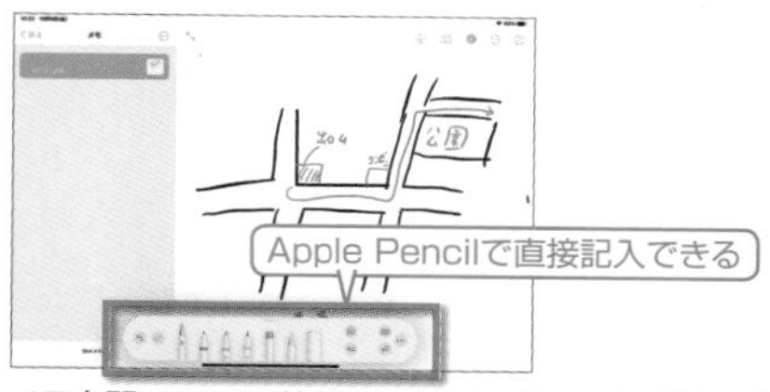

メモを開いている状態で、Apple Pencilを使ってスケッチや手書きの文字を描き出すと、メニューを経由せずに直接記入することができる。

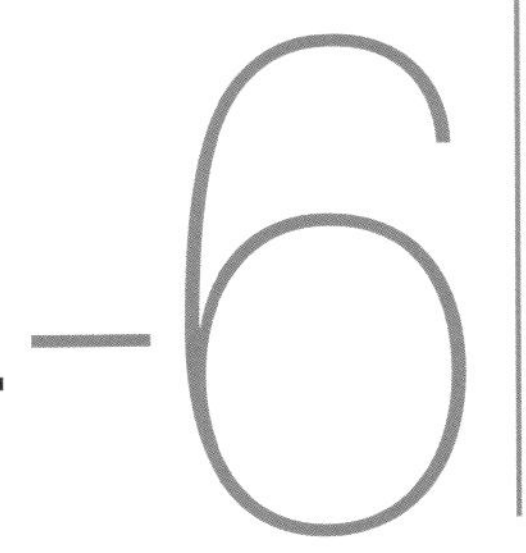

「連絡先」で家族や友達の情報を整理しよう

一目でわかる「連絡先」の基本画面

ホームにある「連絡先」アイコンをタップして起動する。

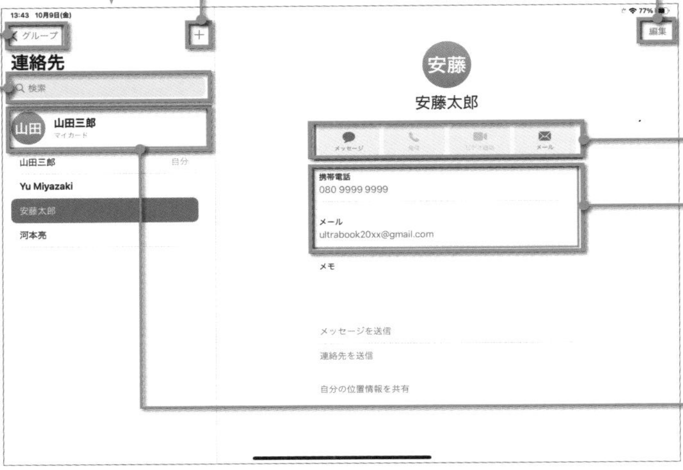

連絡先の追加
新規に連絡先情報を追加する。

編集
表示している連絡先の内容を編集・削除することができる。

連絡手段
利用できる連絡手段は青で表示される

グループ
連絡先に表示するアカウントやグループを選択できる。

連絡先情報
電話番号やメールアドレスをはじめとして、さまざまな情報を追加できる。

自分のカード
自分の番号やメールアドレスなどを表示する。

連絡先を検索
名前を入力して、連絡先から該当する情報を検索。

連絡先の新規登録

1 連絡先の追加

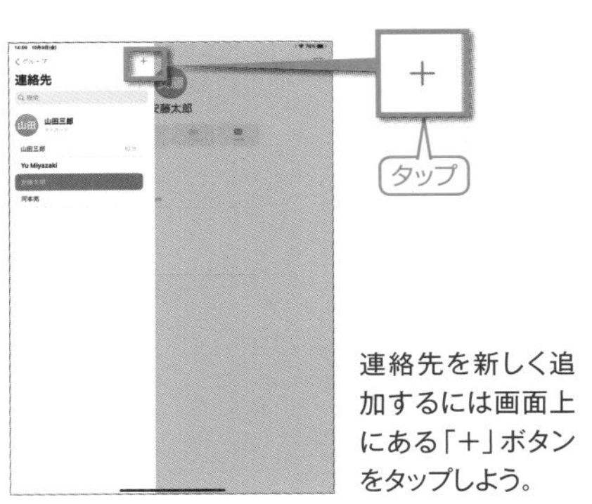

連絡先を新しく追加するには画面上にある「+」ボタンをタップしよう。

2 基本的な情報を入力する

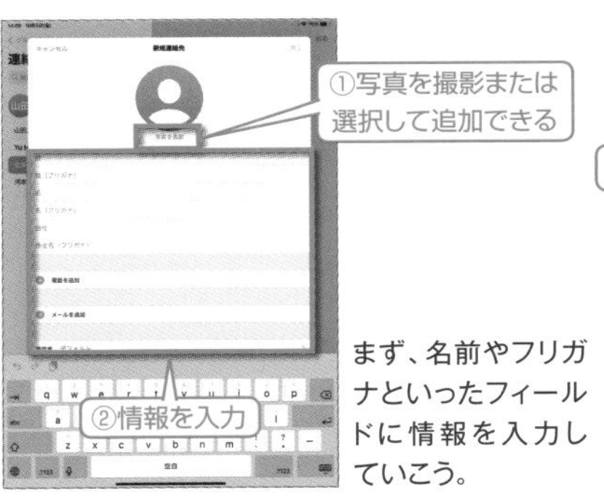

まず、名前やフリガナといったフィールドに情報を入力していこう。

3 連絡先情報を追加

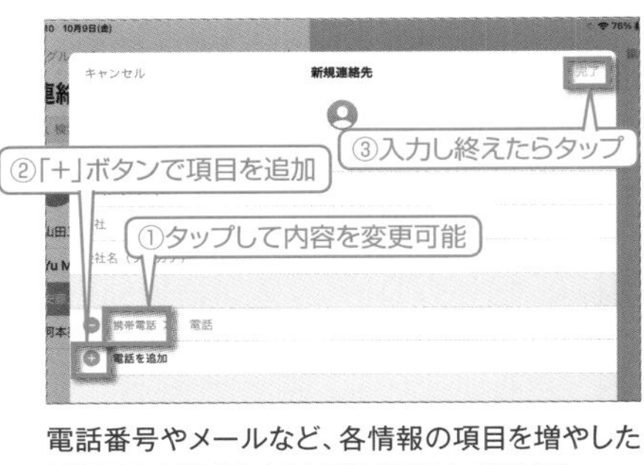

電話番号やメールなど、各情報の項目を増やしたり項目の内容を自由に変更することができる。

さまざまな情報を追加できる便利なアドレス帳

携帯電話やスマートフォンのアドレス帳にあたるのが、iPadの「連絡先」アプリです。電話番号やメールアドレス、役職などさまざまな情報を保存できます。連絡先に追加しておけば、それぞれのアプリを起動しなくても「連絡先」アプリからメールやメッセージの作成、FaceTimeを開始することもできます。

iPadでいくつもの情報を入力するのは大変ですが、iCloudでの同期を利用してパソコンから連絡先を編集する方法もあります。また、連絡先のグループ分けはiPad上から直接編集することができずパソコンでiCloud.comにアクセスして編集する必要があります。

フィールドを追加する

最初から用意されている、名前や会社・役職といった項目だけでは、相手との関係によっては情報として不足している場合もあるでしょう。メモ欄に記入するのもよいですが、そういった場合はフィールドを追加して、より使いやすい連絡先にしましょう。

1 追加するフィールドを選択

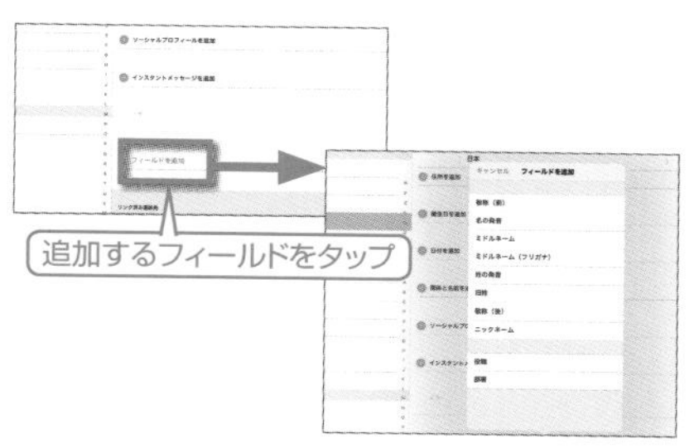

連絡先の編集画面の一番下にある、「フィールドを追加」をタップして標準では表示されていないフィールドを追加。

2 フィールドを入力する

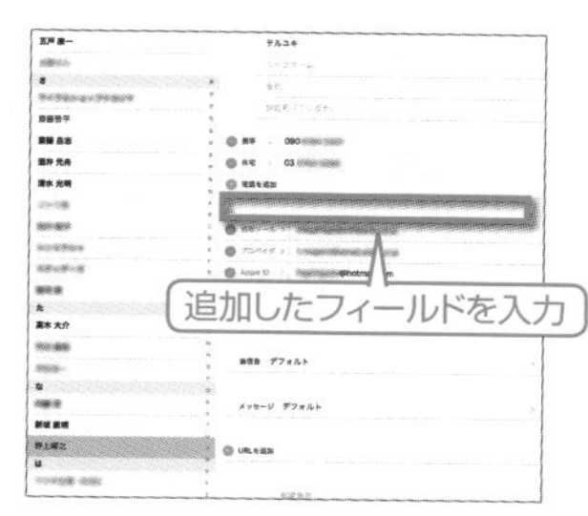

手順1で選択したフィールドが表示されているので入力。入力後は画面右上の「完了」をタップする。

フリガナは必ず設定しよう

連絡先はあいうえお順に並びますが、フリガナがないと「#」の項目にまとめられてしまいます。連絡先の情報を元にしたサジェスト（予測変換）入力が効く場面でも、うまく表示されません。

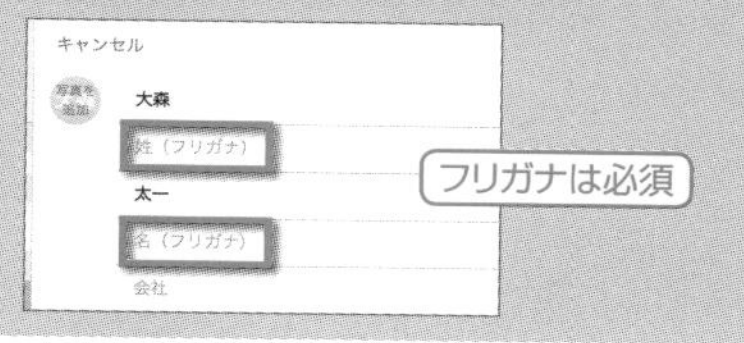

連絡先をPCのWebブラウザから追加・編集

iCloudの機能によって、パソコンのWebブラウザから連絡先をパソコンの上で編集して、iPadにも反映することができます。連絡先のグループ分けはパソコンでしかできないので、以下の手順を参考にパソコンからグループ分けを行いましょう。

1 iCloudにサインイン

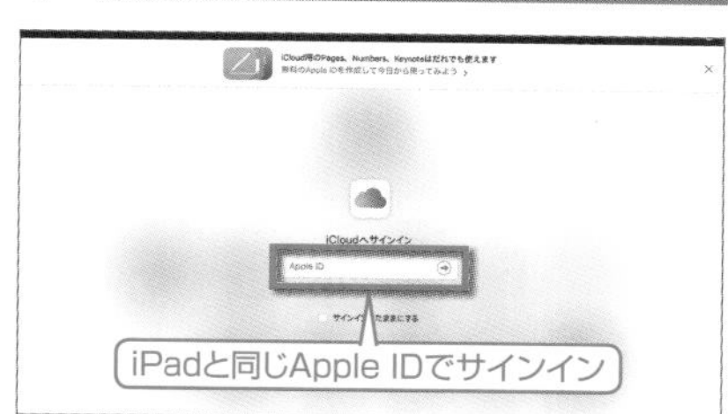

「https://www.icloud.com/」のURLをパソコンのブラウザで開き、Apple IDとパスワードを入力してサインイン。

2 「連絡先」を開く

iCloudで管理できるアプリのアイコンが一覧表示されるので、「連絡先」をクリックする。

3 連絡先の新規追加

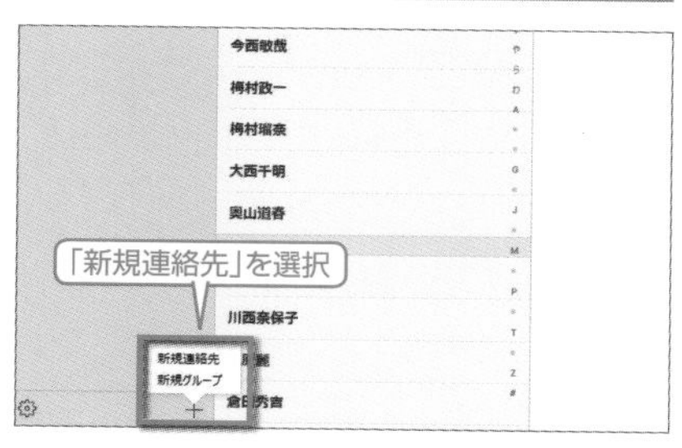

「＋」ボタンをクリックし、メニューから「新規連絡先」をクリックすると新しい連絡先を追加できる。

4 連絡先を編集する

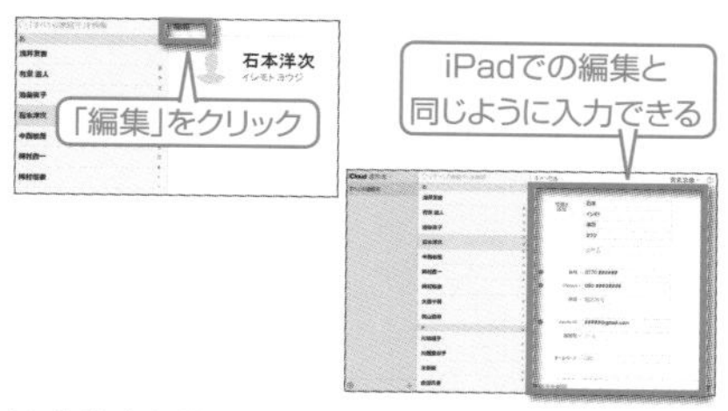

連絡先を編集するには「編集」をクリックする。各項目はiPadと同じようにクリックして入力・編集できる。

5 グループ分けを行う

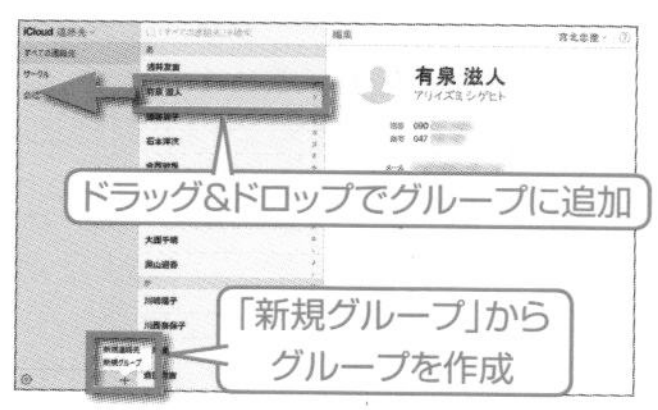

「＋」ボタンのメニューから「新規グループ」をクリックしてグループを作成。相手との関係に応じてグループ分けしておくことで、連絡先をより使いやすくできる。

6 連絡先をまとめて削除

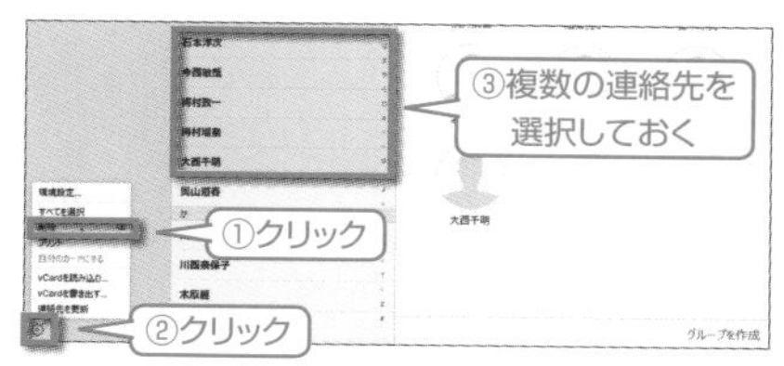

Shiftキーなどを利用して、複数の連絡先を選択した状態で削除を選択することで、まとめて削除することができる。

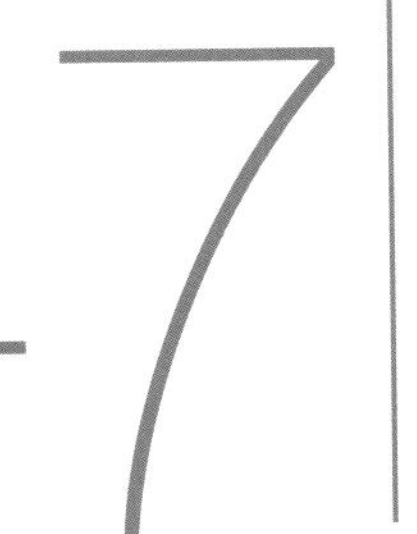

4-7 「カレンダー」でスケジュール管理が楽々!

一目でわかる「カレンダー」の基本画面

土曜日
2
カレンダー

ホーム画面の、日付と曜日が書かれている「カレンダー」アイコンをタップ。

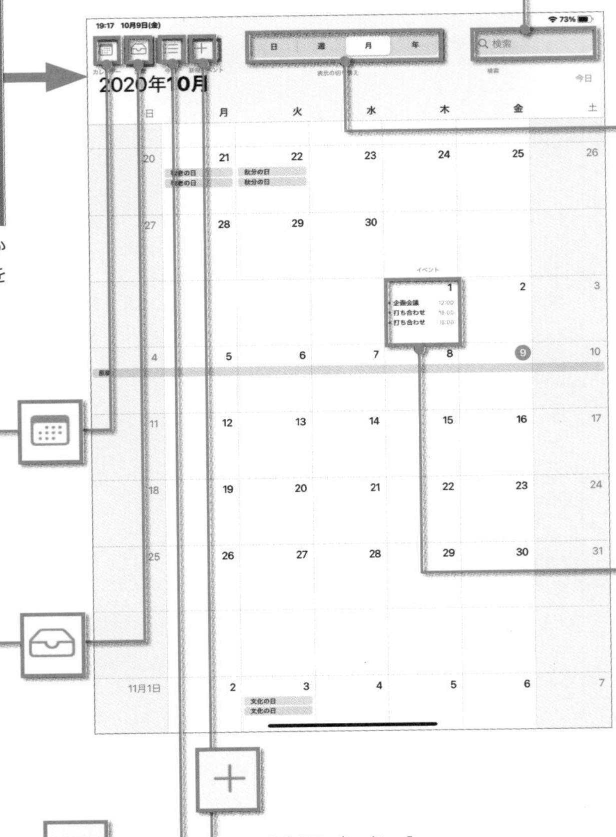

検索
カレンダー内の予定を検索する。追加した予定(イベント)の名前や、キーワードを入力して検索しよう。

表示の切り替え
日/週/月/年で、カレンダーの表示単位を切り替えることができる。予定の密度や内容によって表示を切り替えよう。

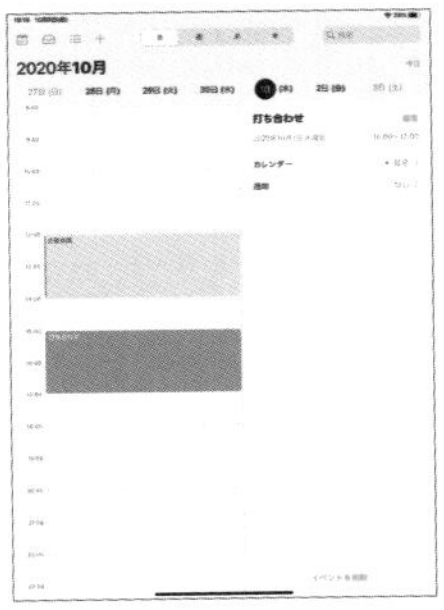

カレンダー
「カレンダー」アプリに表示するカレンダーの種類を選択できる。

イベント
カレンダーに追加された予定。タップすると詳しい内容を表示する。

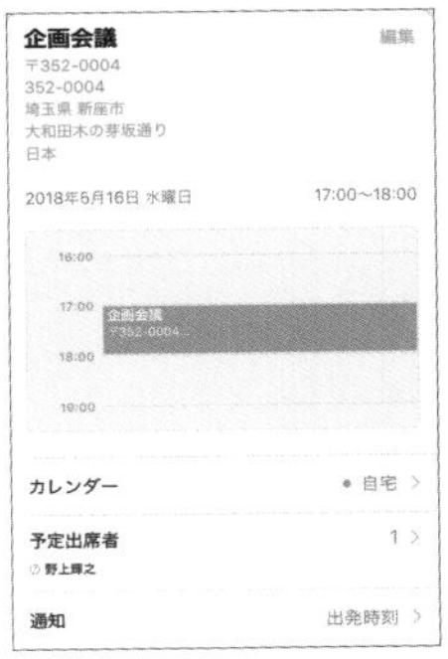

出席依頼
出席を依頼されているイベントや、招待者への返信を行う。

今日
タップすると、今日の予定を素早く表示できる。

新規イベント
カレンダーに新しいイベントを追加する。

予定の追加と確認

1 イベントを新規に追加

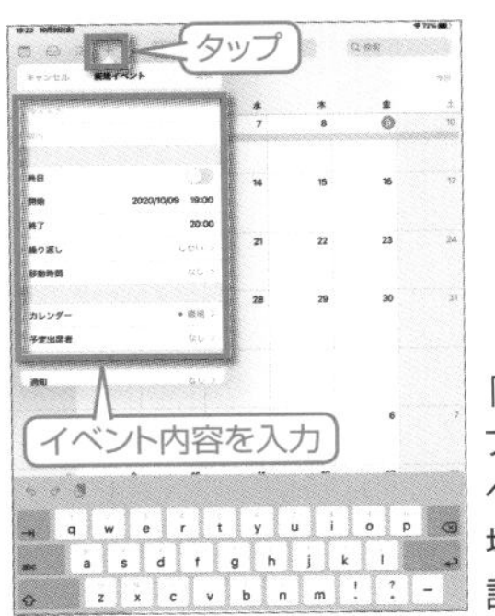

「+」ボタンをタップして、予定(イベント)の名前や場所、日時などを設定する。

2 通知や移動時間を設定

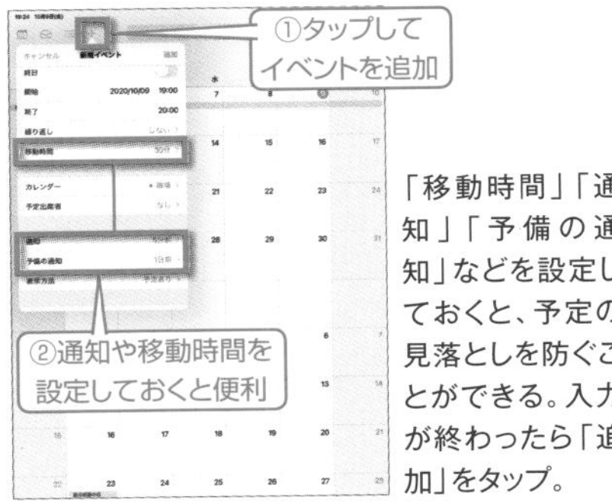

「移動時間」「通知」「予備の通知」などを設定しておくと、予定の見落としを防ぐことができる。入力が終わったら「追加」をタップ。

3 追加したイベントを確認

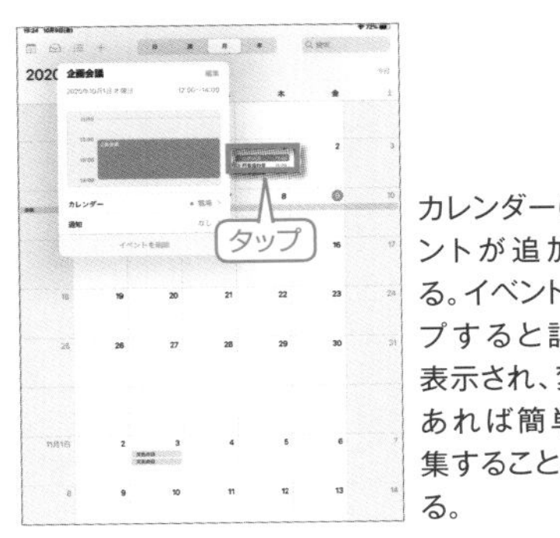

カレンダーにイベントが追加される。イベントをタップすると詳細が表示され、変更があれば簡単に編集することができる。

スケジュール機能で予定を簡単に管理できる

スケジュール帳を使わなくても、iPadがあれば予定はすべて「カレンダー」アプリで管理することができます。「カレンダー」には、スケジュール管理機能があり予定（イベント）を簡単に確認できるだけでなく、イベントの開始時間を設定しておくと通知もしてくれます。さらにiCloudによって、iPhoneやパソコンとも同期するため、こちらもスケジュール管理に活用しましょう。

また、Googleカレンダーも同期させることができ、iPadから編集することもできます。普段から利用している場合は、ぜひ同期させておきましょう。

4 カレンダーを追加する

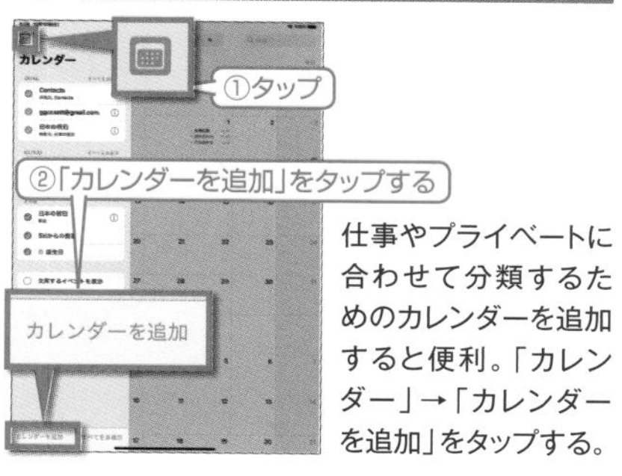

仕事やプライベートに合わせて分類するためのカレンダーを追加すると便利。「カレンダー」→「カレンダーを追加」をタップする。

5 カラーを選択する

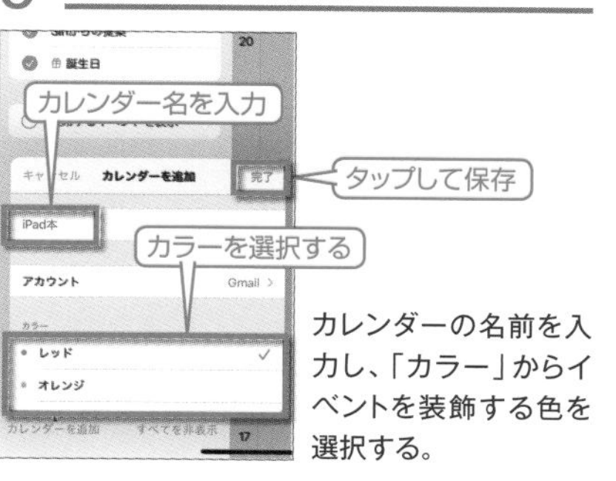

カレンダーの名前を入力し、「カラー」からイベントを装飾する色を選択する。

6 カレンダーを選択する

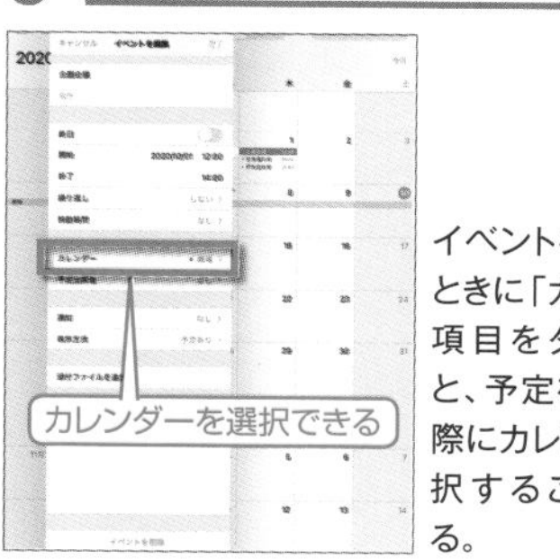

イベントを追加するときに「カレンダー」項目をタップすると、予定を追加する際にカレンダーを選択することができる。

Googleカレンダーと同期する

スケジュール管理アプリとして、普段からGoogleカレンダーを活用している人もいるでしょう。「カレンダー」と同期させることで、Googleカレンダーの予定を「カレンダー」からも確認・編集することができます。同期させたあとは、「カレンダー」ボタンのメニューから、表示させるカレンダーを選択して重複する予定（特に休日カレンダー）を表示させないようにしましょう。

1 「アカウントを追加」をタップする

設定を開き「カレンダー」→「アカウント」→「アカウントを追加」をタップする。

2 Googleアカウントを追加する

「Google」をタップして、使用しているGoogleアカウントのIDとパスワードを入力する。

3 カレンダーをオンにする

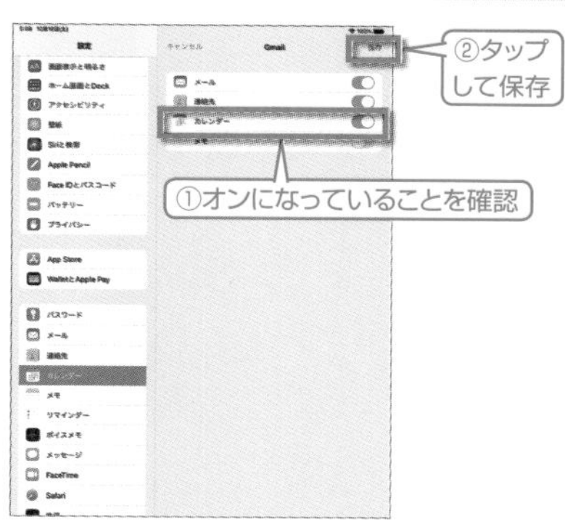

「カレンダー」の項目がオンになっていることを確認して「保存」をタップする。

4 アカウントリストを確認

アカウントリストに「Gmail」が追加される。同期するリストにカレンダーが表記されているか確認する。

5 Googleカレンダーの予定を確認

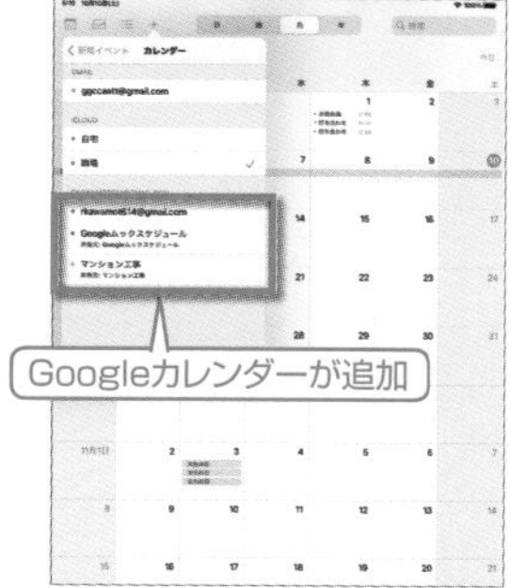

「カレンダー」アプリでは、Googleカレンダーの予定も追加されるようになる。イベント作成時に、Googleカレンダーを指定することもできる。

標準となるカレンダーを指定しよう

設定から「カレンダー」→「デフォルトカレンダー」をタップして、標準となるカレンダーを選択しましょう。イベントを追加したとき、自動で選択したカレンダーに追加されます。同期したGoogleカレンダーも選ぶことができます。

チェックを入れたカレンダーが標準のカレンダーになる

4-8 やるべきことを忘れない「リマインダー」

日々の雑事や、習慣にしたい行動を忘れずに思い出すために便利な標準アプリ。ToDoリスト形式で追加していき、通知時間を指定することで思い出したい時間に通知を受け取ることができます。「Wi-Fi+Celluar」モデルであれば、あるエリアにきたときに通知するように指定することもできるため、買い物リストの買い忘れを防ぐのに便利です。

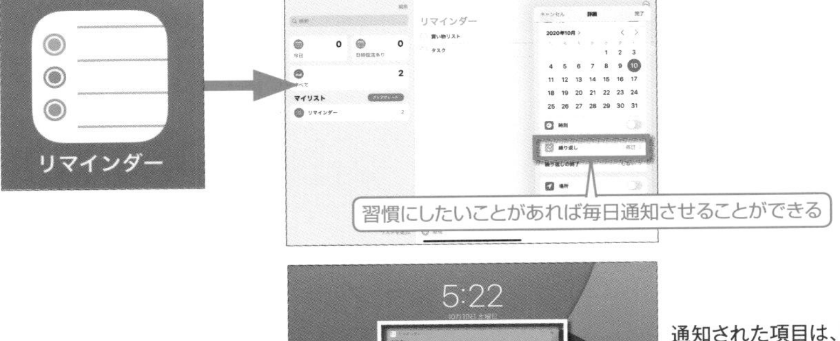

5:22

通知を設定した項目はロック画面にも表示される

通知された項目は、リストをタップするまで消えないので行動のし忘れを防ぐことができる。毎日の行動も、リストに自動で追加・通知させることが可能。

4-9 アラームやストップウォッチが使える「時計」

「時計」アプリは、タイマーやアラームなどがまとめられているアプリです。「アラーム」では、アラームを鳴らす時間を曜日ごとに設定ができます。また周回ごとのラップタイムを集計することができる「ストップウォッチ」という優れた機能もあります。「ベッドタイム」では、毎日の睡眠のリズムを記録することができます。

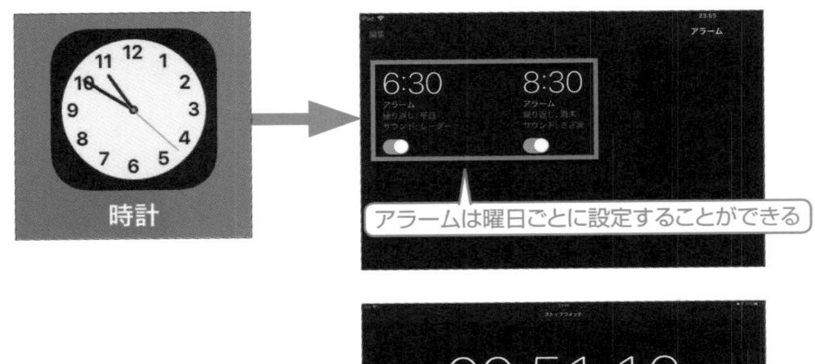

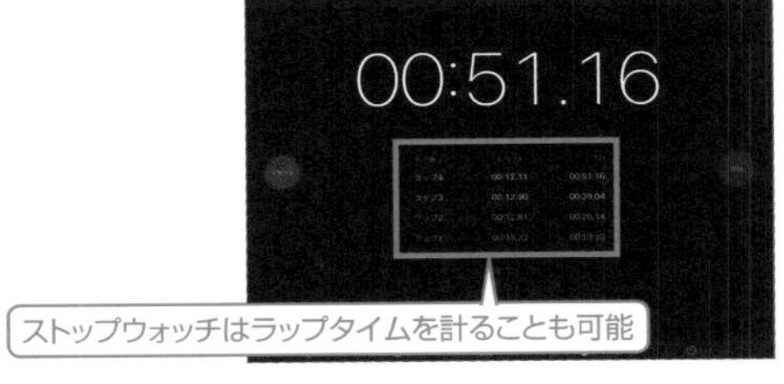

多機能なアラーム・ストップウォッチ以外にも、各国の時間がわかる世界時計や睡眠を管理するベッドタイムといった機能が利用できる。

4-10 iPadを失くした時に役に立つ「探す」

iPadやiPhoneを紛失したときに役に立つのが「探す」アプリです。紛失したiPadの現在位置ををほかのiOSデバイスやブラウザ経由で探すことができます。このアプリから、紛失したiPadの音を鳴らして見つけやすくしたり、iPad内にあるデータを消して情報の流出を防ぐことができます。ただし、紛失したiPadの「探す」がオフになっている場合は探すことができません。

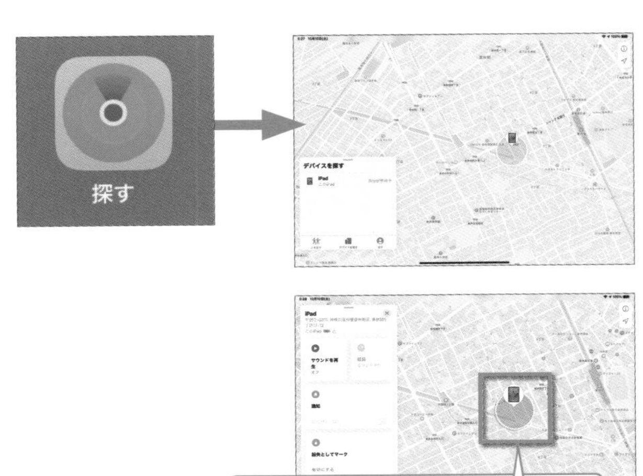

失くしたときに、位置を確認したり音を鳴らして見つけやすくできるアプリ。

Chapter 5

SNSやテレビ電話でコミュニケーションを楽しもう

「FaceTime」で無料のテレビ電話を楽しもう

標準の無料通話アプリ「FaceTime」

ホーム画面から「FaceTime」をタップして起動する。

FaceTimeを使うメリット

①通話が無料
データ通信を利用しているので、電話代はかからない。Wi-Fi接続なら、実質話し放題で利用することができる。

②音質に優れる
FaceTimeは、電話や他の音声通話サービスと比較して、音質が優れている。相手の声も非常に聞き取りやすいのが特徴。

③自分の見ているものを見せられる
カメラを通話中、アウトカメラに切り替えることで、自分が見ている景色をリアルタイムで相手に見せることができる。

④iPhoneやMacとも無料通話
Apple ID宛に発信するので、iPhoneやMacユーザーとも通話を楽しむことができる。

⑤海外通話でも無料
海外電話は料金が高くなるが、FaceTimeならデータ通信なので、海外の友達や家族へも無料で通話できる。

音声通話も話し放題

音声だけで通話する「FaceTimeオーディオ」も、高音質で話し放題。定額通話プランへの加入も不要。

テレビ電話をかける

1 FaceTime機能を有効にする

設定を開き「FaceTime」がオンになっているか確認。また、Apple IDでのサインインも必要になる。

2 着信用と発信者番号を設定する

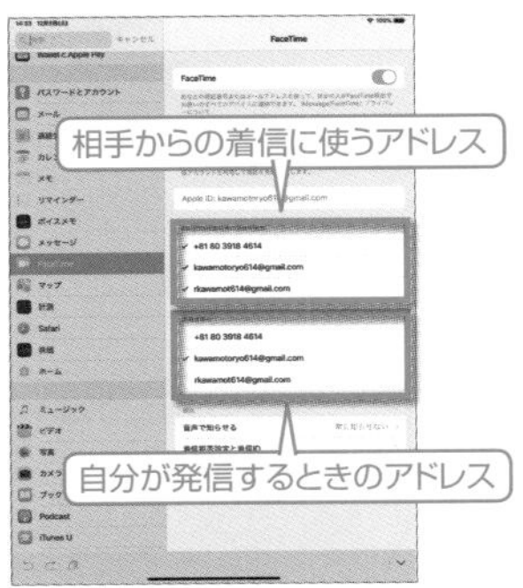

Apple IDに関連付けてあるメールアドレス（Wi-Fi+Celluar版では電話番号も）から、着信/発信に使うアドレスを選択する。

3 FaceTimeをかける相手を選択する

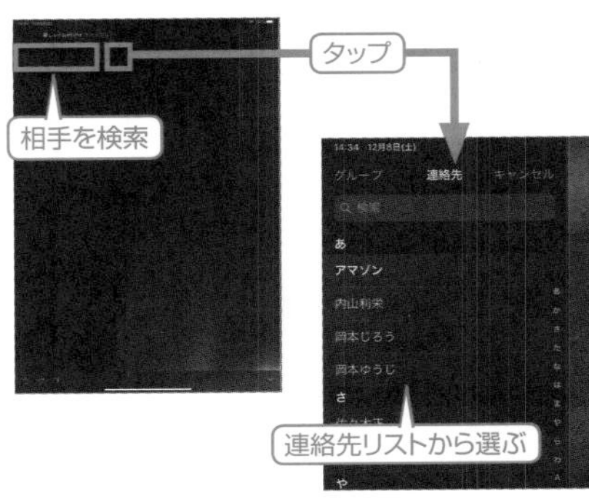

FaceTimeをタップして起動する。右上にある「+」ボタンから連絡先を開いて選ぶ。または、検索欄に名前を入力して相手を探そう。

Wi-FiならいつでもV無料で使えるTV電話

iPadやiPhone、MacなどApple IDが使える機種なら、無料での通話が可能なTV電話アプリ「FaceTime」。普通のTV電話のように、相手の顔や周囲の様子を見ながらの通話ができます。FaceTimeではデータ通信を利用するので、通話料はかかりません。お互いの顔を見ながら楽しくおしゃべりを満喫しましょう。また、Wi-Fi+Celluar版のiPadならモバイルデータ通信を使って、場所を問わずに使うことができます。通話するためには、あらかじめ相手のApple IDを知っておく必要があります。メールやメッセージアプリなどで教えてもらいましょう。

4 ビデオアイコンをタップする

名前の横に表示されるビデオアイコンをタップすると、相手にビデオ通話が発信される。

5 ビデオ通話が開始される

相手が発信に応答すれば、お互いのカメラの画像が表示され、顔を見ながらの通話を楽しむことができる。

相手がFaceTimeを利用できるか確認するには

「連絡先」アプリを開いて、通話したい相手の連絡先を開きます。名前の下にある「FaceTime」アイコンが青くなっていれば、通話することができます。

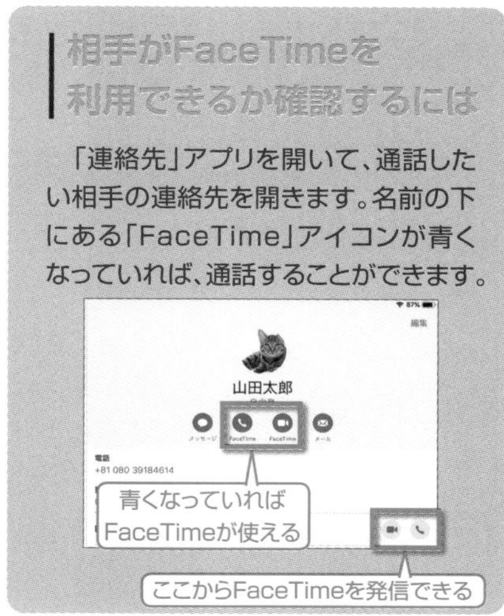

通話中に使える便利なテクニック

FaceTimeは、通話中でもホームボタンを押すことで他のアプリを操作することができます。通話しながら全画面に戻すこともできます。また、カメラの切り替えや音声のミュートなど、各ボタンの使い方もチェックしておきましょう。エフェクト機能を利用すれば顔にさまざまな効果を付けたり、ミー文字を使って顔を隠すこともできます。

1 自分の画面を移動させる

自分の映像は、ドラッグして移動させることができる。

2 FaceTimeのメニューを表示させる

FaceTimeのメニューを表示すには、画面左下あたりをタップする。メニューがされる。

3 ミー文字を顔に適用する

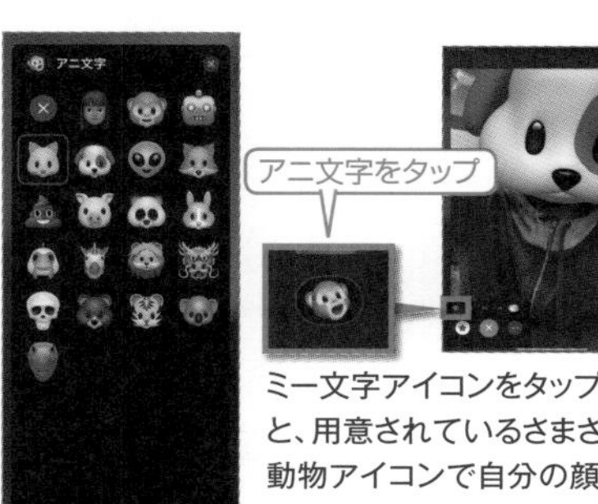

ミー文字アイコンをタップすると、用意されているさまざまな動物アイコンで自分の顔を隠してコミュニケーションできる。

4 フィルタで画面全体の色彩を変える

フィルタアイコンをタップするとさまざまなフィルタが表示される。選択するとそのフィルタが画面全体に適用される。

5 画面にさまざまな図形を挿入する

図形アイコンをタップするとさまざまな図形が表示される。選択すると、その図形が画面に設置でき、ドラッグで好きな場所に移動できる。

6 そのほかのメニューを表示させる

メニュー画面を上へスワイプすると、ほかに「消音」「スピーカー」「カメラオフ」などのメニューが表示される。終了する場合は「⊗」をタップしよう。

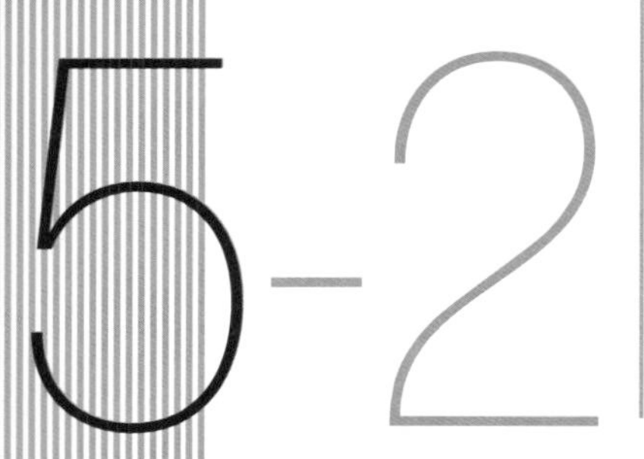

「LINE」でメッセージのやり取りができる

ひと目でわかるLINEの基本画面

LINE
作者:LINE Corporation
価格:無料
カテゴリ:ソーシャル・ネットワーキング

1 友達リスト
LINEに追加した友だちを一覧表示できる。ほかにグループや知り合いかもしれないユーザー名も表示される。

2 トーク
トーク履歴を友だちごとに管理して一覧表示できる。

3 タイムライン
友だちがタイムラインに投稿したメッセージを表示できる。

4 通話
通話履歴を友だちごとに管理して一覧表示できる。

5 設定
アカウントの設定やLINEの各種設定を行なう。

6 左ウインドウ
下部にあるメニューから選択した内容が表示される。

7 右ウインドウ
間近にやり取りした友だちのトーク内容が表示される。タイムライン選択時のみトークと異なりタイムライン画面が表示される。

iPadで既存のアカウントにログインしよう

スマホで利用しているLINEアカウントにログインするには、事前にスマホ版LINEの設定の「アカウント」画面で、iPadのログインを許可するようにしましょう。これでiPadでログインできるようになります。

1 スマホ版の設定画面を開く

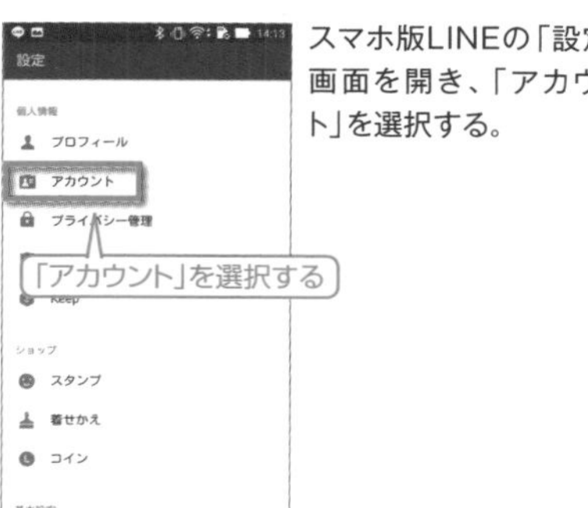

スマホ版LINEの「設定」画面を開き、「アカウント」を選択する。

2 ログイン許可にチェックを入れる

「ログイン許可」にチェックを入れよう。これでiPad版のLINEやほかの端末でLINEにログインできるようになる。

3 iPad版LINEをインストール

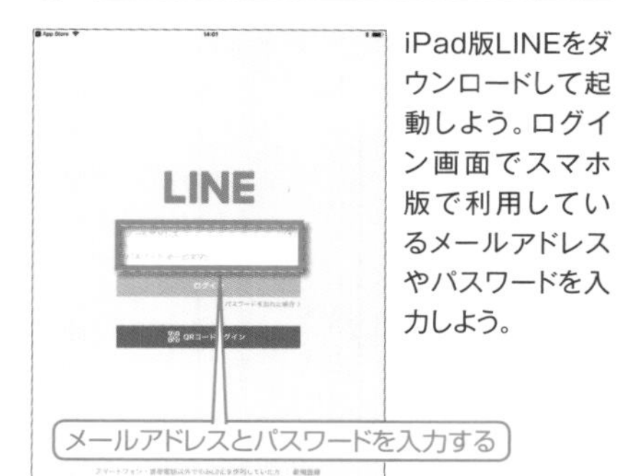

iPad版LINEをダウンロードして起動しよう。ログイン画面でスマホ版で利用しているメールアドレスやパスワードを入力しよう。

スマホ版LINEアカウントでログイン

スマホでLINEを利用している人は多いでしょう。iPadでもLINEを利用することは可能で、現在スマホで使っているLINEアカウントでログインして友達と無料通話やトークを楽しむことができます。もちろん、友だちリストや購入済みのアイテムもそのまま利用できます。WiFi版iPadでLINEを利用する際は、スマホで利用しているLINEに本人確認用のコードを入力する必要があります。

また、新規に新しいLINEアカウントを作成することも可能ですが、iPadでは電話番号を利用したSMS受信ができないため、Facebookアカウントを利用して作成する必要があります。

トークでメッセージをやり取りしよう

メッセージをやり取りするには、友達リストで相手をタップして表示される画面で「トーク」を選択します。テキストを入力してメッセージを送信しましょう。「トーク」タブで履歴を管理できます。

1 友だちを選択する

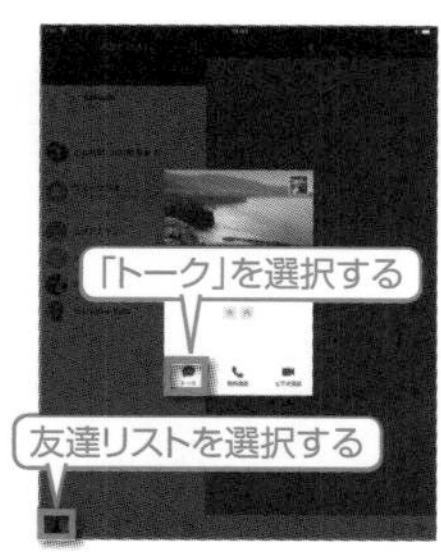

下部メニュー左端の友達リストタブを選択し、友だちをタップする。ウインドウが表示されるので「トーク」を選択する。

2 メッセージを入力する

右ウインドウがトーク画面に切り替わる。入力フォームをタップして、メッセージを入力しよう。右端の送信ボタンをタップすれば送信完了。

3 トーク履歴を確認する

下部メニューのトークタブでこれまでメッセージをやり取りした友だちとの履歴を一覧表示できる。

スタンプを送信しよう

LINEではスタンプを送信することもできます。スマホ版アカウントで購入したスタンプを利用できるます。なおスマホ版アカウントを利用している場合は、iPadからスタンプの購入はできない。

1 スタンプを選択する

スタンプを送信するにはメッセージフォーム横にあるスタンプボタンをタップ。スタンプ画面が表示されるので、送信スタンプを選択しよう。

2 購入したスタンプを利用する

スマホで購入したスタンプを利用するには、スタンプ画面右端にある設定アイコンをタップする。

3 マイスタンプ画面

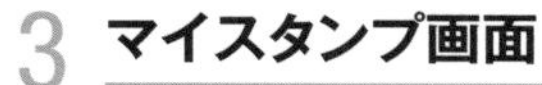
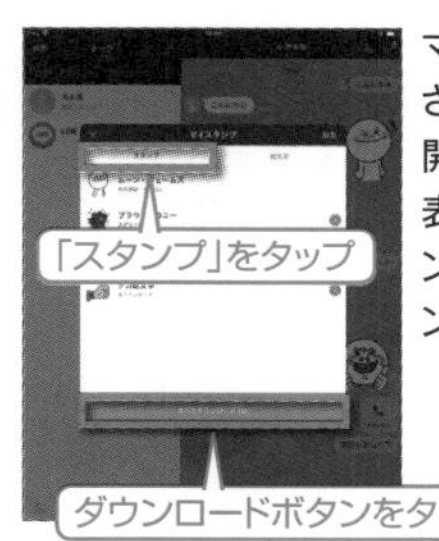

マイスタンプ画面が表示される。「スタンプ」タブを開くと購入したスタンプが表示される。「すべてダウンロード」でまとめてダウンロードできる。

無料で通話を行なう

iPadのマイクを使ってLINEで無料通話をすることもできます。話したい相手を友達リストから選択して、「無料通話」を選択しましょう。なお、無料通話中にビデオ通話に変更することもできます。

1 「無料通話」を選択する

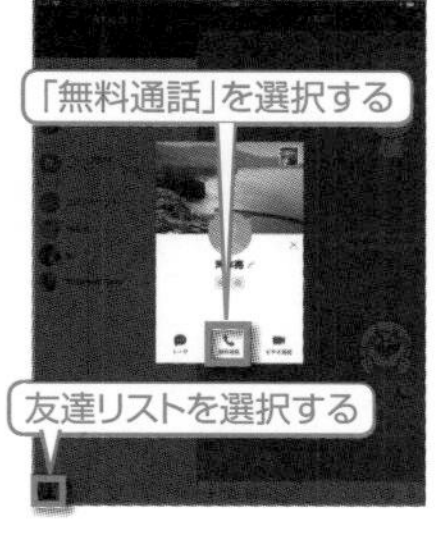

下部メニュー左端の友達リストタブを選択し、友だちをタップする。ウインドウが表示されるので「無料通話」を選択する。

2 コールが始まる

コールが始まる。相手が通話に出ると通話できる。通話をやめるときは赤いボタンをタップしよう。

3 通話履歴を見る

下部メニュー右から2番目の通話タブを開くと、友だちとの通話履歴を一覧表示できる。

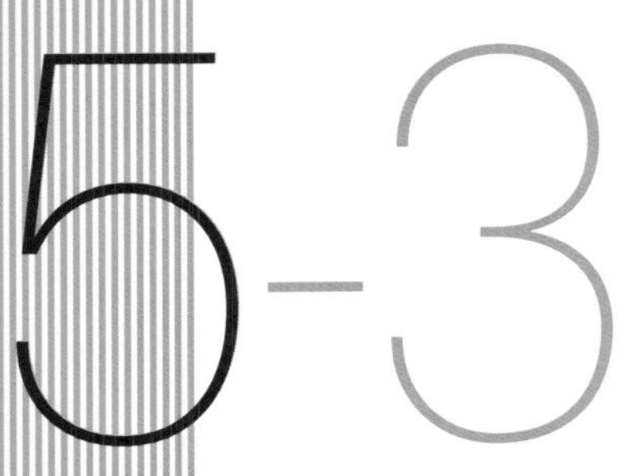

5-3 Facebookで友人と出来事を共有しよう

ひと目でわかるFacebookの基本画面

Facebook
作者:Facebook
価格:無料
カテゴリ:ソーシャル・ネットワーキング

1 ダイレクトメッセージ
個人間でダイレクトメッセージを行なうにはここから行なう。

2 プロフィール
タップすると自分のプロフィール画面が表示される。

3 そのほか
設定画面やログアウトなどができる。

4 いいね！
投稿に対して「いいね!」を付けることができる。

5 コメント
投稿に対してコメントを付けることができる。

6 シェアする
他人の投稿をシェアして自分のフィードに投稿することができる。

7 フィード
友だちの投稿や自分の投稿が表示される。

8 友達
友達リクエスがあったときはここから確認できる。

9 Watch
オリジナルビデオコンテンツを視聴できる。

10 お知らせ
イベントやグループ、ゲームなどそのほかのメニューはここからアクセスできる。

11 その他
イベントやグループ、ゲームなどそのほかのメニュー。

Facebookにログインしよう

1 アカウントを入力する

Facebookを起動するとログイン画面が表示される。利用しているアカウント名とパスワードを入力して「ログイン」をタップしよう。

2 通知の設定をする

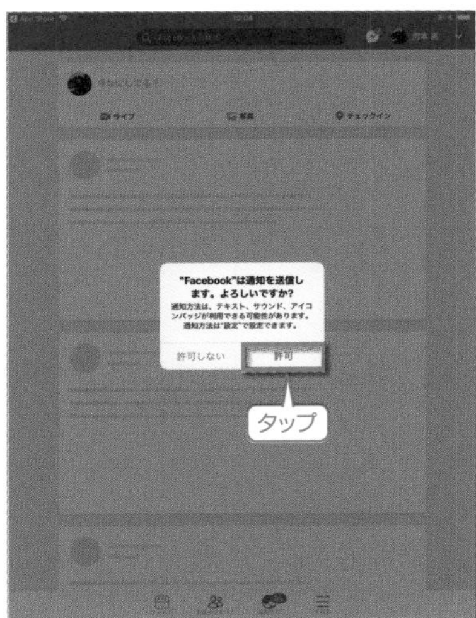

ログインがうまくいくと、Facebookからの通知を許可するかどうか聞かれる。許可する場合は「許可」を選択しよう。

iPadからFacebookに閲覧も投稿もできる

ソーシャルネットワークサービスで最も利用ユーザーが多く、有名なのが「Facebook」です。多くの人はアカウント取得して利用しているでしょう。iPadではFacebook用の公式アプリが配布されており、インストールすればiPadからFacebookが利用できます。すでにアカウントを所持している人はダウンロードしましょう。

Facebookアプリではほかのユーザーの投稿を閲覧するだけでなく、「いいね!」を付けたりコメントを付けることができます。また、Facebookに直接記事や写真をアップロードすることもできます。友だちから「いいね!」やコメントがあったときは通知もしてくれます。

iPadからFacebookに投稿しよう

iPadからFacebookに記事を直接投稿することができます。投稿する際はテキストのほかiPadに保存している写真、現在位置情報、スタンプなども一緒に添付して投稿できます。投稿後に記事の編集もできます。

1 入力フォームをタップしてテキストを入力する

iPadから投稿するにはフィードー番上にある投稿フォームをタップする。入力ウインドウが表示されるのでテキストを入力しよう。

2 公開設定を指定する

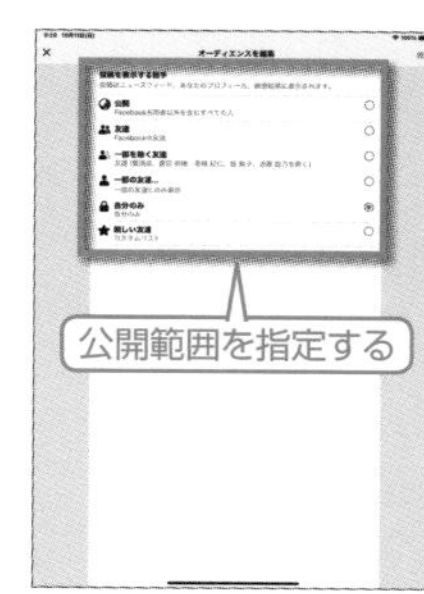

投稿フォームの上の部分にある公開範囲接待ボタンをタップして、投稿する記事の公開範囲を指定しよう。

3 画像をアップロードする

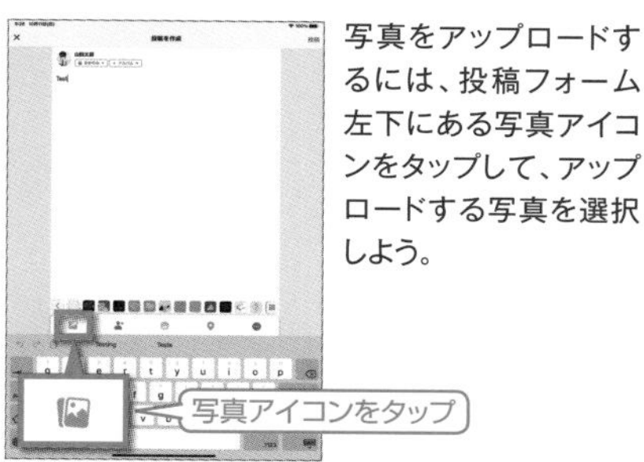

写真をアップロードするには、投稿フォーム左下にある写真アイコンをタップして、アップロードする写真を選択しよう。

4 「投稿する」をタップ

投稿の準備ができたら、右上の「投稿する」をタップするとFacebookに記事が投稿される。

5 気分やチェックイン情報も付けることができる

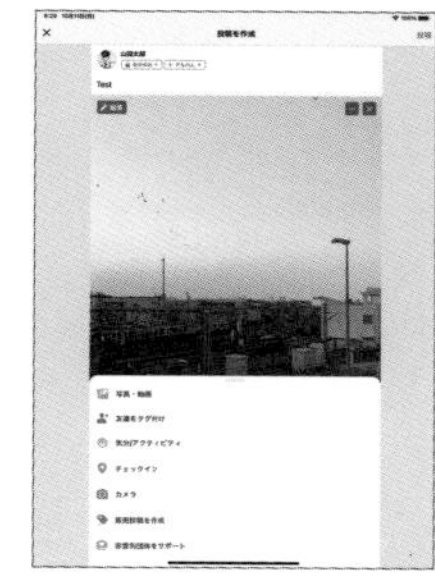

投稿フォーム右下の添付アイコンでは、写真のほかに現在地情報や気分やスタンプなどもで添付できる。

6 投稿した記事を削除する

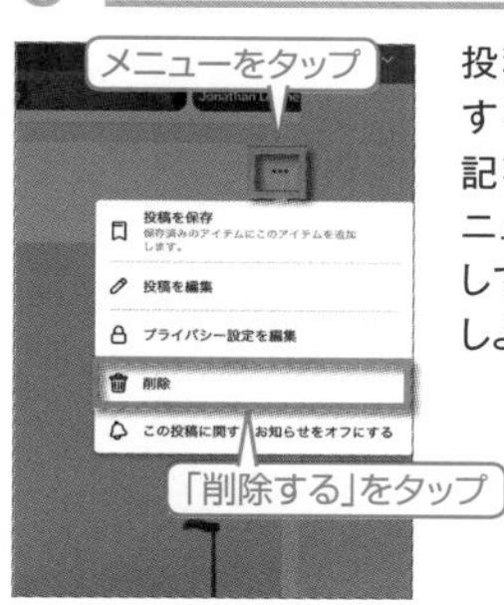

投稿した記事を削除する場合は、対象の記事の右上にあるメニューボタンをタップして「削除」をクリックしよう。

投稿に「いいね!」やコメントを付けよう

フィードに表示される記事にはさまざまなアクションができます。ほかのユーザーとコミュニケーションを取って仲良くなりたい場合は「いいね」「コメントをする」「シェアする」などを行いましょう。

1 記事下にあるメニューから選択する

記事に対してアクションを行うには、記事下にある「いいね!」「コメントをする」「シェアする」などのメニューから好きなものを選択しよう。

2 いいね!に表情を付ける

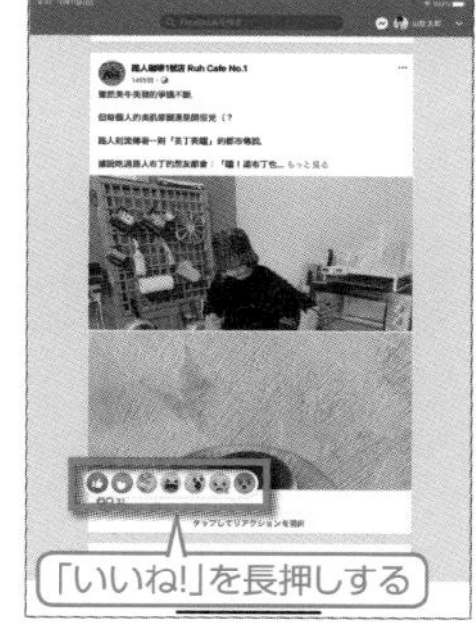

いいね!を長押しすると7つのスタンプ付きのいいねが付けられる。記事の内容によってスタンプを使い分けよう。

3 コメントを付ける

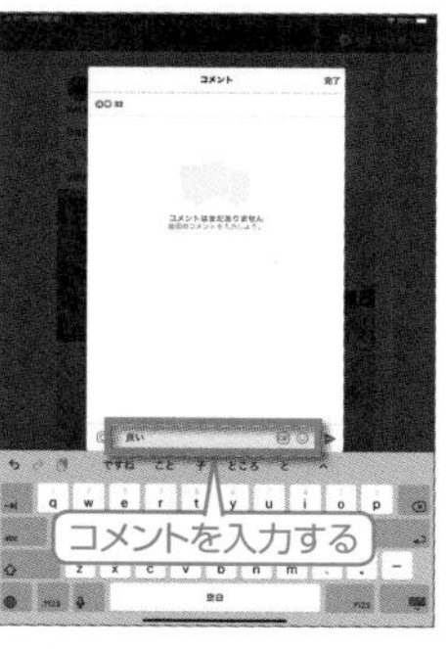

記事にコメントをする場合は「コメントをする」をタップして表示される入力フォームにコメントを書き込もう。

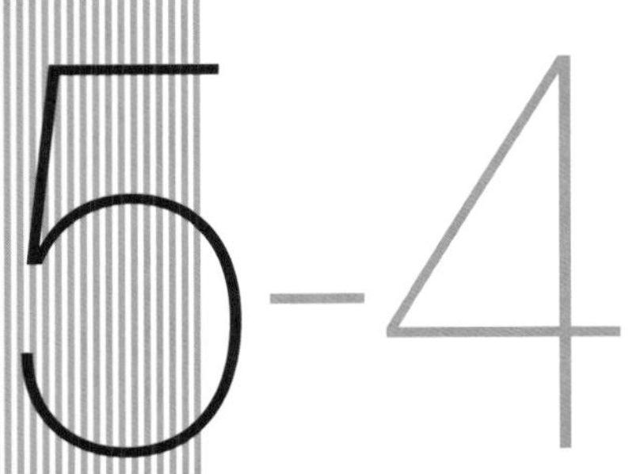

いつでもどこでもつぶやけるTwitter

ひと目で分かるTwitterのインターフェイス

Twitter
作者:Twitter, Inc.
価格:無料
カテゴリ:ニュース

1 ホーム画面
ホーム画面に戻ります。

2 検索
ユーザーやツイートの検索ができます。

3 通知
リプライやRTやいいねを付けられたときの通知を一覧表示できます。

4 ダイレクトメール
ダイレクトメッセージの内容を表示します。

5 お気に入り
お気に入りに登録したツイートを表示します。

6 リスト
リスト画面を表示します。

7 プロフィール画面
プロフィール画面を表示します。

8 設定メニュー
そのほかの設定メニューを表示します。

9 リアクション
ツイートに対してコメントを付けたりして、RTしたり、いいねを付けることができます。

10 ツイート
新規ツイートを作成します。

Twitterをインストールしよう

1 Twitter公式アプリをダウンロード

App StoreにアクセスしてTwitterをダウンロードしよう。Twitterアプリは他社製のものも多いので、間違いないようにTwitter公式アプリをダウンロードすること。

2 Twitterを起動

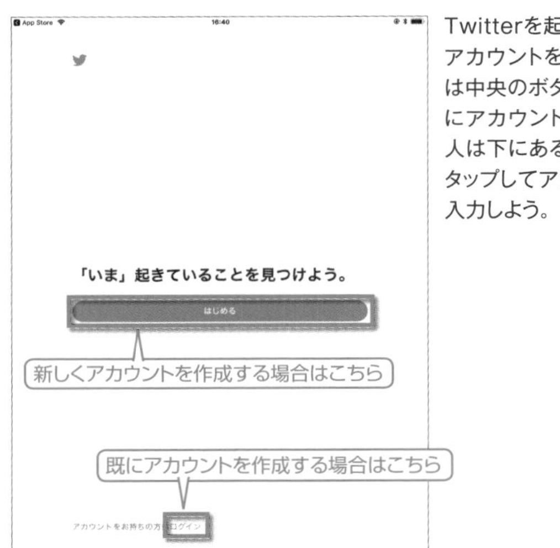

Twitterを起動する。新しくアカウントを作成する場合は中央のボタンをタップ。既にアカウントを所持している人は下にある「ログイン」をタップしてアカウント情報を入力しよう。

iPadだからこそその場でつぶやける

Twitterは140字以内の短い文章を投稿するのに便利なソーシャルネットサービスです。Facebookと異なり、比較的オープンで気楽につぶやけるのが魅力です。匿名性が低くつぶやきたいことがいまいちつぶやけないFacebookに負担を感じている人でも、Twitterなら匿名で気軽に利用できます。

TwitterはiPad上からでも利用可能です。AppStoreから公式クライアントをダウンロードしましょう。ブラウザでアクセスするときよりもずっと機能も豊富で使いやすくなっています。アカウントも新規に簡単に取得できるので、まだ持っていない人、または別アカウントが欲しい人はすぐに作成しましょう。

Twitterに投稿してみよう

フィードに表示される記事にはさまざまなアクションができます。ほかのユーザーとコミュニケーションを取って仲良くなりたい場合は「いいね」「コメントをする」「シェアする」などを行いましょう。

1 新規ツイートをタップ

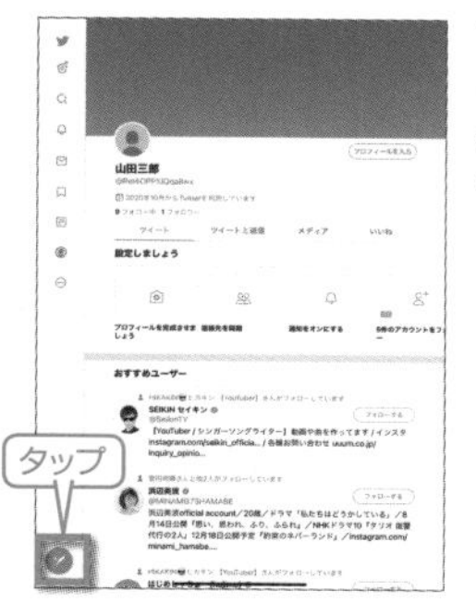

Twitterでつぶやくには、画面下にある新規ツイートをタップする。

2 文字を入力する

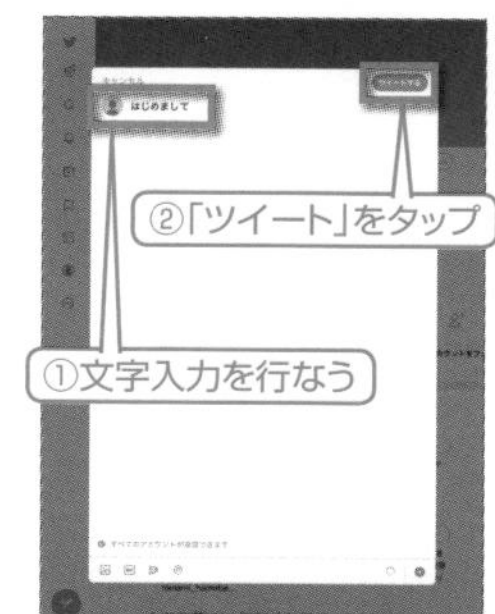

ツイート入力画面が表示される。中央部分をタップして文字を入力しよう。入力後「ツイート」をタップして投稿しよう。

3 スレッドを使って入力文字を追加する

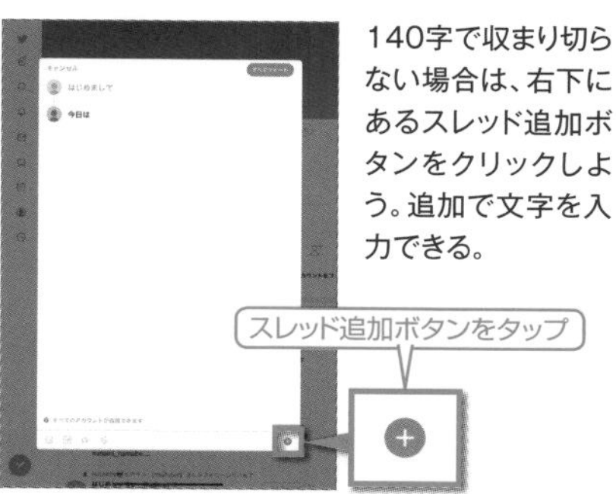

140字で収まり切らない場合は、右下にあるスレッド追加ボタンをクリックしよう。追加で文字を入力できる。

写真をツイートに添付して投稿しよう

1 写真をタップ

写真をツイートに添付するには、投稿画面左下にある写真アイコンをタップしよう。

2 写真を選択する

カメラロール画面が表示されるので、投稿した写真にチェックを付けて、右上の「追加する」をタップしよう。

3 写真をレタッチする

写真のレタッチ画面が表示される。自動補正したい場合は左端の自動補正ボタンをタップ。フィルタを適用したい場合は左から2番目のフィルタボタンをタップする。

4 トリミングを行なう

真ん中のボタンをタップすると写真をトリミングできる。指でトリミングする範囲を指定しよう。最後に「適用」をタップ。

5 4枚まで添付できる

ツイート投稿画面に戻る。ほかに添付したい写真がある場合は同じように追加しよう。最大4つまで添付できる。

6 写真を投稿する

写真を添付できたら、最後に右上の「ツイート」をタップして投稿しよう。

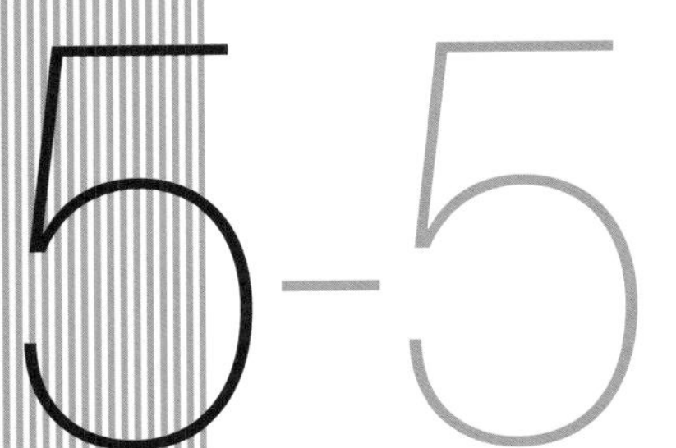

Facebookでダイレクトメールを送信する

Messengerアプリを使おう

Facebookには友だち同士でプライベートでやり取りするダイレクトメッセージ機能が搭載されていますが、iPadでダイレクトメッセージを送信するには、「Messenger」アプリをインストールする必要があります。MessengerアプリはFacebookでダイクレトメッセージを閲覧する際に自動的にアプリのインストール画面に誘導されます。

Messengerアプリを使えば、Facebook上の友だちに「メッセージ」アプリやLINEのように素早くメッセージの送信ができ、友だちごとにメッセージ履歴を管理できます。テキストだけでなく、写真、スタンプ、ボイスメッセージ、いいねなども送信でき、無料で音声通話やビデオ通話も可能です。

Messengerをインストールしよう

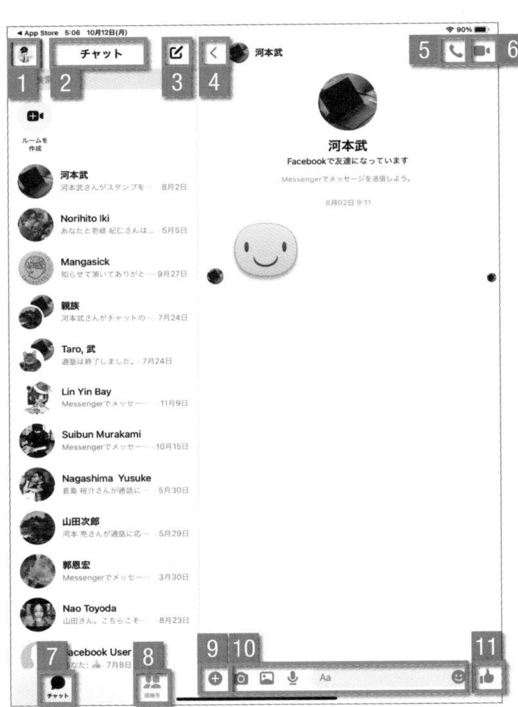

Messenger
作者:Facebook, Inc.
価格:無料
カテゴリ:ソーシャル・ネットワーキング

1 パーソナル
設定画面。オンライン状態、ユーザーネーム、連絡先、アカウントの切り替えなどが行える。

2 検索
Facebook上の友達を検索して招待できる。

3 新規作成
タップすると、新規メッセージの作成画面が表示される。

4 全画面表示
友だちとのメッセージのやり取りのみをiPadアプリ上で全画面表示する。

5 通話
友だちと無料通話が行える。

6 ビデオ通話
友だちとビデオ通話が行える。

7 チャット
友達とのチャット履歴が表示される。

8 連絡先
現在オンラインの友達が表示される。

9 エクステンション
位置情報、GIアニメーションなどさまざまなコンテンツをメッセージ送信できる。

10 テキスト入力画面
メッセージを入力する場合はここをタップする。隣の顔アイコンをタップしてスタンプを選択できる。写真、ボイスメッセージも添付できる。

11 いいね
タップすると「いいね!」のスタンプを送信できる。

メッセージを送信する

1 テキストを入力して送信

メッセージを送信する相手を友だちリストから選択して、テキストを入力して右側にある送信ボタンをタップしよう。

2 写真やボイスメッセージを送信する

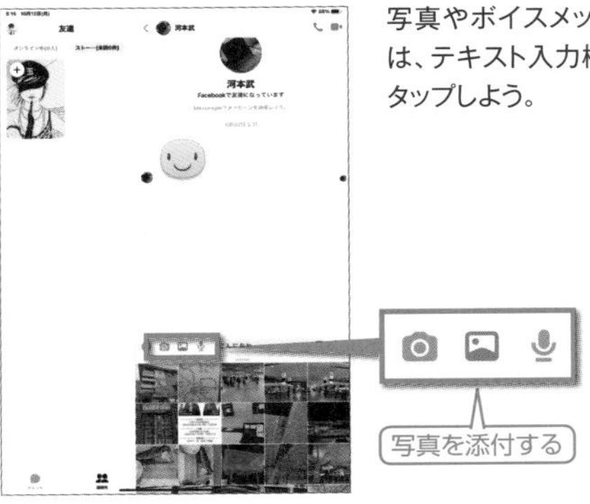

写真やボイスメッセージを送信する場合は、テキスト入力欄左にある各アイコンをタップしよう。

Chapter 6

充実のエンタメ機能を楽しもう！

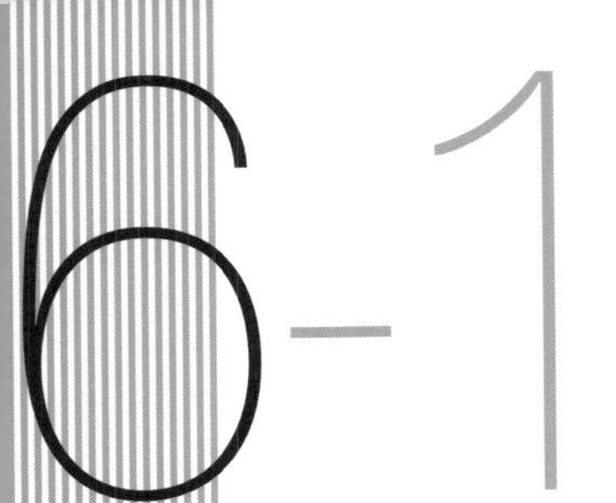

iTunes Storeで音楽を探しましょう

ひと目で分かるiTunes Storeの基本画面

ホーム画面にあるiTunes Storeをタップする。

ウィッシュリスト
ウィッシュリストに登録した楽曲が一覧表示されます。

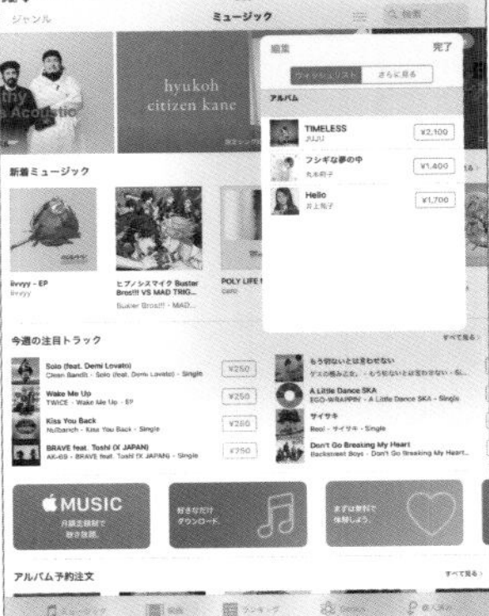

ジャンル
J-POP、K-POPなど配信している楽曲をジャンル別に表示してくれます。

検索
キーワード入力で楽曲を探すことができます。

Genius
自分が購入した楽曲履歴に合わせて、おすすめの楽曲が表示されます。

購入済み
これまで購入した楽曲や映画を一覧表示され、再ダウンロードできます。

ミュージック
iTunes Storeで配信されている楽曲のポータルページです。

ランキング
現在人気のソング、アルバム、ミュージックビデオをランキング表示できます。

映画
iTunes Storeで配信されている映画作品のポータルページです。

アップル公式サイトから音楽をダウンロードしよう

iPadで音楽を楽しみたいならiTunes Storeにアクセスしましょう。iTunes Storeとはアップルが運営している配信サービスで、音楽と映画やミュージックビデオなどのコンテンツを配信しており、ユーザーは欲しいものを検索してダウンロードすることができます。購入したコンテンツはiPad上で視聴することができます。

なお、App Storeでアプリを購入するときと同様、事前に利用するApple IDでサインインしておく必要があります。また有料コンテンツを購入するには、クレジットカードやiTunesカードで支払いをする必要があるので注意しましょう。ここでは音楽を購入してみましょう。

iTunes Storeで楽曲をダウンロードしよう

視聴したい楽曲が決まっている場合は検索ボックスにキーワードを入力して探すといいでしょう。音楽タイトルをタップすると1分半ほど視聴することができるので、購入前には内容を視聴できます。

1 検索ボックスにキーワードを入力する

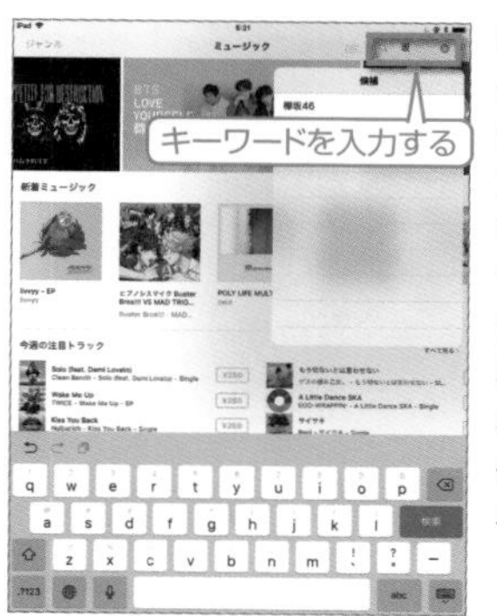

iTunes Storeの右上にある検索ボックスにアーティスト名や曲名などのキーワードを入力する。検索候補が表示されるので適当なものを選択する。

2 検索結果画面から適当なものを選択する

検索結果が表示されます。キーワードに合致した楽曲が「ソング」「アルバム」「ミュージックビデオ」「着信音」などカテゴリ別に表示されます。

3 視聴してから金額ボタンをタップする

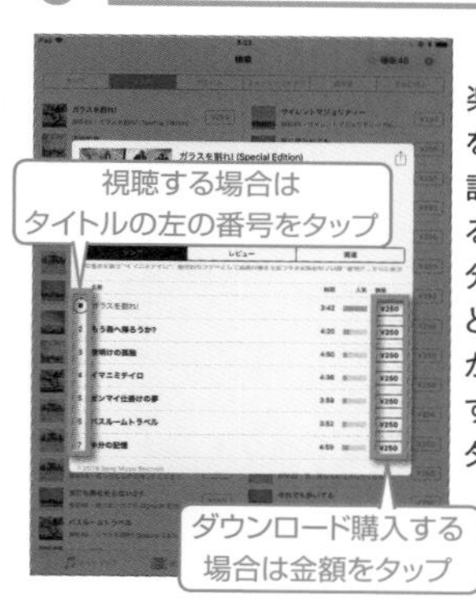

楽曲のタイトルをタップすると詳細が表示される。タイトル左部分をタップすると1分半の視聴ができる。購入するには価格ボタンをタップ。

4 「支払い」をタップしてダウンロードする

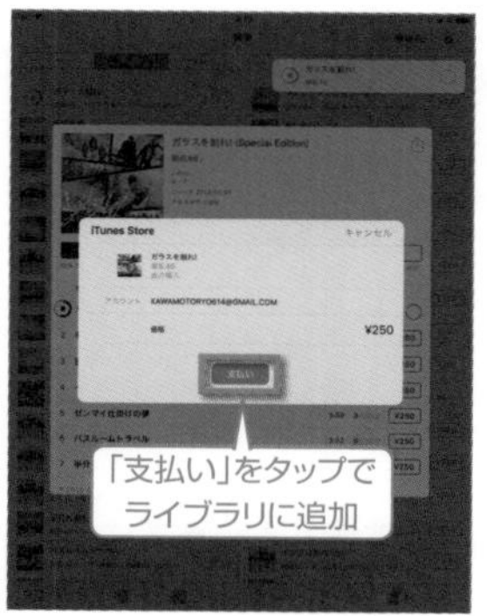

支払い確認画面が表示される。「支払い」をタップするとダウンロードされ、ライブラリに楽曲が追加される。

5 Apple IDを入力する

Apple IDの入力画面が表示される。パスワードを入力すれば、楽曲をiPadにダウンロードすることができる。

6 ミュージックアプリで視聴する

iTunes Storeでダウンロードした曲は、「ミュージック」アプリで視聴する。「ミュージック」アプリを起動して、「ライブラリ」をタップしよう。

気になる楽曲はウィッシュリストに追加する

1 共有ボタンをタップ

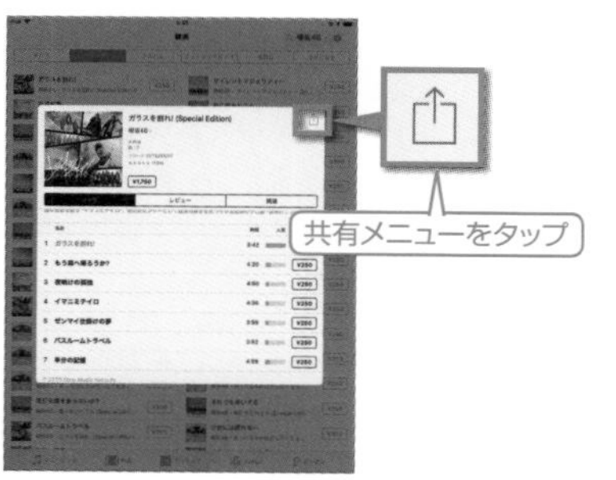

購入を決めかねている場合はウィッシュリストに登録しておこう。右上の共有ボタンをタップする。

2 ウィッシュリストに追加する

共有メニューが表示されるので、「ウィッシュリストに追加」をタップ。

3 ウィッシュリストを開く

検索フォーム左にあるウィッシュリストボタンをタップしよう。登録した楽曲が表示される。

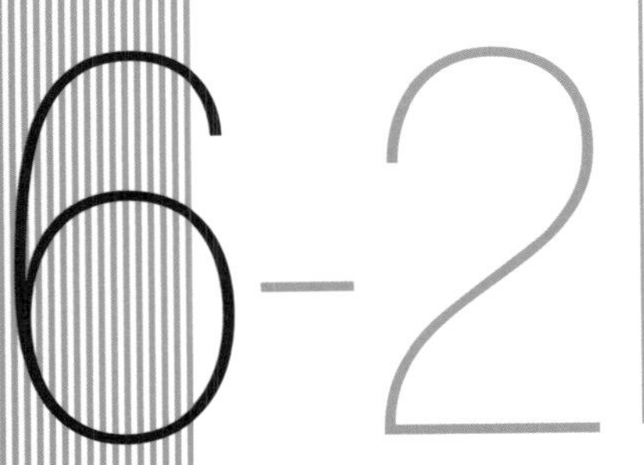

iTunes Storeで購入した曲を「ミュージック」で再生しよう

ひと目で分かる「ミュージック」の基本画面

今すぐ聴く
よく聴く楽曲や最近聞いた曲、おすすめの曲が表示される。

見つける
Apple Musicの新着ミュージックが表示される。

ライブラリ
ライブラリに登録した楽曲を「アーティスト」「アルバム」「曲」などに分類して表示してくれる。

プレイリスト
作成したプレイリストが表示される。

ラジオ
アップルが24時間配信しているラジオ番組を視聴できる。

検索
ライブラリ内の楽曲だけでなくiTunes StoreやApple Musicの楽曲を検索できる。

コントローラー
再生中の楽曲情報が表示され、また再生や一時停止などの操作ができる。

音楽を再生する

1 「ライブラリ」から項目を選択する

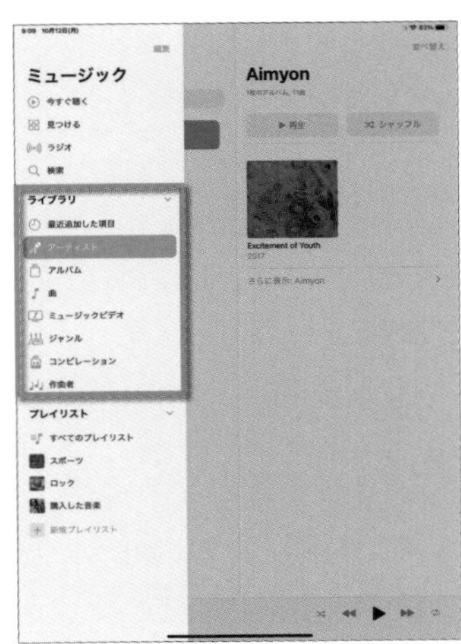

「ミュージック」アプリで音楽を視聴するには、サイドバーから「ライブラリ」を選択し、表示形式を選択する。

2 曲名をタップして再生する

アルバムを選択した場合、楽曲が一覧表示される。曲名をタップすると再生される。右下のプレイヤーで一時停止と曲送りができる。

購入した楽曲は「ライブラリ」から再生する

iTunes Storeで音楽をiPadで鑑賞するには「ミュージック」アプリを使いましょう。起動すると「ライブラリ」「For You」「見つける」など、PCのiTunesと同じ構成のメニュー表示されます。使い方は難しくありません。購入したが楽曲を再生する場合は、「ライブラリ」画面を開きます。購入した楽曲が一覧表示されるので、楽曲を直接選択して再生しましょう。曲単位はだけでなく、アルバム単位で再生したり、アーティスト単位で連続再生することができます。また、ライブラリや指定したアルバムからシャッフル再生したり、リピート再生することもできるなど、シンプルながら非常に多機能なiPad用の音楽プレイヤーです。

プレイリストを作って好きな順番で再生する

iPadではライブラリに登録している楽曲からプレイリストを作成して、好きな曲を好きな順番で連続再生することができます。プレイリストごとにタイトルや写真を設定することもできます。

1 プレイリスト画面を開く

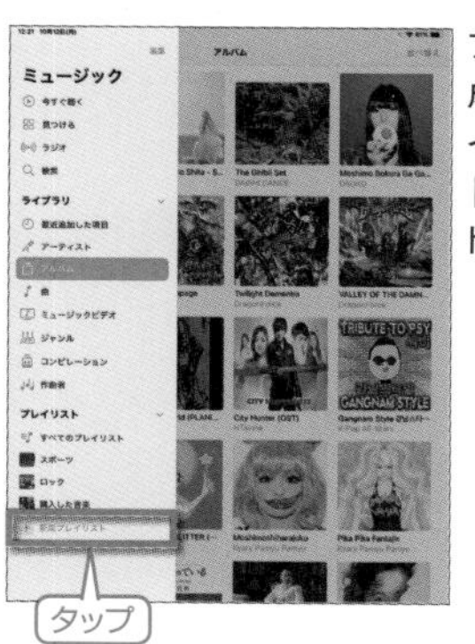

プレイリストを作成するには、サイドバーを開き、「新規プレイリスト」をタップ。

2 プレイリスト名を設定する

新規プレイリスト画面が表示される。タップしてプレイリスト名を設定する。楽曲を登録するには「ミュージックを追加」をタップする。

3 楽曲を選択して追加する

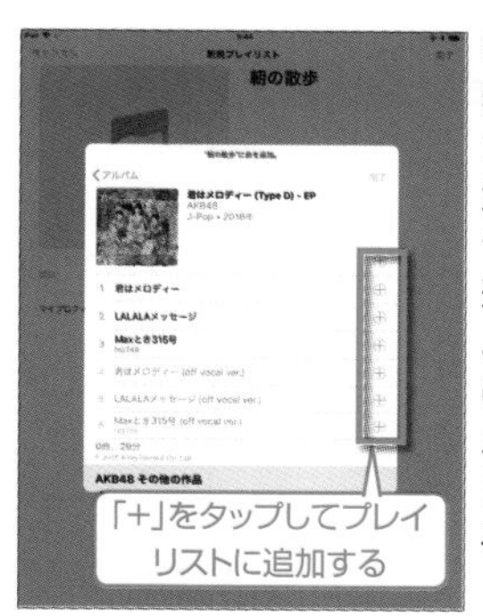

楽曲選択画面が表示されるので、プレイリストに追加したい楽曲をライブラリから選択して追加しよう。追加するには楽曲、またはアルバム名横にある「+」をタップする。

4 他の楽曲も同じように追加していこう

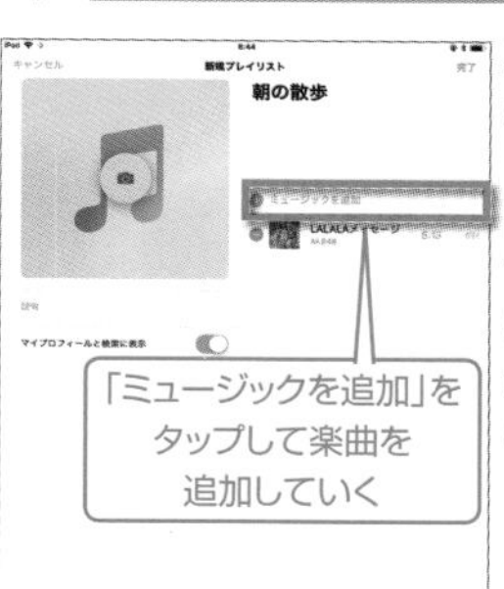

楽曲が追加された。同じように「ミュージックを追加」をタップして、プレイリストに登録したい楽曲をどんどん追加していこう。

5 楽曲を並び替える

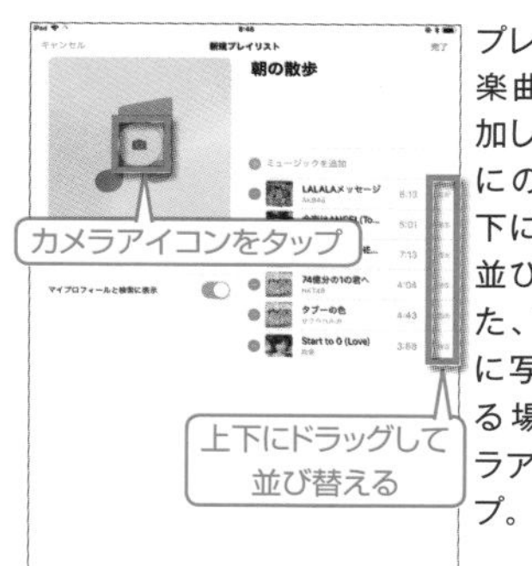

プレイリスト用の楽曲をすべて追加したら、曲名横にのボタンを上下にドラッグして並び替えよう。また、プレイリストに写真を登録する場合は、カメラアイコンをタップ。

6 プレイリストの作成完了

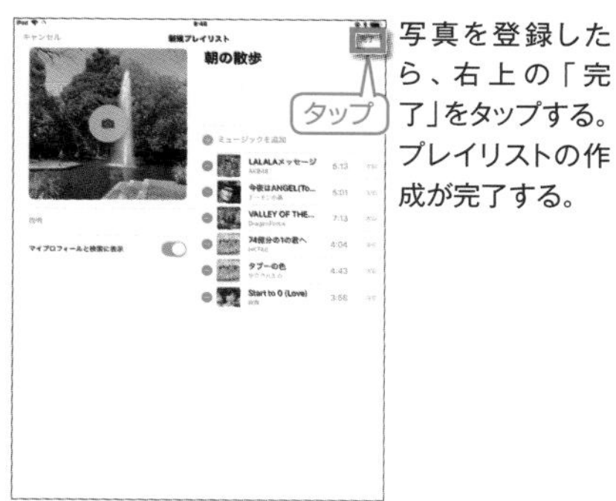

写真を登録したら、右上の「完了」をタップする。プレイリストの作成が完了する。

プレイリストを再生する

1 コントローラーをタップする

作成したプレイリストは「再生」や「シャッフル」で再生ができる。さらに細かな操作を行なうにはコントローラーをタップ。

2 リピート再生やボリューム調整ができる

コントローラーの詳細画面が表示される。ボリューム調整やプレイリストのリピート再生、歌詞表示などが行える。

3 プレイリストの順番を変更する

再生中のプレイリストの再生順番を変更することもできる。楽曲横のボタンを上下にドラッグしよう。

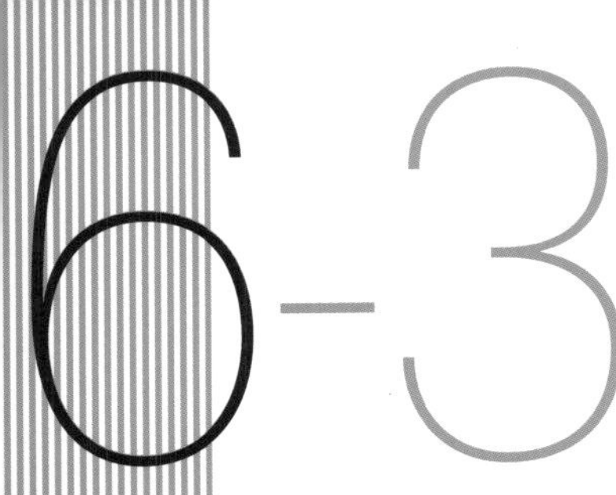

音楽CDをPCへ取り込んでiPadへ転送しよう

音楽CDをPCにインポートする

まずはPC版iTunesをダウンロードしましょう。iTunes公式サイトからダウンロードできます。インストール後、起動したら、ディスクドライブに音楽CDを挿入してiTunesで音楽データをインポートします。

1 iTunesをダウンロード

PC版iTunesはiTunesの公式サイト(https://www.apple.com/jp/itunes/download/)にアクセスして「今すぐダウンロード」をクリックするとダウンロードできる。

2 iTunesを起動する

iTunesをインストール後、起動する。音楽CDをドライブにセットすると、上部にCDアイコンが表示されるのでクリック。すると音楽CDの情報が表示される。「読み込み」をクリックする。

3 インポート設定を行なう

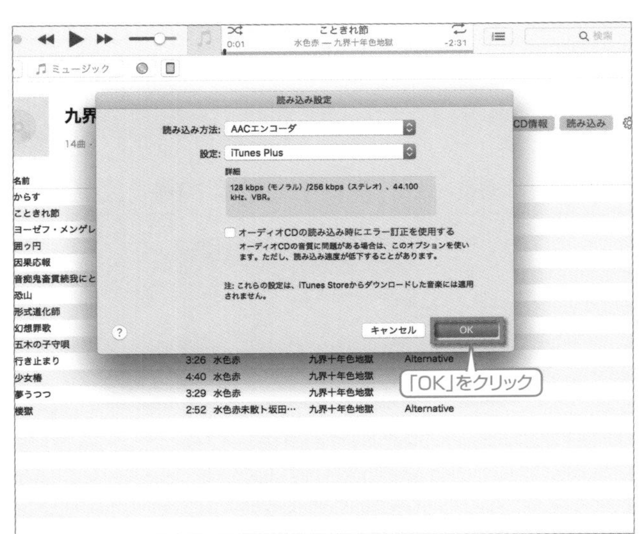

インポート設定画面が表示される。「OK」をクリックするとPCへインポートすることができる。

4 インポート完了

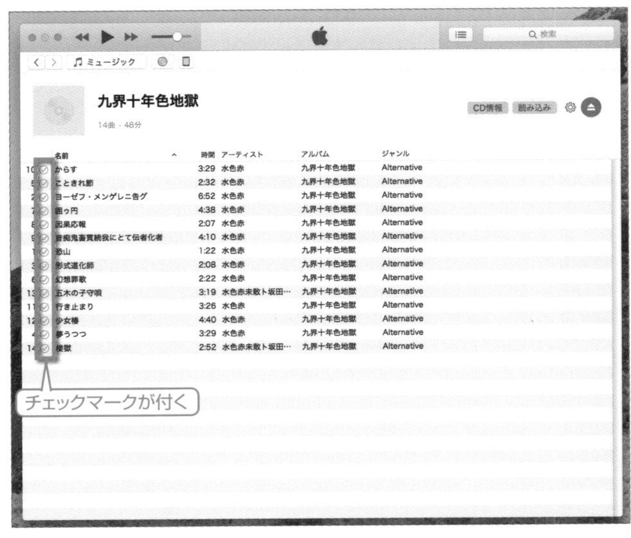

PCへのインポートが始まる。インポートが終わった曲の横にはチェックマークが付く。すべてにチェックが付くまで待とう。

PC版iTunesで音楽CDをインポートしよう

iPadでは手持ちの音楽CDのデータを取り込んで聴くことができます。ただし、音楽CDから直接iPadにデータを転送することはできません。PC版のiTunesで音楽CDをいったんPCに取り込んだあと、PCとiPadをケーブルでつなげて音楽データを転送する必要があり、少し手間がかかります。

音楽CDをiTunesに取り込んだら、iPadとPCをiPad購入時に同梱されているLightningケーブル（充電ケーブル）で接続しましょう。接続がうまくいくとiTunes上部のアイコンメニューにiPadが表示されます。あとはデータをiPadへ転送するだけです。

取り込んだ音楽CDをiPadと同期する

iTunesからiPadへ音楽を転送するには、iTunesのメニューから「ミュージック」タブを開きます。ここで転送したい楽曲やプレイリストにチェックを入れれば転送することができます。

1 iPadをPCにつなげる

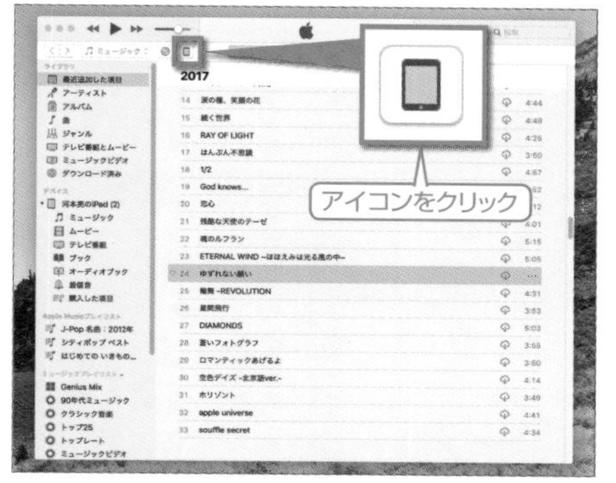

iPadとPCをLightningケーブルで接続する。すると上部アイコンメニューにiPadのアイコンが表示されるのでクリックする。

2 「ミュージック」画面を開く

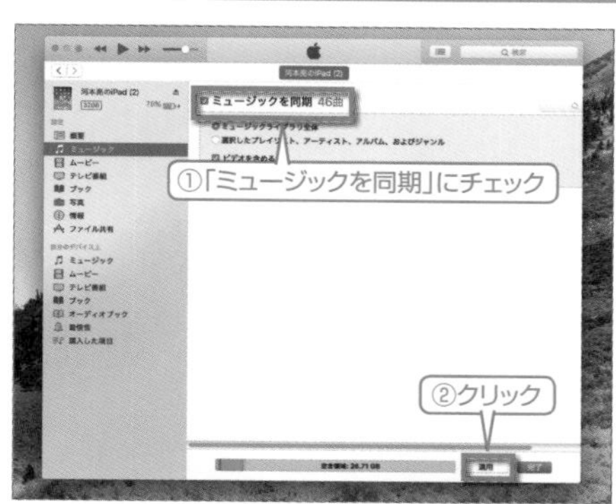

メニューから「ミュージック」を選ぶ。「ミュージックを同期」にチェックを入れて、「適用」をクリックしよう。

3 指定したプレイリストだけを同期

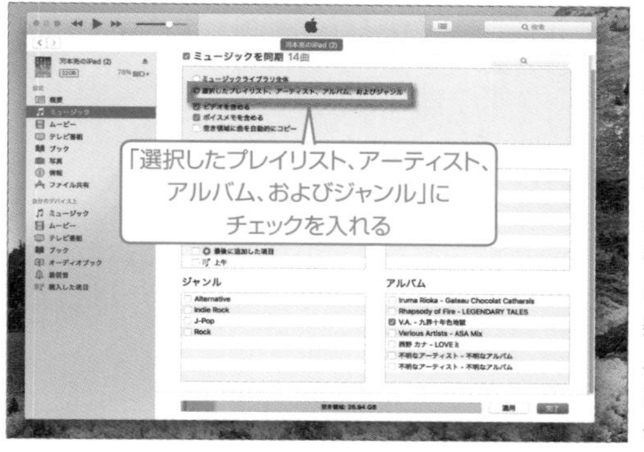

また、「選択したプレイリスト、アーティスト、アルバム、およびジャンル」にチェックを入れた場合は、指定の音楽CDアルバムやプレイリストだけ同期できる。

4 iPadで確認する

iPadの「ミュージック」を起動して「ライブラリ」から「最近追加した項目」をタップすると同期した楽曲が表示される。

Check! iTunesのライブラリが同期できない場合は?

iPadとiTunesをLightningケーブルで接続したあとiTunesのメニューから「ミュージック」を選択しても、同期メニューが表示されないことがあります。もし、Apple Musicに入会しているならiCloudミュージックライブラリを機能をオフにしましょう。iPad側のiCloudミュージックライブラリ機能が有効になっているとPCのiTunesと同期できません。

1 同期がうまくできない場合

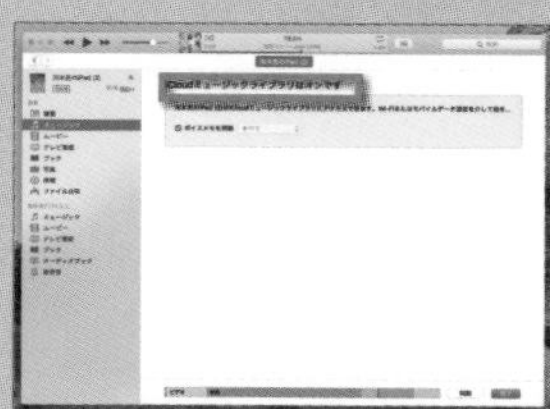

iPadでiCloudミュージライブラリが有効になっているとこのような画面が出て、ミュージックの同期ができない。

2 iCloudミュージライブラリをオフにする

その場合は、iPadの「設定」アプリから「ミュージック」を開く。「iCloudミュージックライブラリ」をオフにしよう。これで同期できるようになる。

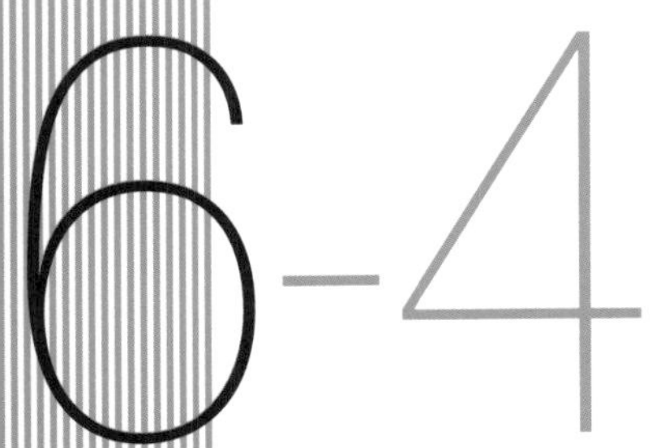

定額聴き放題の音楽配信サービス Apple Musicを利用する

Apple MusicとiCloudミュージックライブラリのしくみ

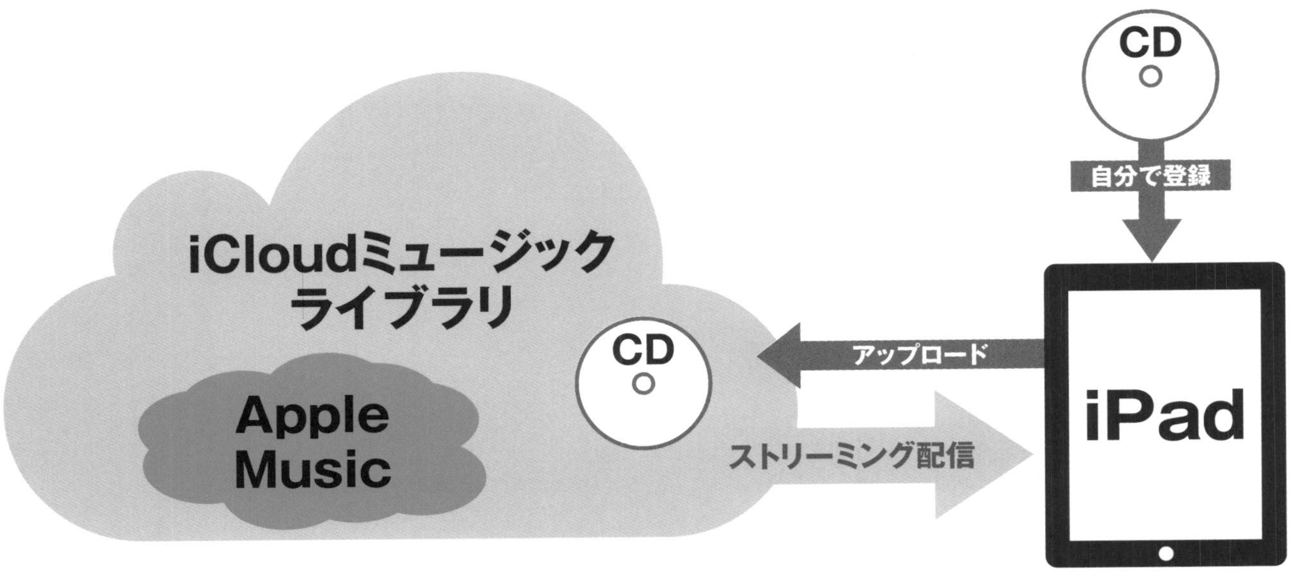

iCloudミュージックライブラリを有効にすると、音楽CDなどから取り込んだ自作の楽曲、iTunes Storeでダウンロード購入した楽曲、Apple Musicで配信されている楽曲のすべてをまとめて管理できます。

●自分で登録した音楽CD
●iTunes Storeで購入した楽曲
●Apple Music
などを、まとめて楽しめる

Apple Musicの登録を行おう

1 Apple Musicに入会する

Apple Musicをはじめるには下部メニューから「For You」または「見つける」をタップ。会員登録画面が表示されるので、プランを選択して始めよう。

2 楽曲を探す

ここでは「見つける」画面を開く。自分好みの楽曲にあった新着ミュージックやプレイリストなどが表示されるので、好きなものを選択する。

3 ライブラリに追加して再生する

楽曲の詳細画面が表示される。追加ボタンをタップすると「ライブラリ」に追加される。ストリーミング形式で再生するためネットに接続しておく必要がある。

音楽CDの曲も配信サービスも一緒に楽しめるApple Music

「ミュージック」アプリを利用すると「Apple Music」への登録画面が頻繁に現れます。Apple Musicとは、Appleが提供する定額制の音楽配信サービスです。月額980円で約3000万曲の楽曲が聞き放題です。視聴するにはインターネット環境を必要としますが、ダウンロードしてローカルで視聴することもできます。

また、すでに手持ちの楽曲をiPadに保存している人にもおすすめのサービスです。Apple Musicの機能の1つである「iCloudミュージックライブラリ」を有効にすると、手持ちの楽曲とApple Musicで配信している楽曲と一緒にライブラリに表示して再生したり、プレイリストを作成することができます。

Apple Musicの楽曲をオフラインで再生する

Apple Musicはオフラインで再生することもできます。飛行機や電車のなかなど圏外でも視聴できるようになります。またよく聴く楽曲をダウンロードしておけば、通信量の節約にもなります。

1 Apple Musicからダウンロードする

オフライン再生したい楽曲をApple Musicから探して、「↓」をタップ。「＋」はライブラリに追加するだけでダウンロードはされていない。

2 ダウンロード確認画面

ダウンロード確認画面が表示される。Apple Musicで視聴する楽曲を自動的にiPadにダウンロードする場合は「自動的にダウンロード」をタップしましょう。

3 ライブラリ画面を開く

「ライブラリ」画面を開くと、Apple Musicからダウンロードした楽曲が追加されているはずです。

4 オフライン状態でも再生できる

iPadに楽曲が保存されているので、Wi-Fiやモバイルネットワークなどインターネット環境がない場所でも視聴することができます。

Check! Apple Music以外の音楽配信サービスにも注目

iPadではApple Music以外にもさまざまな音楽配信サービスが用意されています。Amazonのプライム会員なら、無料で100万曲以上の楽曲を聴き放題のサービス「プライムミュージック」アプリを使うといいでしょう。Androidユーザーなら iPadと両方で利用できる月額980円で聞き放題のサービス「YouTube Music」がおすすめ。広告が入りますが無料の音楽配信サービスを利用したいなら「Spotify」がいいでしょう。

1 プライムミュージック

すでにAmazonプライム会員なら無料で視聴できるのが最大のメリット。ただし、無料で視聴できる楽曲量はほかのサービスに比べ少なめ。

2 YouTube Music

Googleのミュージックサービス。YouTubeの動画を元に音楽が楽しめるほか、手持ちの楽曲をアップロードすることもできる。

3 Spotify

無料プランが特徴だが、広告がときどき流れたり、シャッフルモードでしか再生することができないなど機能制限がある。

6-5 YouTubeを楽しもう

ひと目で分かるYouTubeの再生画面

YouTube
作者:Google, Inc.
価格:無料
カテゴリ:写真/ビデオ

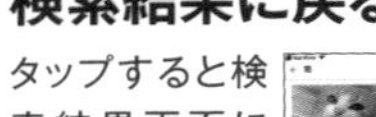

検索結果に戻る

タップすると検索結果画面に戻る。また再生中の動画は右下に小さく表示して再生することができる。

共有ボタン

再生している動画をTwitterやFacebookなどSNSに投稿したり、URLをメールに添付することができる。

画質設定

動画の画質設定が行える

追加ボタン

YouTubeのアカウントにログインしていると「後で見る」や「再生リスト」に追加できる。

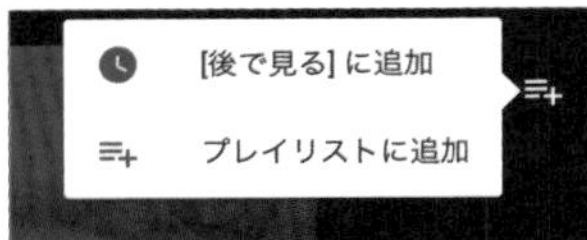

ワイドスクリーン

タップすると画面をワイドスクリーンにする。iPadを横向きにするとフルスクリーンで再生できる。

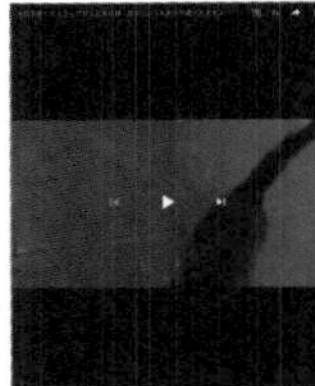

再生ボタン

画面をタップすると一時停止/再生ができる。次の動画、前の動画へスキップすることもできる。

関連動画

再生中の動画と関連のある動画を一覧表示できる。タップすると動画を再生できる。

詳細ボタン

再生している動画の詳細情報が表示される。

YouTubeアカウントへログインしよう

1 ログインする

YouTubeアカウントを持っている人は、YouTubeを起動後、右上の人型アイコンをタップする。

2 アカウントを入力する

ログイン画面が表示される。「ログイン」をタップして利用しているYouTubeアカウントを入力しよう。

定番インターネット動画をiPadで楽しもう

インターネット動画といえば「YouTube」を思いつく人も多いでしょう。YouTubeはインターネット動画を代表するサービスで、毎日有名アーティストのレアなライブや懐かしいテレビドラマなど、さまざまな種類の動画がアップロードされており、多くは無料で視聴することができます。

iPadからでもYouTubeは視聴することができます。Safariブラウザを使って視聴することも可能ですが、快適に視聴するなら専用アプリをダウンロードするのがおすすめです。またYouTubeアカウントを取得していれば、動画に対してコメントしたり、動画を投稿することもできます。

動画を検索して再生しよう

YouTubeでお気に入りの動画をよく配信しているチャンネルがある場合はチャンネル登録すれば、新しい動画がアップロードされたときに通知してくれます。また、お気に入りの動画は「後で見る」に登録しておきましょう。チャンネル登録するにはアカウントにログインしておく必要があります。

1 検索から動画を探す

YouTubeアプリを起動したら、右上にある検索ボタンをタップして、キーワードを入力して動画を探しよう。

2 動画を再生する

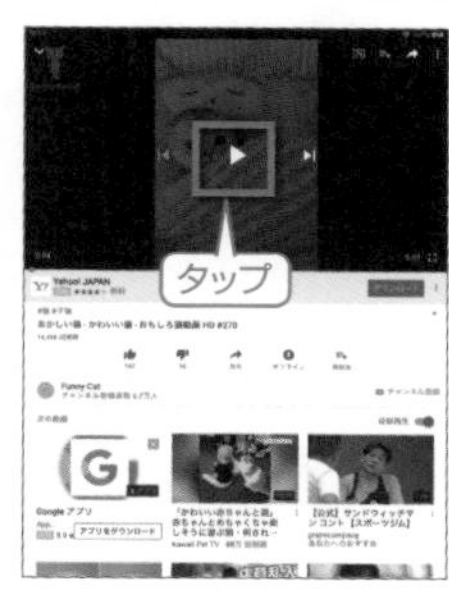

動画が再生される。プレーヤーをタップすると、フルスクリーン表示、共有、リスト追加、などさまざまなメニューが表示される。

3 「後で見る」に登録する

お気に入りの動画を後で見たい場合は、プレイヤー下にある「保存先」をタップして「後で見る」をタップしよう。

4 「後で見る」をタップ

「後で見る」に追加した動画を閲覧するには、下部メニューから「ライブラリ」を選択して、「後で見る」を選択しよう。

5 チャンネル登録を行なう

特定の配信者が新しくアップロードする動画をチェックする場合は、プレーヤー下の「チャンネル登録」をタップする。

6 チャンネル登録画面

下部メニューの「登録チャンネル」からチャンネル登録したユーザーの最新動画をチェックできる。

動画をYouTubeにアップロードする

YouTubeでは動画を視聴するだけでなく、iPadで撮影した動画をアップロードして公開することができます。「写真」に保存されている動画を選択して、情報を入力するだけと簡単です。また、アップロード前にトリミングやレタッチなどの編集もできます。

1 カメラボタンをタップ

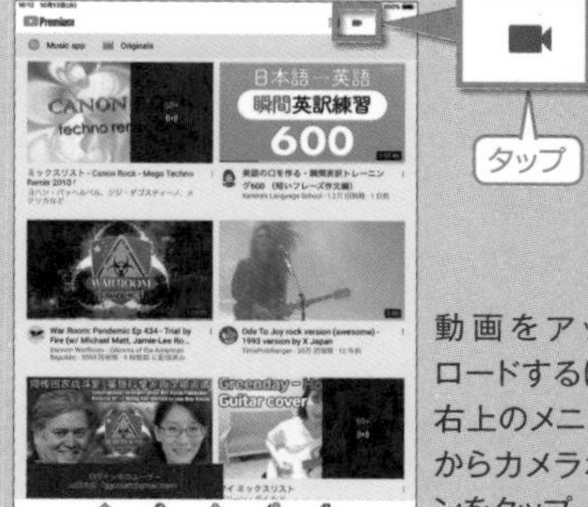

動画をアップロードするには右上のメニューからカメラボタンをタップ。

2 動画を選択して編集する

アップロードする動画を選択すると写真編集画面が表示される。トリミングやレタッチが行える。右上の「次へ」をタップしよう。

3 動画情報を入力する

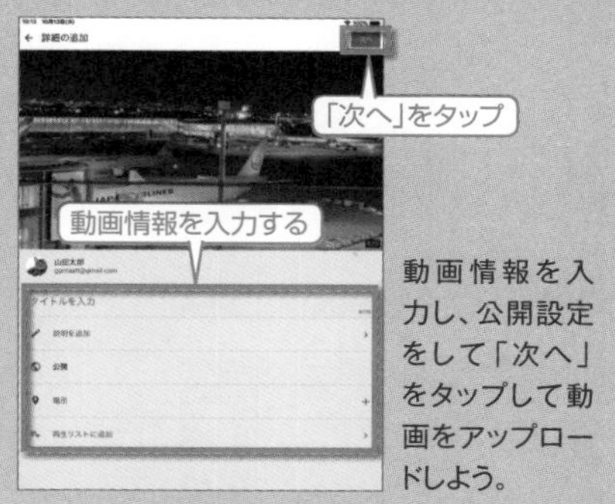

動画情報を入力し、公開設定をして「次へ」をタップして動画をアップロードしよう。

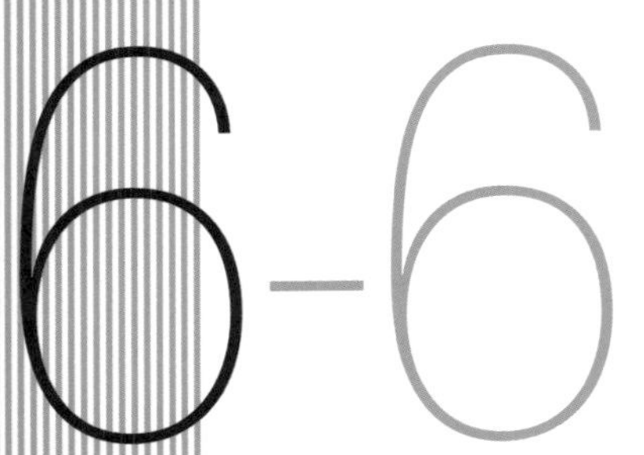

iTunes Storeで映画を楽しみましょう

iTune Storeの映画コンテンツをチェック

1 iTunes Storeを起動する

映画コンテンツを楽しむには、ホーム画面から「iTunes Store」をタップする。

2 「映画」タブを開く

下部メニューから「映画」タブを開こう。レンタルまたは購入可能な映画コンテンツの情報が表示される。

3 検索フォームから探す

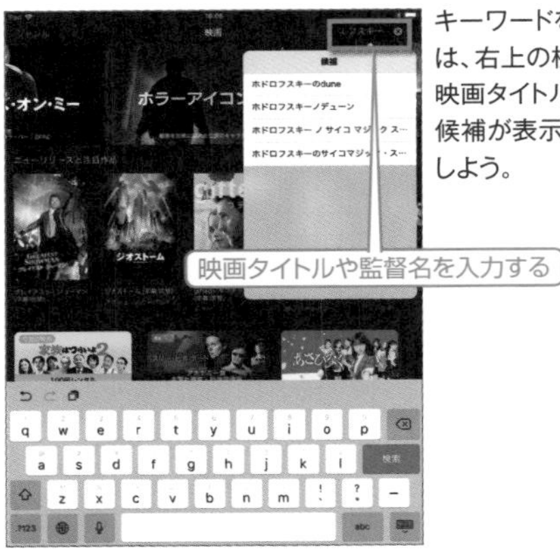

キーワードを使って映画を探す場合は、右上の検索フォームをタップして映画タイトルや監督名を入力しよう。候補が表示されるので候補をタップしよう。

4 検索結果が表示される

検索結果が表示される。目的のタイトルをタップすると作品の詳細画面に移動する。

5 ジャンルから映画タイトルを探す

カテゴリから映画タイトルを探したい場合は、左上にある「ジャンル」をタップしよう。カテゴリが一覧表示されるので、好きなカテゴリを選択しよう。

6 そのほかの条件で映画タイトルを探す

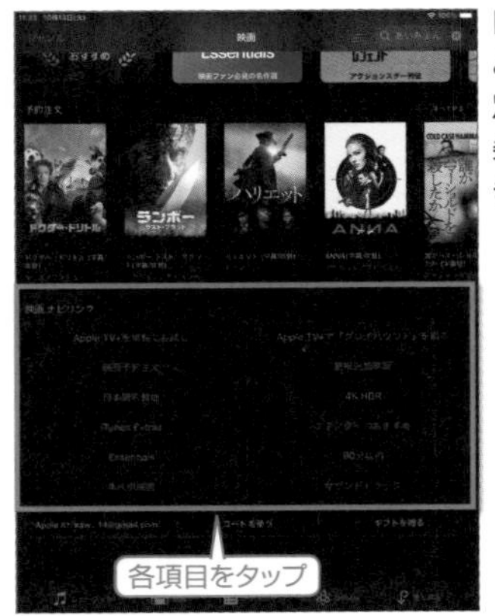

トップページ一番下へスクロールすると、ほかにも「日本語吹替版」「年代別映画」「90分以内」などさまざまな条件から映画タイトルを探すことができる。

名作から最新作まで楽しめる

iTunes Storeでは音楽のほかに映画を楽しむことができます。iTunes Store起動後、メニューで「映画」タブをタップしましょう。トップページでは現在iTunes Storeでおすすめの映画が一覧表示されます。名作から最近の映画作品まで品揃えは非常に豊富です。わざわざレンタルビデオ店に通う必要はないでしょう。各タイトルをタップすると詳細画面に移動します。

特定の映画タイトルを探したい場合は、右上にある検索フォームにタイトルを入力しましょう。候補が表示されるので選択するといいでしょう。監督名で検索することもできます。

映画を購入してみよう

配信されている映画は、購入可能なものとレンタル視聴できるものがあります。購入の場合は一度端末から削除しても、何度でも無料でダウンロードでき、ほかのApple端末でも視聴できます。

1 「購入」をタップ

映画コンテンツの詳細ページを表示する。「購入」と「レンタル」のボタンが用意されている。購入する場合は「購入」をタップ。

2 「支払い」をタップ

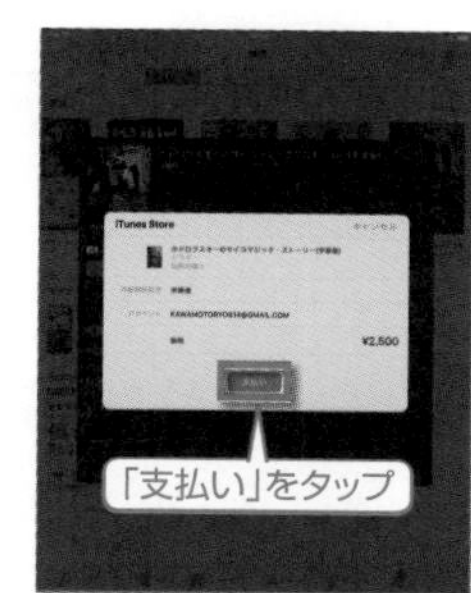

支払い確認画面が表示される。購入するなら「支払い」をタップしよう。

3 パスワードを入力する

パスワード入力画面が表示されるので、Apple IDのパスワードを入力しよう。

4 「購入済み」を選択する

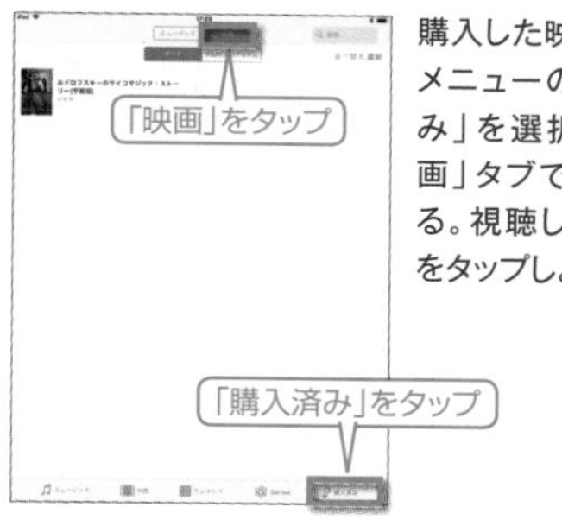

購入した映画は下部メニューの「購入済み」を選択して「映画」タブで確認できる。視聴したい映画をタップしよう。

5 「購入済み」を選択する

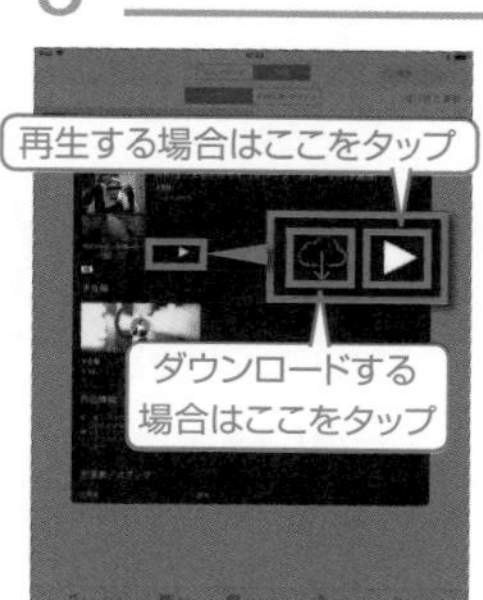

映画の詳細画面が表示される。端末にダウンロードする場合はダウンロードボタンを、ストリーミング再生する場合は再生ボタンをタップしよう。

6 ダウンロードした映画を視聴する

iTunes Storeからダウンロードした映画は、iTunes Storeアプリではなく、「Apple TV」アプリから視聴する点に注意しよう。

レンタルで視聴する

レンタル視聴する場合は購入よりはるかに安価ですが、レンタルしてから30日以内で、また一度再生すると48時間以内に視聴を終える必要があります。視聴は「Apple TV」アプリから行います。

1 レンタル購入する

レンタルする場合は、映画コンテンツの詳細ページを表示して、「レンタル」ボタンをタップしよう。

2 「支払い」をタップ

支払い確認画面が表示される。内容を確認して、レンタル購入するなら「レンタル」をタップしよう。

3 レンタルした映画を視聴する

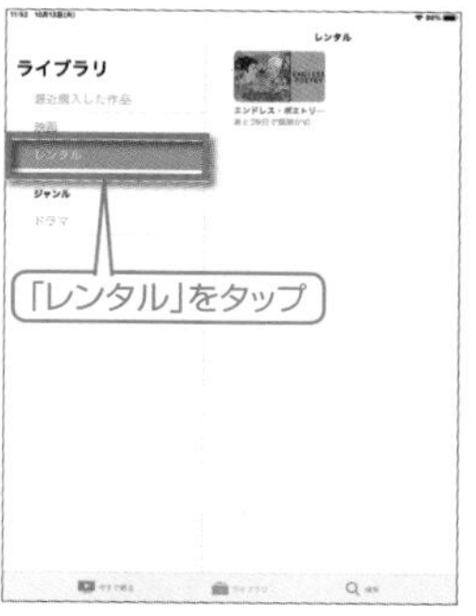

iTunes Storeからレンタルした映画は「Apple TV」アプリから視聴する。起動したら「レンタル」タブを開いて、レンタルした作品をタップしよう。

定額見放題の動画配信サービスを利用しよう

世界最大の見放題サービス「NETFLIX」

見放題サービスでも世界最大のものといえば「NETFLIX」です。NETFLIXの最大の魅力はほかに比べて月額料金が安く、月額800円で映画やドラマを無制限で視聴することができます。取り扱いタイトル数も非常に多く、国内外の有名タイトルのほか、NETFLIXでしか見れない人気のオリジナルドラマがたくさん用意されています。最安のベーシックプランはの画質はSD画質ですが、iPadで視聴するのであれば、特に違和感を感じることはないでしょう。NETFLIXは、無料で1ヶ月間視聴することができ、その後は定期購読制で毎月課金されるので、注意しましょう。

NETFLIX
サービス名:NETFLIX　プラン:800円（ベーシック）
画質:SD(ベーシック) 1ヶ月無料体験あり
作品点数:非公表

1 1ヶ月無料体験

NETFLIXの会員登録はブラウザから公式サイトにアクセスして行う必要がある。登録後、アプリを起動しよう。

2 NETFLIXのメイン画面

ログインすると自分好みのタイトルを自動的に表示してくれる。タイトルをタップするとタイトルの詳細ページに移動する。

作品を視聴&ダウンロードする

1 作品の詳細ページ

作品の詳細ページ。ストリーミング再生する場合は、再生ボタンをタップしよう。

2 端末にダウンロードする

ダウンロードできる動画を探すには下部メニューから「ダウンロード」をタップし、ダウンロードしたい作品を探す。「ダウンロード」をタップする。

3 ダウンロードした動画を視聴する

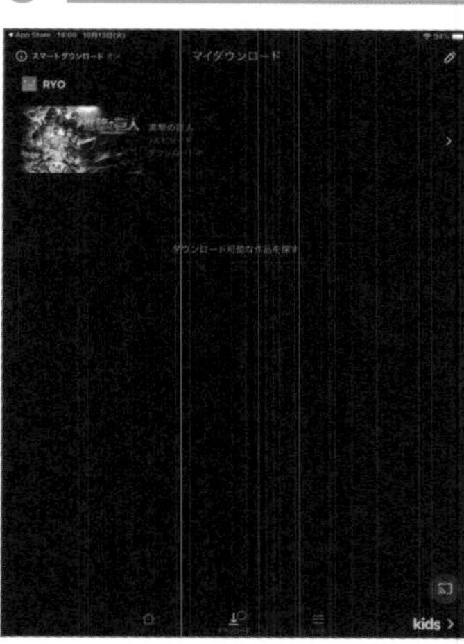

ダウンロードした動画が表示される。端末に保存されているのでオフラインでも再生することが可能だ。

定額制有料プランから無料までさまざま

iPadで楽しめる動画配信サービスはYouTubeやiTunes Storeのほかにもたくさんあります。定額制の動画配信サービスとして有名な「NETFLIX」や「Hulu」もApp Storeからダウンロードして、利用することができます。すでに利用している各サービスのIDでログインできるほか、iPad上から新しくIDを作成することもできます。また、Amazonプライムユーザーなら、Amazonが提供している動画配信サービス「プライムビデオ」を利用しましょう。追加料金なしで映画、ドラマ、アニメなどさまざまなコンテンツが見放題です。各コンテンツはダウンロードしてオフラインで再生することができます。

コンテンツ数の多さが魅力の「Hulu」

NETFLIXと並んで人気の高い見放題サービスといえば「Hulu」です。月額933円（税抜）から視聴できる定額制動画配信サービス。人気映画やドラマ、アニメなど7万本見放題でコンテンツ量が豊富なのが最大の特徴です。リアルタイム配信番組が用意されており、スポーツや音楽、FOXチャンネルを楽しむことができます。Huluは初回利用時に無料で2週間の視聴ができます。

Hulu
プラン:933円（ベーシック）
画質:HD
2週間無料体験あり　作品点数:5万本

1 Huluのメイン画面

見放題サービスではコンテンツ数が圧倒的に多いのが魅力。コンテンツはおもにドラマと映画が中心で、NETFLIXのようなオリジナル作品は少ない。

2 リアルタイム配信が楽しめる

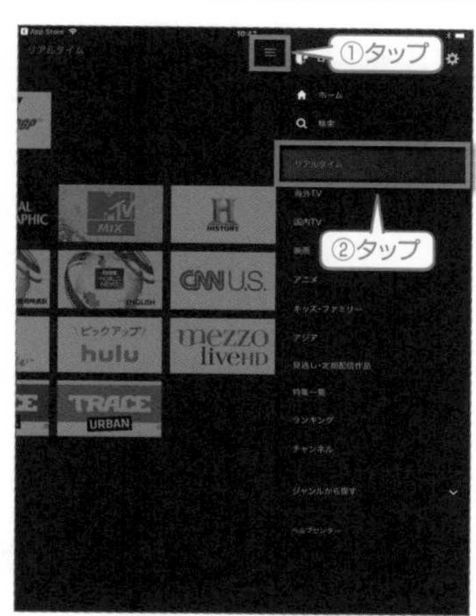

Huluはリアルタムイ配信に力を入れている。右上の設定メニューを開き、「リアルタイム」をタップしよう。リアルタイム配信をしている番組が一覧表示される。

Amazomプライムユーザーなら「プライムビデオ」!

Amazonプライムユーザーなら、Amazonが提供している動画配信サービス「プライムビデオ」を利用しましょう。追加料金なしで映画、ドラマ、アニメなどさまざまなコンテンツが見放題です。NETFLIXと同じくオリジナルコンテンツが豊富で、内容も非常に充実しています。また、各コンテンツはダウンロードしてオフラインで再生することができます。Amazonプライムの非ユーザーでも月額500円で視聴できます。

1 Amazonアカウントにログインする

起動したら利用しているAmazonアカウントを入力して「サインイン」をタップします。

2 見たいコンテンツを探そう

ログインするとメイン画面が表示されます。検索を使ってコンテンツを探すほか、ジャンル別に作品を探すことができます。

3 オリジナル作品が豊富

「オリジナル」ではAmazonのオリジナル番組が視聴できる。有名芸能人が出演している作品が大半で、作品の質はかなり高い。

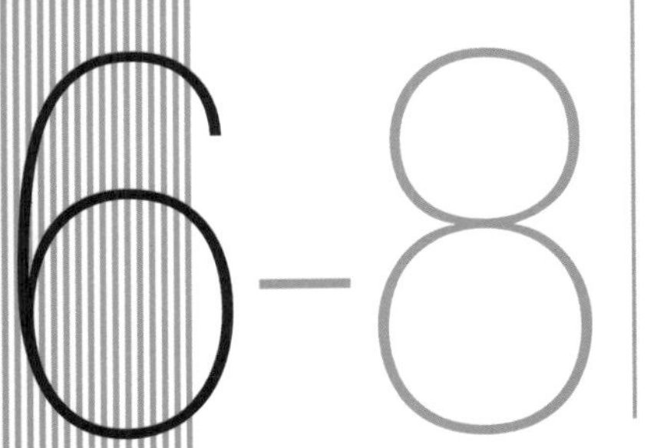

6-8 ポッドキャストを楽しもう

ひと目で分かるポッドキャストの基本画面

ライブラリ
登録した番組のアップデート状況やダウンロードした番組が表示される。

新作と注目作品
ポッドキャストに新たに登録された番組が表示される。

今すぐ聴く
端末にダウンロードした番組を視聴できる。

トップ番組
人気の番組が一覧表示される。

見つける
メイン画面。「新作と注目作品」「トップ番組」などさまざまな条件から番組を探せる。

再生コントロール
現在再生中のポッドキャスト名が表示される。一時停止/スキップなどの操作ができる。

検索
キーワード検索で番組を探す。

ラジオのような音声番組をiPadで楽しむ

ポッドキャストは、インターネット上で大半が無料配信されている音声番組を視聴できるアプリです。有名タレントが出演するトーク番組が中心のものが多いため、iPadでラジオ番組のように楽しみたいならポッドキャストの番組をダウンロードするといいでしょう。ダウンロードした番組はオフラインで楽しむことができます。

またポッドキャストは番組をダウンロードするほか登録することができます。登録した番組で新しいエピソードが追加された際に、自動でダウンロードしてくれるので自分で番組をチェックしたりする必要がありません。

ポッドキャストをダウンロードしよう

ポッドキャストを視聴する際、新しい番組が追加されたら自動でライブラリに登録する場合は「サブスクリプションに登録」を選択しましょう。特定の番組だけを視聴する場合はダウンロードを選択しましょう。

1 ポッドキャストを探す

「見つける」から興味のあるポッドキャストを探してみよう。気になる番組をタップする。

2 ダウンロードする

ダウンロードできる番組が一覧表示される。番組名右にあるダウンロードボタンをタップするとダウンロードが始まる。

3 ライブラリで確認する

ダウンロードした番組を視聴するには、下部メニューから「ライブラリ」をタップしよう。番組が表示されるので、番組名をタップ。

4 ポッドキャストを再生する

番組の詳細が表示される。再生ボタンをタップすると再生される。右下の再生コントロールで再生操作ができる。

ポッドキャストを購読する

1 「サブスクリプションに登録」をタップする

ポッドキャストを購読する場合は、番組詳細画面で「サブスクリプションに登録」をタップしよう。

2 購読を解除する

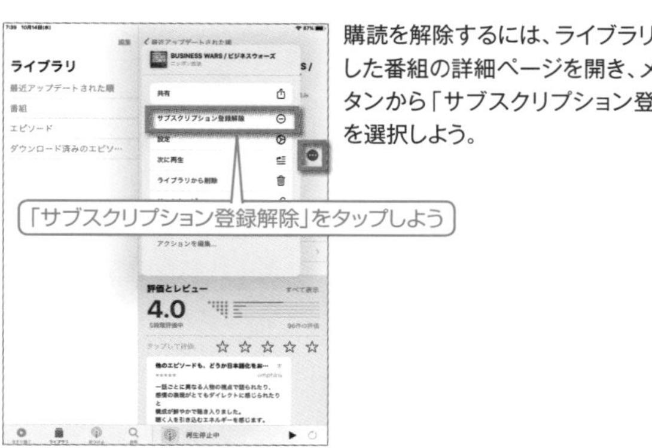

購読を解除するには、ライブラリから購読した番組の詳細ページを開き、メニューボタンから「サブスクリプション登録解除」を選択しよう。

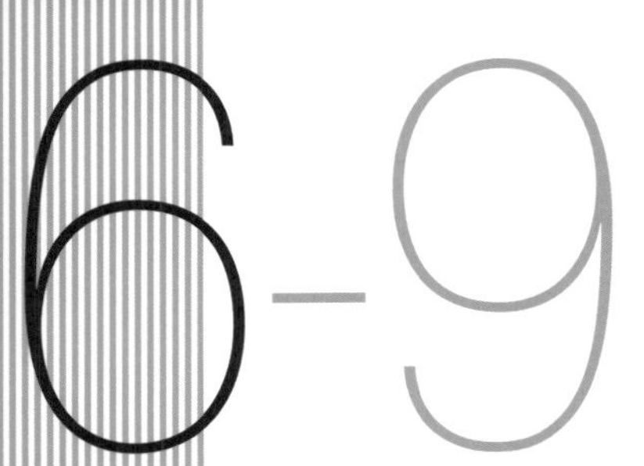

iPadで電子書籍を楽しもう

ひと目で分かる「ブック」の基本画面

「ブック」を利用するにはホーム画面にある「ブック」をタップしよう。

ライブラリ

ダウンロード購入した本が一覧表示される。「コレクション」をタップすると、ライブラリに登録したカテゴリ別に本を分類表示できる。

今すぐ読む

ブックのホーム画面。現在読書中の電子書籍だけでなく最近読んだ本、「読みたい」に追加した本などが一覧表示される。

ブックストア

Apple Booksの画面。ここから本を探してダウンロード購入を行う。

マンガ

マンガだけを絞って探すことができる。BL、コミックエッセイ、女性、少女、青年など細かくジャンル分類されている。

検索

キーワード入力で本を検索できる。また、現在トレンドのキーワードが検索ボックス下に表示される。

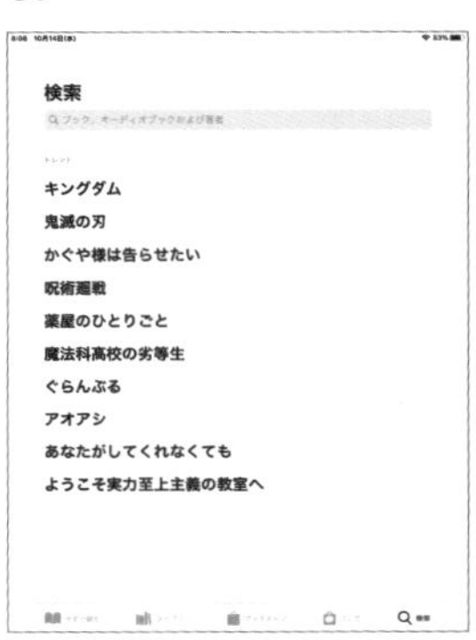

電子書籍の購入から管理まで一括管理できる「ブック」

iPadでは簡単な手順で電子書籍を購入することができます。「ブック」を起動しましょう。「Apple Books」のアプリはAppleが運営するオンライン電子書籍サービスです。漫画、ベストセラー小説、雑誌などさまざまなジャンルの電子書籍を購入することができます。雑誌など一般書店で並んでいる本が多く、その内容は非常に充実しています。購入した電子書籍は「ブック」に内蔵されている専用のビューワで鑑賞することができます。また、ライブラリ機能も搭載しており、購入した電子書籍をカテゴリごとに分類できます。購入から閲覧、管理まであらゆる作業がアプリ1本でできます。

電子書籍を検索して購入しよう

「ブック」はiTunes Storeでコンテンツを購入するのと同じように簡単に購入できます。購入した電子書籍は内蔵のビューワーで閲覧するだけでなく、ハイライトやメモを付けることなど整理機能も豊富です。

1 「ブックストア」から電子書籍を購入する

「ブック」アプリを起動したら、下部メニューから「ブックストア」をタップする。Apple Booksが表示されるので、電子書籍を選択しよう。

2 価格ボタンをタップしよう

書籍の詳細ページが表示される。価格ボタンをタップすると購入手続き画面に移動する。「サンプル」から数ページ内容を立ち読みすることもできる。

3 「支払い」をタップしてダウンロード

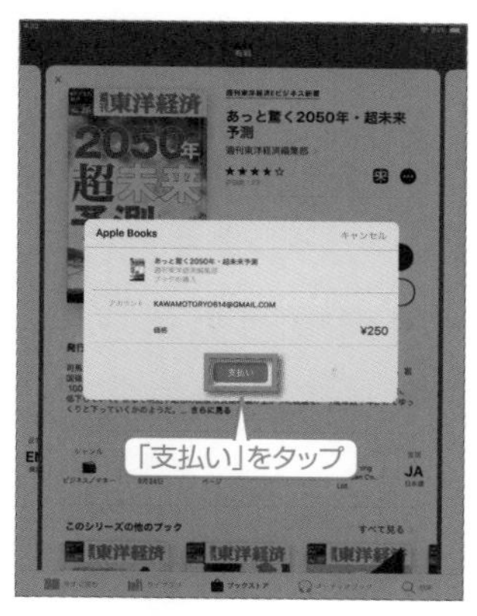

支払画面が表示される。「支払い」をタップしてApple IDのパスワードを入力すると、ダウンロードが始まる。

内蔵ビューアで電子書籍を鑑賞しよう

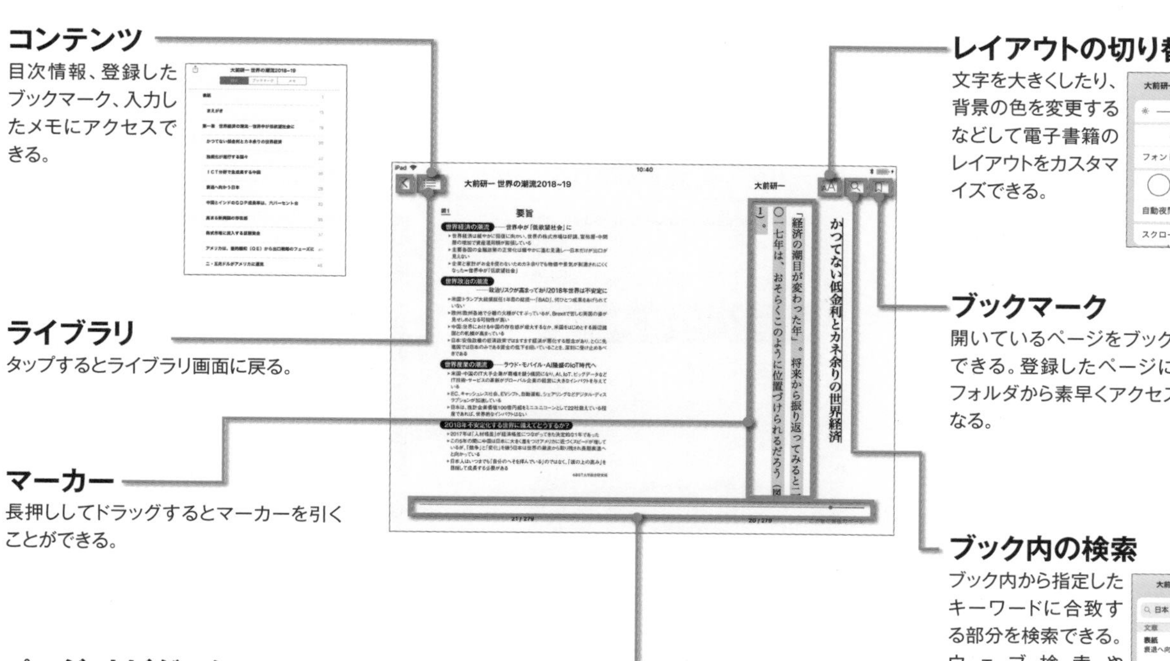

コンテンツ
目次情報、登録したブックマーク、入力したメモにアクセスできる。

ライブラリ
タップするとライブラリ画面に戻る。

マーカー
長押ししてドラッグするとマーカーを引くことができる。

ページ・ナビゲーション
左右にスライドしてページを素早く移動できる。

レイアウトの切り替え
文字を大きくしたり、背景の色を変更するなどして電子書籍のレイアウトをカスタマイズできる。

ブックマーク
開いているページをブックマークに登録できる。登録したページにブックマークフォルダから素早くアクセスできるようになる。

ブック内の検索
ブック内から指定したキーワードに合致する部分を検索できる。ウェブ検索やWikipedia検索もできる。

地上波のラジオ放送をiPadで楽しもう

Radikoをインストール

テレビやインターネット動画を普及しても、ラジオには根強い人気があります。ラジオをiPadで楽しむなら「Radiko」をインストールしましょう。

Radikoは地上波のラジオ放送を視聴することができる無料アプリ。起動すると現在位置情報から視聴できる放送局を一覧表示し、放送局をタップするとノイズのないクリアな音声を楽しむことができます。番組表もダウンロード表示でき、またクリップ機能を使えば番組が始まる前に通知してくれるので聞き逃すことはありません。なお、RadikoはiPhone版しか配布されておらず標準だと画面が小さいので拡大して使いやすくしよう。

Radiko
作者:radiko Co.,Ltd.
価格:無料
カテゴリ:エンターテイメント

1 右下の拡大ボタンをタップする

アプリを起動するとそのままで小さなiPhone版の画面になってしまう。右下の拡大ボタンをタップしよう。

2 放送局が一覧表示される

画面が拡大される。現在位置情報を元に番組が一覧表示される。視聴したい放送局をタップしよう。

3 放送が再生される

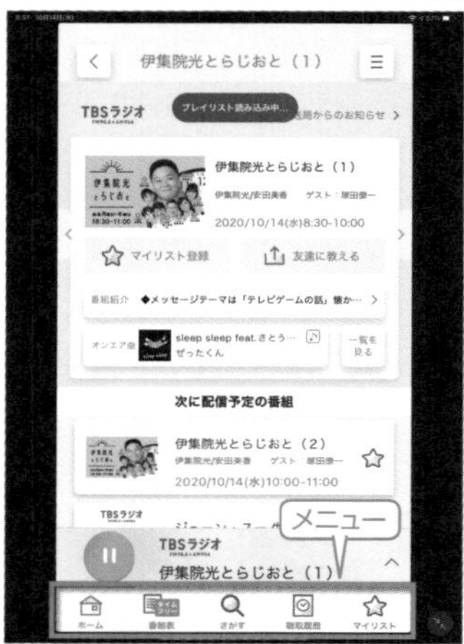

選択した番組の画面に切り替わり放送が再生される。画面下部にメニューボタンが表示される。

4 タイムフリーで視聴する

過去一週間以内にRadikoで聴き逃した放送を視聴したい場合は、「タイムフリー」を選択しよう。

5 日付を変更する

前日の番組を視聴する場合は、画面を下にスワイプしよう。

6 マイリストに登録する

あとで視聴したい番組はマイリストに登録しよう。メニュー右下のマイリストから保存した番組にアクセスできる。

Chapter
7
iPadで
仕事が捗る

7-1 「GoogleDrive」で仕事の効率アップ!

一目でわかる「GoogleDrive」の基本画面

GoogleDrive
作者:Google, Inc.
価格:無料
カテゴリ:仕事効率化

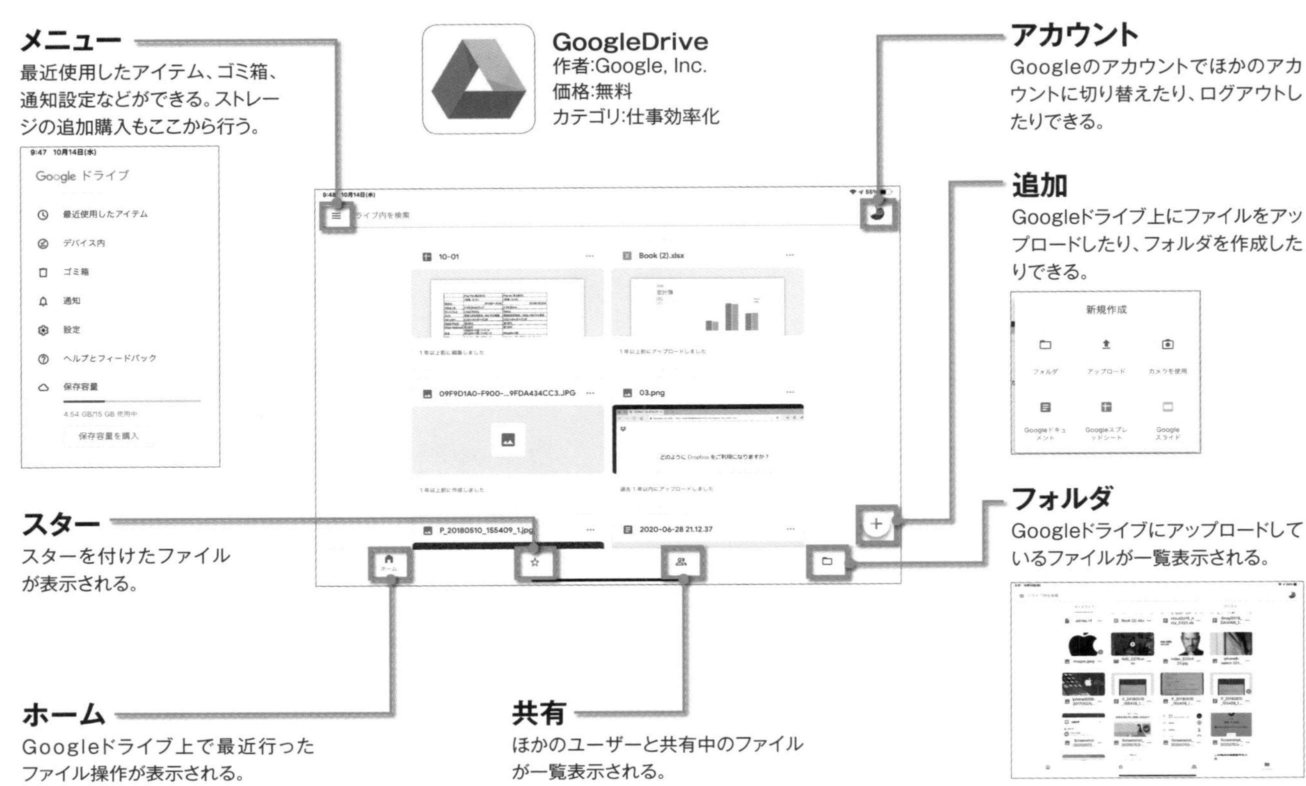

メニュー
最近使用したアイテム、ゴミ箱、通知設定などができる。ストレージの追加購入もここから行う。

アカウント
Googleのアカウントでほかのアカウントに切り替えたり、ログアウトしたりできる。

追加
Googleドライブ上にファイルをアップロードしたり、フォルダを作成したりできる。

スター
スターを付けたファイルが表示される。

フォルダ
Googleドライブにアップロードしているファイルが一覧表示される。

ホーム
Googleドライブ上で最近行ったファイル操作が表示される。

共有
ほかのユーザーと共有中のファイルが一覧表示される。

ファイルをアップロードしよう

iPad端末に保存されているファイルをGoogleドライブにアップロードしましょう。画面右下のアップロードボタンをタップしてアップロードするファイルを選択しましょう。写真、動画、PDFなどあらゆるファイルに対応しています。

1 アップロードを選択する

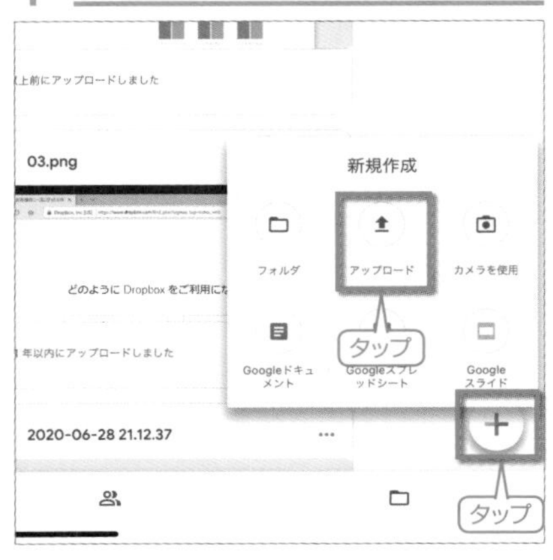

ファイルをアップロードするには、右下の「+」をタップして「アップロード」を選択しよう。

2 ファイルを選択する

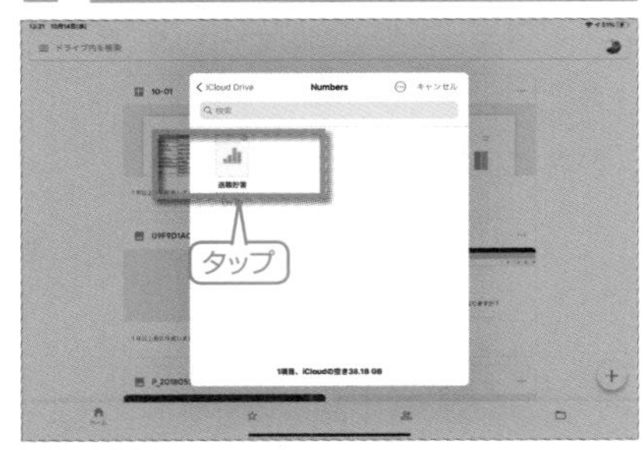

ファイル選択画面が表示されるので、iPad内に保存しているファイルからアップロードしたいファイルを選択しよう。

3 ファイルを確認する

アップロードしたファイルを確認するには下部メニュー右端の「ファイル」を選択しよう。Googleドライブ上にアップロードされたファイルが表示される。

どこでもファイルにアクセスできる

GoogleDriveは、同一のGoogleアカウントを使うことで、いつでもアップロードしたファイルの閲覧・編集およびダウンロードができる「クラウドストレージ」と呼ばれるサービスです。ブラウザを使うことができれば、ファイルにアクセスできるのでiPadやパソコンなどがない状態でも、ネットカフェなどからも利用することができます。複数端末でアクセスするファイルは、GoogleDriveにアップロードしておきましょう。大切なファイルのバックアップ先として利用するにも向いています。

ここでは、まずiPadのアプリでGoogleドライブを利用する方法を紹介します。

ファイルをダウンロードする

Googleドライブにアップロードしたファイルはipad端末にダウンロードすることもできます。端末にダウンロードするには、ファイルメニューの「アプリで開く」から保存先アプリを選択しましょう。また、Googleドライブ上にあってもオフライン時に利用できるようにすることもできます。

1 ファイルを選択する

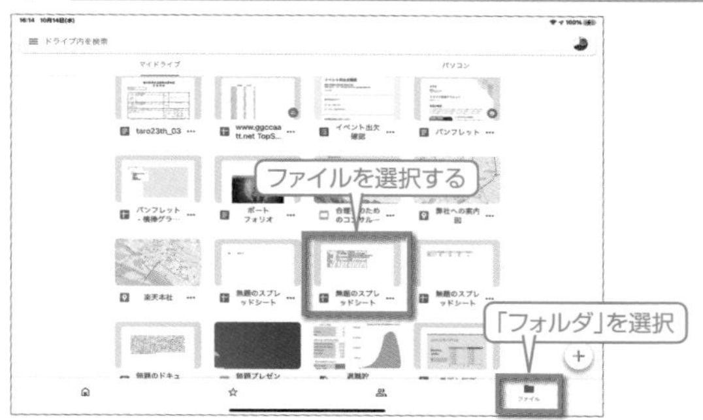

下部メニューから「フォルダ」をタップして、ダウンロードしたいファイルを選択する。

2 「アプリで開く」を選択する

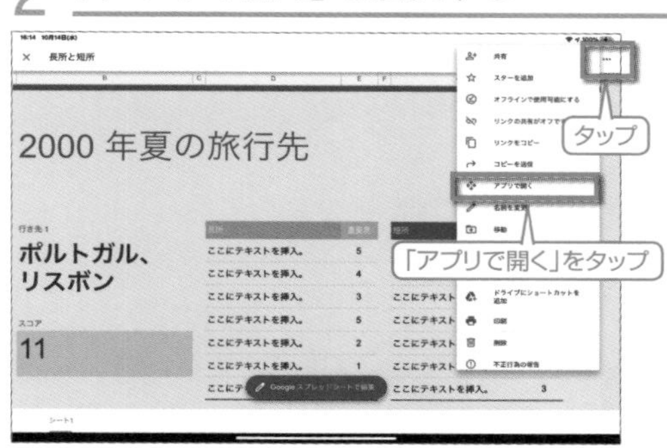

ダウンロードしたいファイルを開いたら、右上のメニューボタンをタップして「アプリで開く」をタップ。

3 「ファイルに保存」を選択する

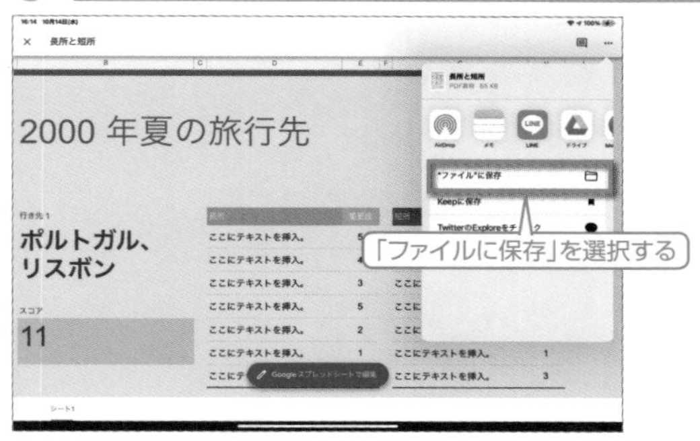

共有メニューが表示される。「ファイルに保存」をタップすれば、iPadの端末に保存できる。

4 オフラインで利用する

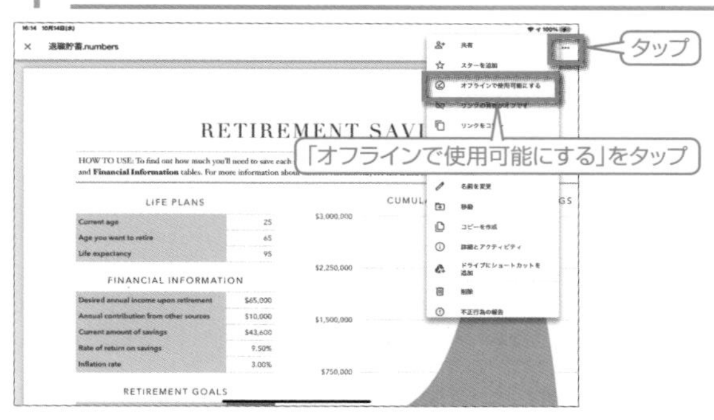

オフラインで利用するには、ファイルを開いたら、右上のメニューボタンをタップして「オフラインで使用可能にする」をタップ。

5 電波の届かない場所で閲覧

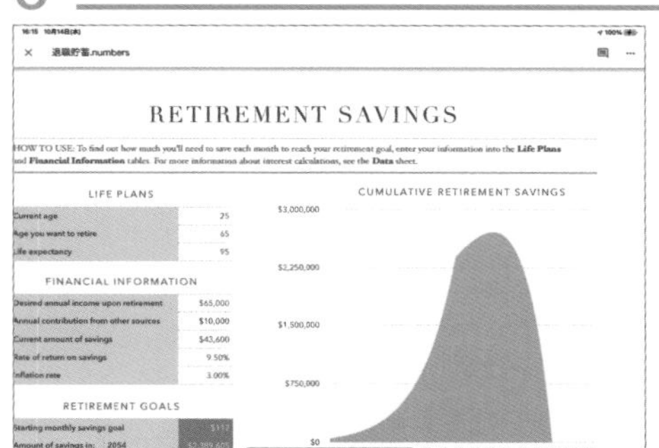

オフラインで使用可能に設定した場合は、電波が届かない場所やWi-Fiが接続できない場所でもファイルを閲覧できる。

6 オフラインで使用可能を解除する

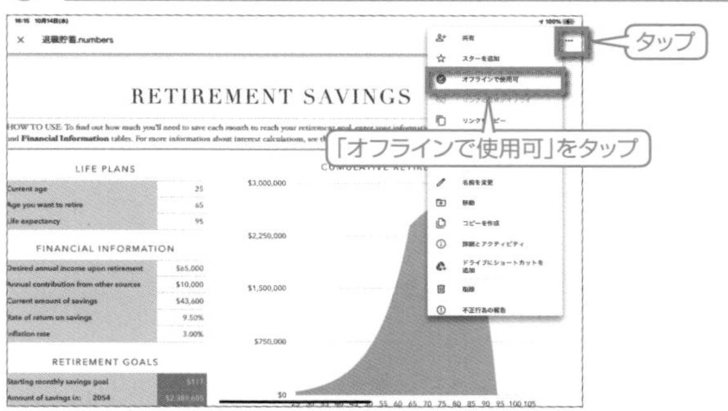

解除する場合は、右上のメニューボタンをタップして「オフラインで使用可」をタップしよう。

Googleドライブ上にあるファイルを共有しよう

誰でも閲覧できる公開URLを作成する

1 「リンクをコピー」をタップ

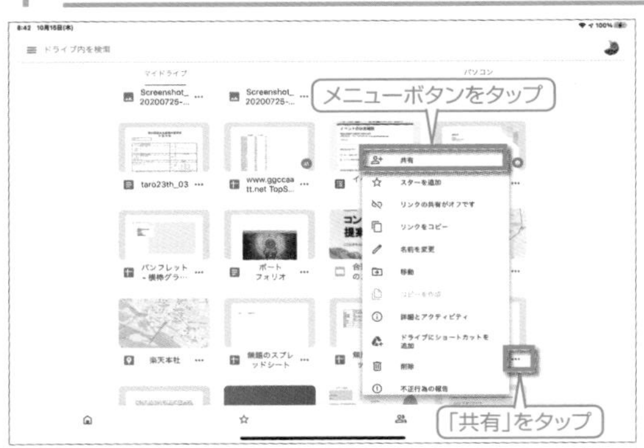

共有したいファイルの右下にあるメニューボタンをタップし、メニューを開き「共有」を選択する。

2 共有画面

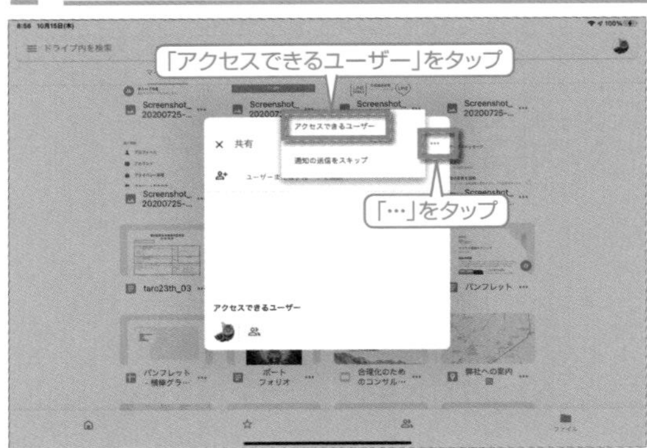

共有設定画面が表示されたら、右上の「…」をタップして「アクセスできるユーザー」をタップする。

3 閲覧権限を変更する

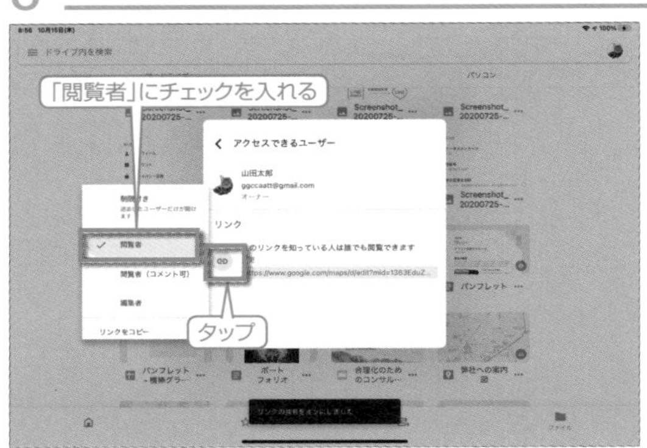

左下のリンクボタンをタップして「閲覧者」にチェックを付ける。これで誰でも閲覧できる共有設定になる。

4 共有URLをコピーする

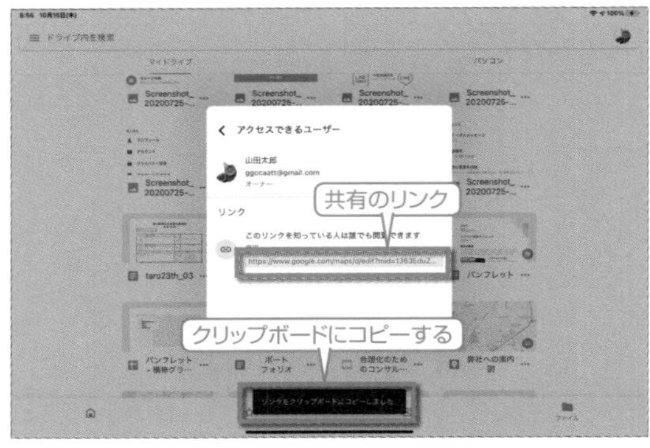

共有用のURLが作成される。これをコピーして共有したいユーザーに教えよう。

5 共有を解除する

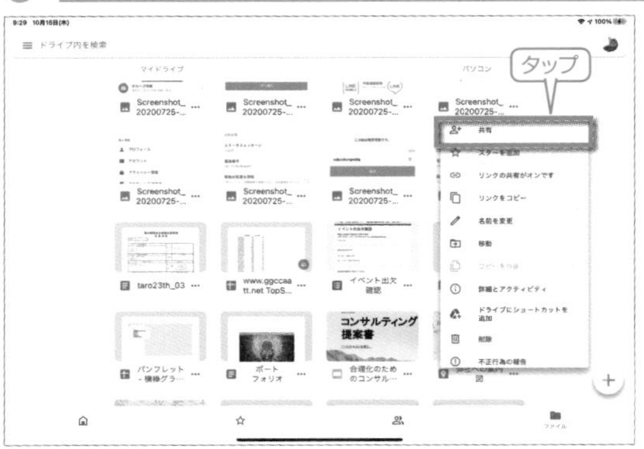

共有状態を解除するには、共有しているファイルのメニュー画面を開き、「共有」をタップ。

6 「制限付き」に変更

アクセス設定画面に移動し、共有設定で「制限付き」に変更すると自分しか閲覧できないようになる。

共有状態にすればだれでもファイルが閲覧できる

Googleドライブ上にあるファイルはほかのユーザーと共有することができます。共有方法はさまざまあります。最も簡単な方法は、公開URLを作成する方法です。作成した公開URLを知っている人であれば誰でもファイルにアクセスできます。

また、Googleドライブ上のファイルを共同で編集することもできます。エクセルなどのオフィスファイルを共同編集したいときに向いています。編集権限を細かく設定することもできます。共有状態にあるファイルは人形のアイコンが付きます。共有を解除したい場合は共有設定画面から共有相手を削除しましょう。

特定のユーザーと共同で編集する

1 メニューから「共有」を選択する

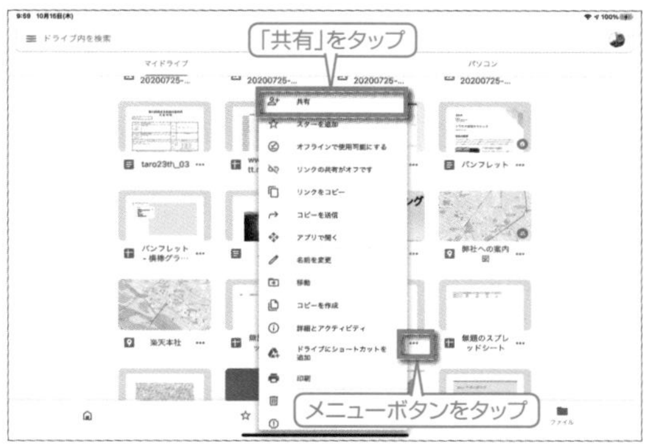

ほかのユーザーと共同で編集したいファイルのメニューを開き「共有」をタップ。

2 相手のGmailアドレスを入力する

共同編集する場合は、相手がGmailアカウントを利用している必要がある。相手のGmailアドレスを入力しよう。

3 編集権限を設定してメールを送信する

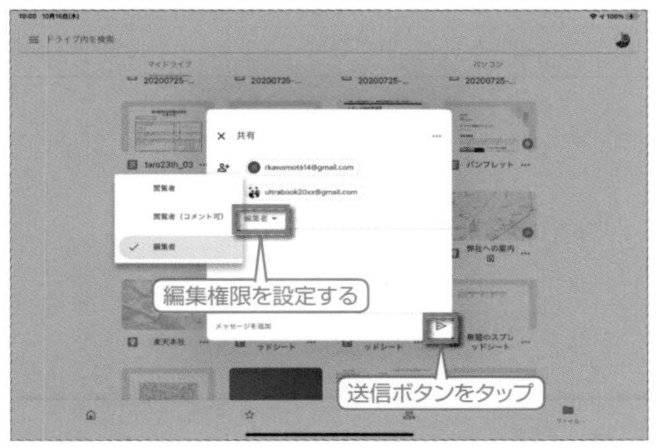

編集権限を編集か閲覧かに設定することもできる。設定後送信ボタンをタップしよう。

4 共有状態にあるファイル

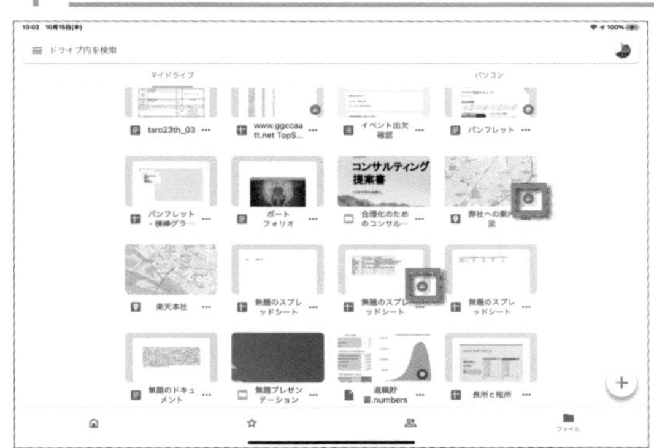

共有状態にあるファイルには右下に人型の共有アイコンが付く。

5 共有を解除する

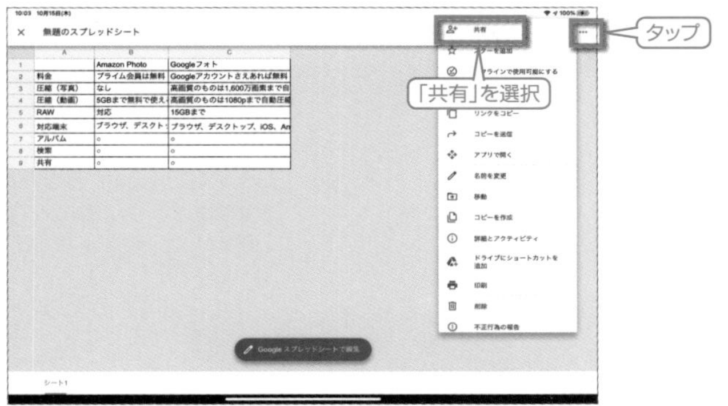

ファイルの共有を解除するには、ファイルを開いて右上のメニューボタンをタップして「共有」を選択する。

6 「削除」をタップ

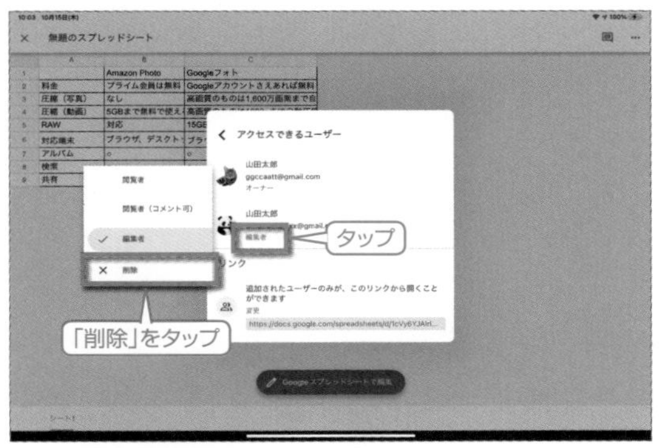

共有設定画面が表示される。「編集者」をタップして「削除」をタップすると共有を解除できる。

「Google スプレッドシート」で表計算する

一目でわかる「Google スプレッドシート」の基本画面

Google スプレッドシート
作者:Google, Inc.
価格:無料
カテゴリ:仕事効率化

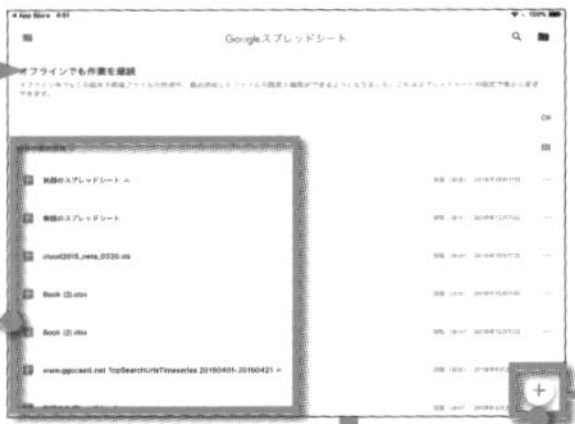

App Storeから「Google スプレッドシート」を検索して、ダウンロードする。

スプレッドシート

アイコンをタップして起動。初回起動時に、Googleアカウントの入力を求められる。

Google Driveに保存されているファイルから選択

テンプレートを選択
新しいスプレッドシート

新しくファイルを作成。テンプレートから選択することもできる

セルの編集
現在選択しているセルの範囲を編集する。

戻る/進む
手順を一つ前に戻したり、進ませる。

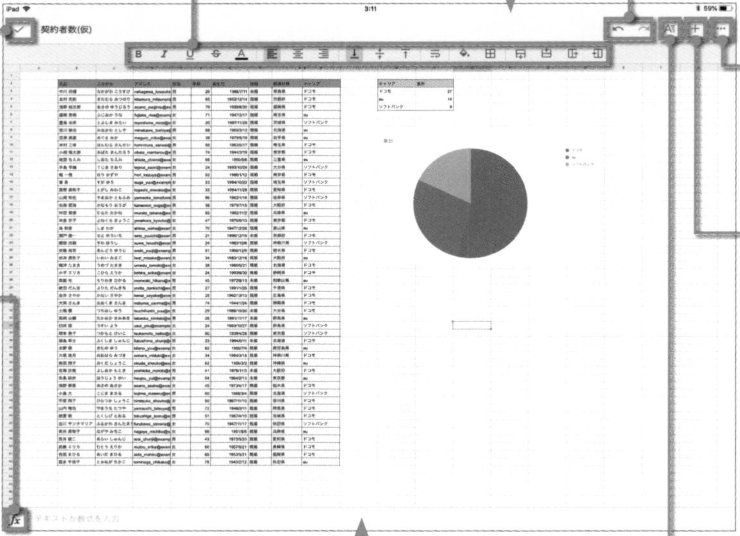

選択の解除
現在選択しているセル・範囲を解除する。さらに「<」をタップすると初期画面に戻る。

メニュー
検索や置換、オフライン編集や共有とエクスポートについてのメニューを表示する。

挿入
グラフやセル、コメントの挿入を行う。

挿入
コメント
グラフ
左に1列
右に1列
上に1行

関数
関数の一覧から、選択して挿入することができる。Google スプレッドシート特有の関数も。

編集メニュー
テキストとセルの、より詳細な編集を行うメニューを選ぶことができる。

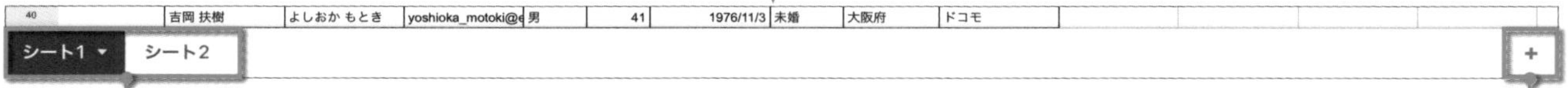

40	吉岡 扶樹	よしおか もとき	yoshioka_motoki@e	男	41	1976/11/3	未婚	大阪府	ドコモ

シート1 ▾　シート2　＋

シートを選択

シートを追加

必要十分な機能が揃った表計算アプリ

Google スプレッドシートは、非常にシンプルなメニューでありながらExcelとほぼ同じ操作感で使うことができます。そして、WebアプリなのでGoogleDriveに保存され、データの保存をし忘れるということがありません。また、Excelと高い互換性を持ち、パソコンのGoogleDrive上で、Excelのデータをコピー&ペーストで貼り付けることができます。関数はExcelと同じものが使えるので、そのままで貼り付けることができ、さらにGoogle スプレッドシート独自の関数も使うことができます。 作成したデータはGoogleDriveで管理されるため、外出先でiPadから編集することも簡単です。

新規の表をつくる

新しいスプレッドシートを作成するには、起動した後の画面で右下の「+」をタップします。セルの入力・編集など、ほぼExcelに近いので過去に使ったことがある場合は違和感なく使うことができます。大量にセルを入力・編集するのはiPadだけでは大変なので、GoogleDriveを活用して、パソコン上での入力・編集や、Excelファイルからのコピー&ペーストも活用しましょう。

1 新規作成をタップする

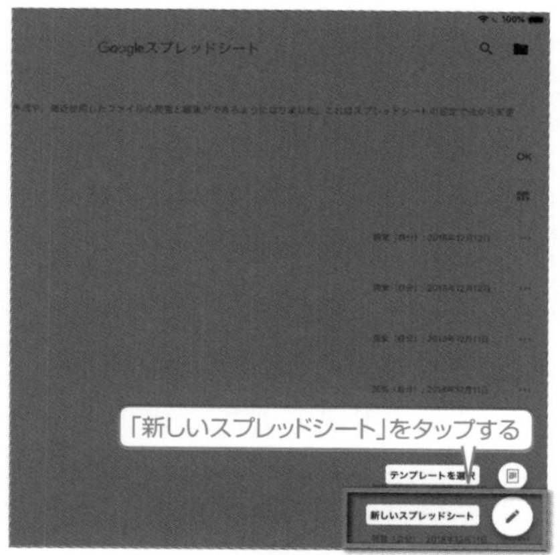

Google スプレッドシートを起動した後、画面右下にある「+」ボタンをタップする。その後「新しいスプレッドシート」をタップする。

2 Excelと同じように表を作成できる

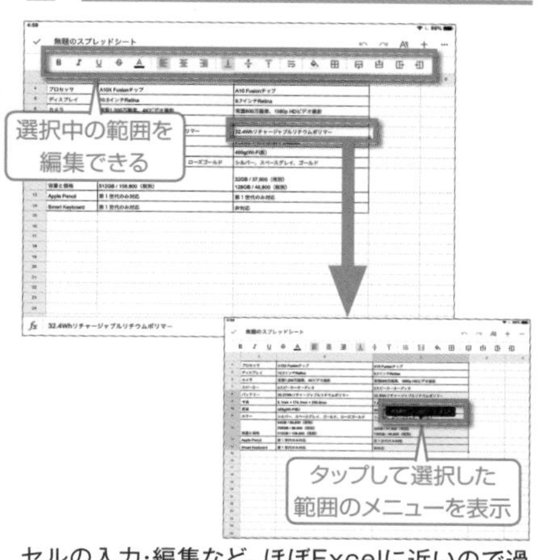

セルの入力・編集など、ほぼExcelに近いので過去に使ったことがある場合は違和感なく使える。セルのタップ→ドラッグで範囲選択、さらにタップで削除やセルの結合ができる。

3 Excel形式で保存

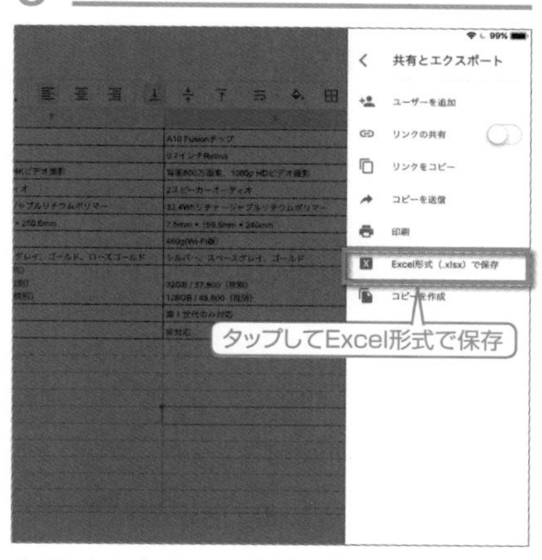

作成した表をパソコンなどで使いたい時には、メニューから「共有とエクスポート」を選択して、「Excel形式で保存」を選択する。保存したファイルは、GoogleDriveに自動的に保存される。

便利な機能を活用する

作成した表を元にして、グラフの作成・挿入ができます。先にグラフにするセルの範囲を選択して、メニューからグラフを挿入することができます。各項目をタップして選択することができ、再編集も簡単にできます。また、Google スプレッドシートにも関数がありExcelと同様の関数が利用できますが、さらに独自の関数も利用することができます。

1 挿入メニューからグラフを挿入する

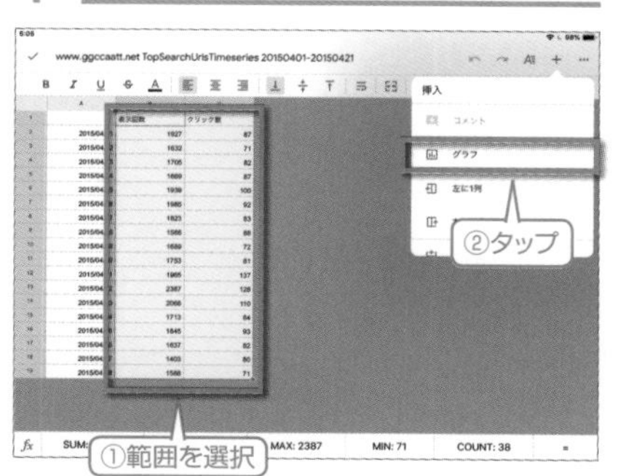

グラフにしたいデータが含まれる範囲を選択。そして挿入メニューから、「グラフ」を選択しよう。

2 グラフを編集

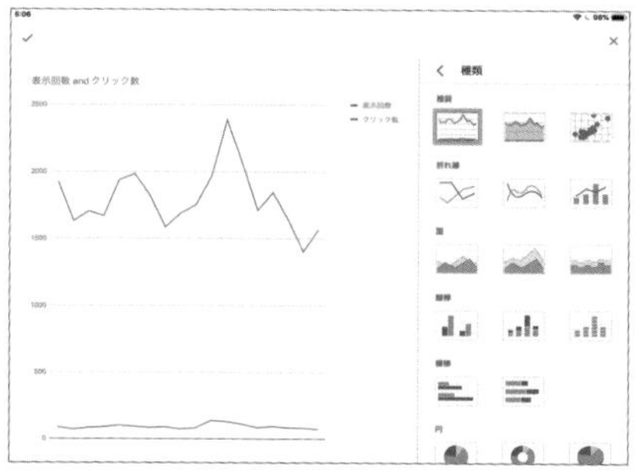

グラフの編集画面が表示される。グラフについて各項目を選択して編集を行うことができる。表に挿入した後でも、グラフをタップすることでいつでも再編集できる。

3 関数にも対応

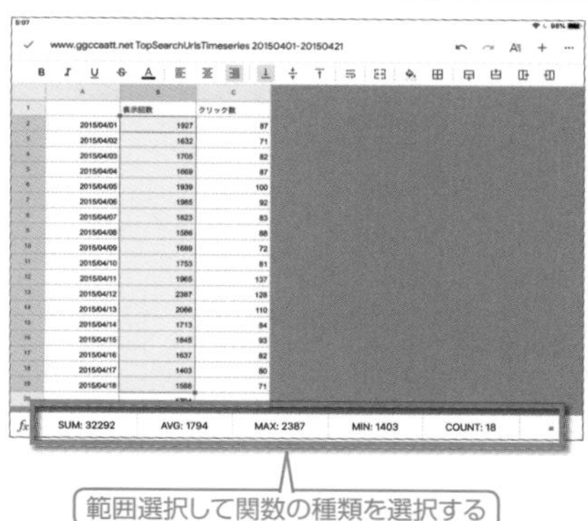

範囲選択して左下の関数ボタンから、関数の確認と入力ができる。関数をカテゴリから選んでタップすると、自動で入力される。

「Google ドキュメント」で文書を作成

一目でわかる「Google ドキュメント」の基本画面

Google ドキュメント
作者:Google, Inc.
価格:無料
カテゴリ:仕事効率化

「Google ドキュメント」で検索して、ダウンロードする。

アイコンをタップして起動。初回起動時に、Googleアカウントの入力を求められる。

Google Driveに保存されているファイルから選択

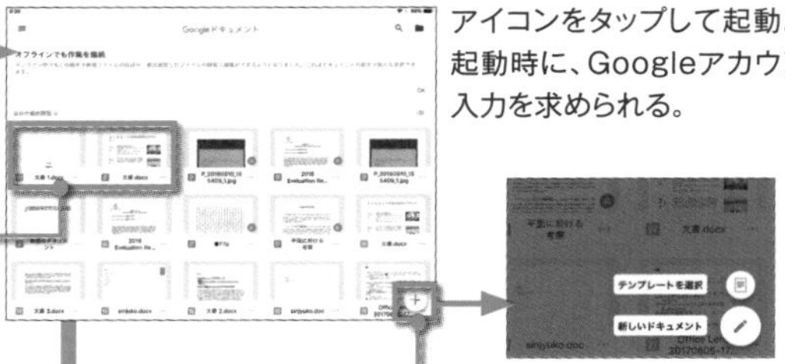

新しくファイルを作成。テンプレートから選択することもできる

文字や段落の編集
現在選択している文字や段落の編集を行う。

選択の解除
現在選択している位置や範囲を解除する。さらに「<」をタップすると初期画面に戻る。

戻る/進む
手順を一つ前に戻したり、進ませる。

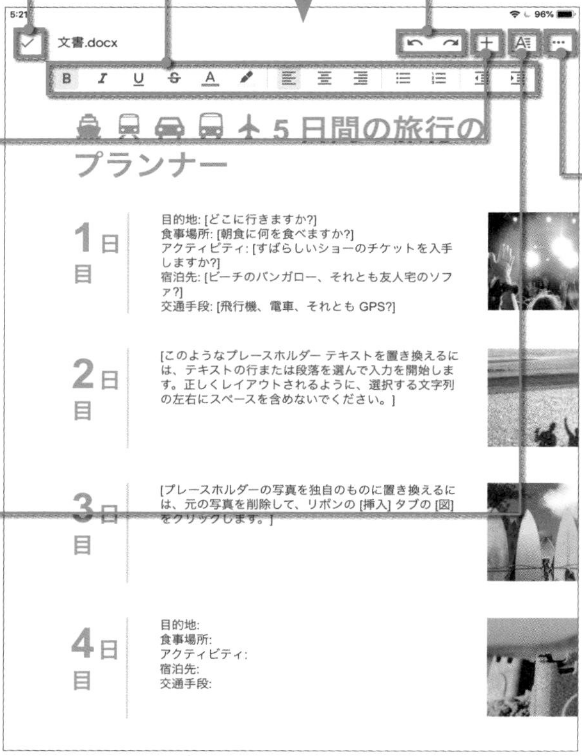

挿入
画像や表などの挿入を行う。

メニュー
検索や置換、オフライン編集や共有とエクスポートについてのメニューを表示する。

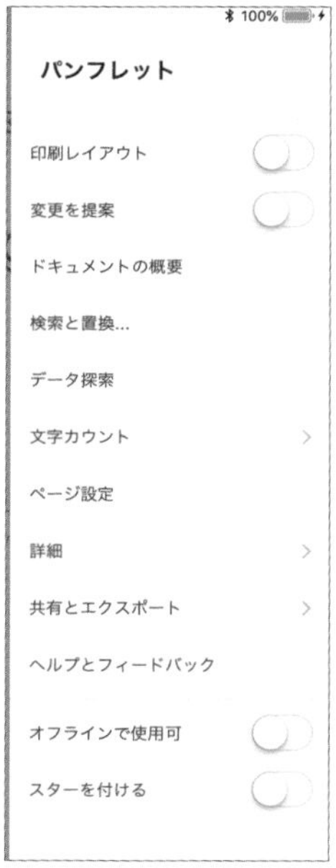

編集メニュー
より複雑な文字や段落の編集を行うことができる。フォントの変更なども、このメニューから行おう。

シンプルで使いやすいワープロアプリ

「Google ドキュメント」は、Wordと同じような使い勝手のワープロアプリです。Webアプリのため書いた文章は、自動でGoogleDriveに保存されます。無料で利用できるアプリですが、文字のカウントや、文章から類推されるデータを探索する機能などもあります。また、ブラウザ版のGoogle ドキュメントと比べて機能が少なく、iPad版では図形などの挿入ができないので、GoogleDrive経由でブラウザ版をパソコンなどから活用していくことで、より便利に使うことができるでしょう。また、Word形式のファイルとして保存することもできます。ファイルとして保管したいときには活用しましょう。

新規文書の作成

初期画面の右下にある「+」をタップして、新しく文書を作成しましょう。「新しいドキュメント」をタップすると新規作成が行われます。文章を入力・編集して文書を作成しましょう。2回タップして、文字・オブジェクトを挿入したり編集する位置や範囲を決めることができます。また、作成した文書は、Word形式で保存することもできます。

1 新しいドキュメントを作成する

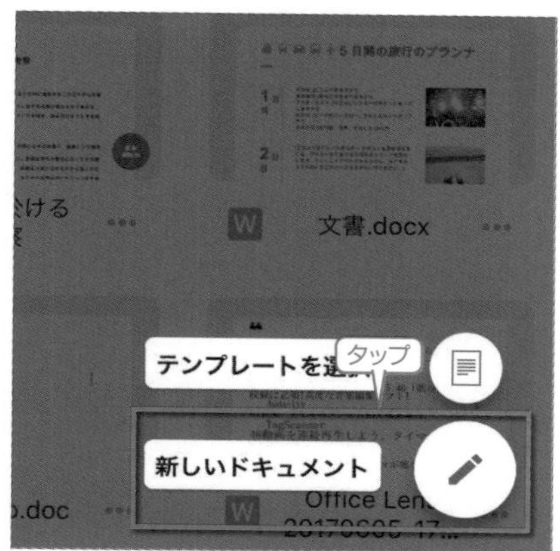

Google ドキュメントを起動した画面の、右下にある「+」をタップして「新しいドキュメント」をタップする。

2 文章を作成・編集する

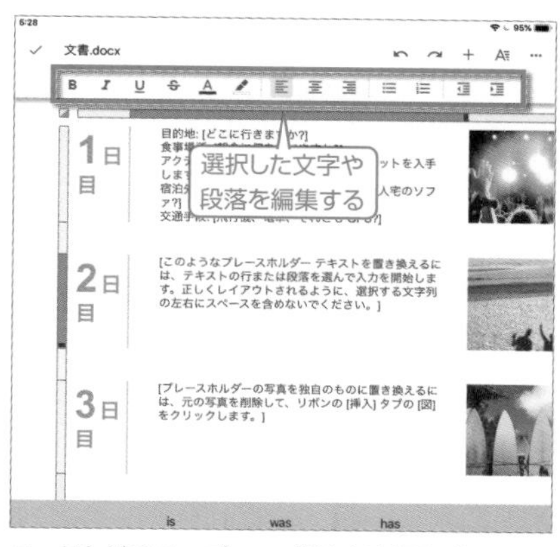

ワードなどのワープロアプリとほぼ同じ使い方ができる。文字の大きさや色、行揃えなどは、常に表示されているボタンから可能だが、フォントの変更など編集メニューを開く必要がある項目もある。

3 Word形式で保存する

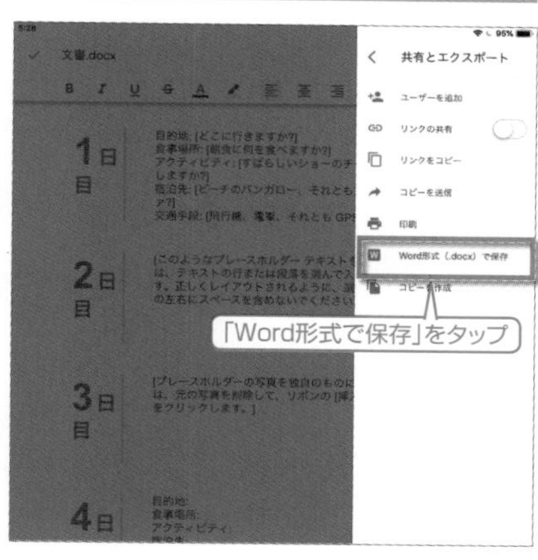

作成した文書をWord形式で保存する場合は、メニューから「共有とエクスポート」を選択して、「Word形式で保存」をタップする。

オブジェクトを挿入する

文章に画像や、表などオブジェクトを追加してみましょう。グラフや図形の挿入はできないため、パソコンのGoogle ドキュメントから行う必要があります。画像の挿入に関しては、他のアプリからのドラッグ&ドロップが有効です。「ファイル」や「写真」アプリをSplit Viewで表示させれば、簡単に画像を追加できます。

1 画像を挿入する

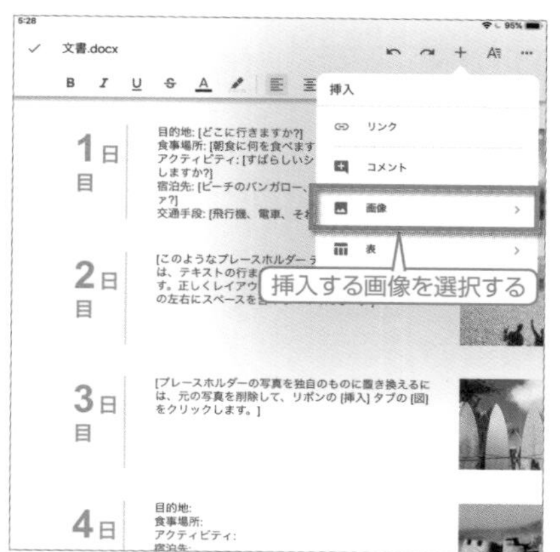

画像を挿入したい位置にカーソルを置き、挿入メニューから「画像」をタップして挿入する画像を選択する。

2 表の挿入

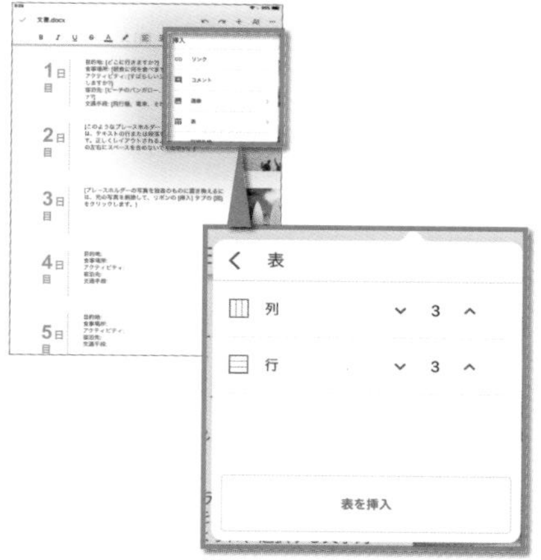

挿入メニューから「表」をタップすると、挿入する表の列と行を設定する画面が表示される。

3 設定した表が追加される

「表を挿入」をタップすると、設定した列と行の数で表が挿入される。セルをタップして入力を行おう。

「Google スライド」でプレゼンしよう

一目でわかる「Google スライド」の基本画面

Google スライド
作者:Google, Inc.
価格:無料
カテゴリ:仕事効率化

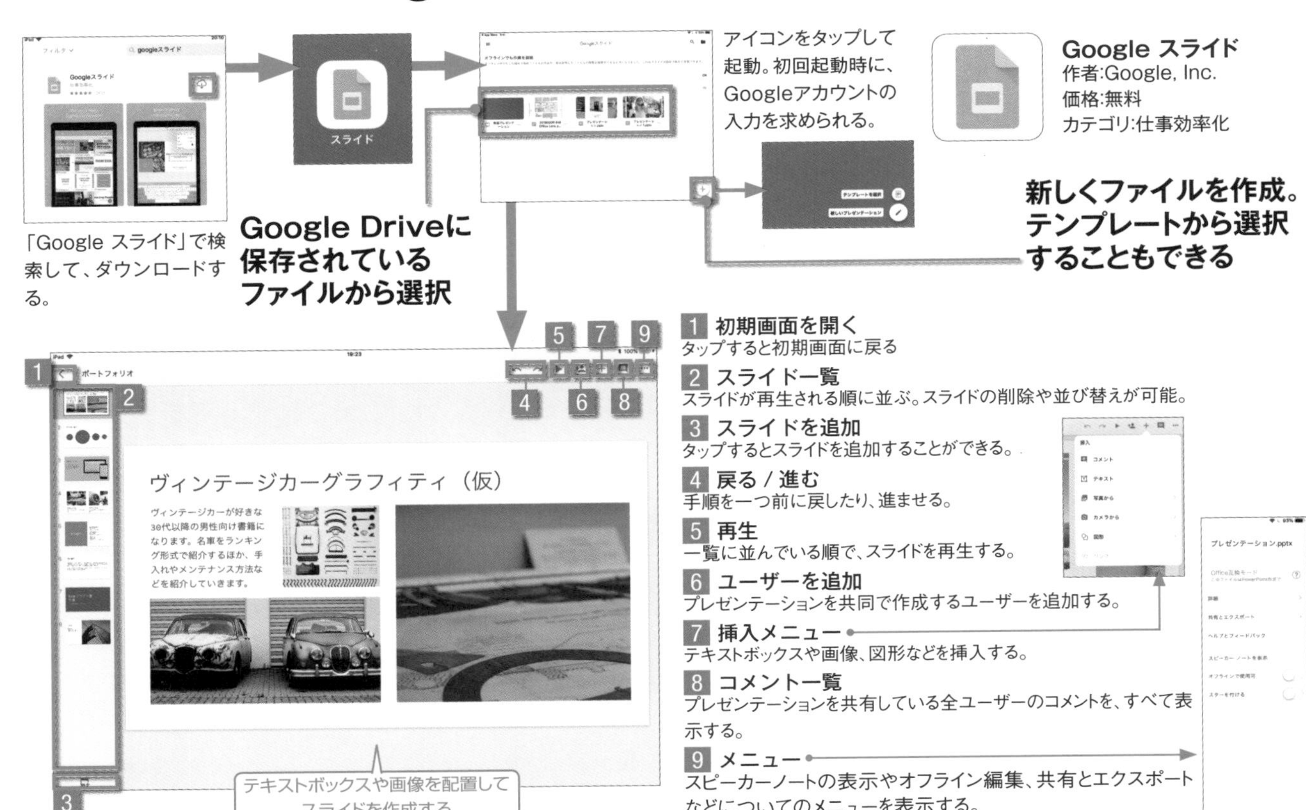

「Google スライド」で検索して、ダウンロードする。

Google Driveに保存されているファイルから選択

アイコンをタップして起動。初回起動時に、Googleアカウントの入力を求められる。

新しくファイルを作成。テンプレートから選択することもできる

1 初期画面を開く
タップすると初期画面に戻る

2 スライド一覧
スライドが再生される順に並ぶ。スライドの削除や並び替えが可能。

3 スライドを追加
タップするとスライドを追加することができる。

4 戻る / 進む
手順を一つ前に戻したり、進ませる。

5 再生
一覧に並んでいる順で、スライドを再生する。

6 ユーザーを追加
プレゼンテーションを共同で作成するユーザーを追加する。

7 挿入メニュー
テキストボックスや画像、図形などを挿入する。

8 コメント一覧
プレゼンテーションを共有している全ユーザーのコメントを、すべて表示する。

9 メニュー
スピーカーノートの表示やオフライン編集、共有とエクスポートなどについてのメニューを表示する。

プレゼンテーションの作成

新しいプレゼンテーションは、初期画面の右下にある「+」をタップして作成します。、テンプレートが充実しているので、目的にあったスライドがあれば利用してプレゼンテーションを作りましょう。テキストや画像をタップして入れ替えるだけでスライドが完成します。

1 プレゼンテーションの新規作成

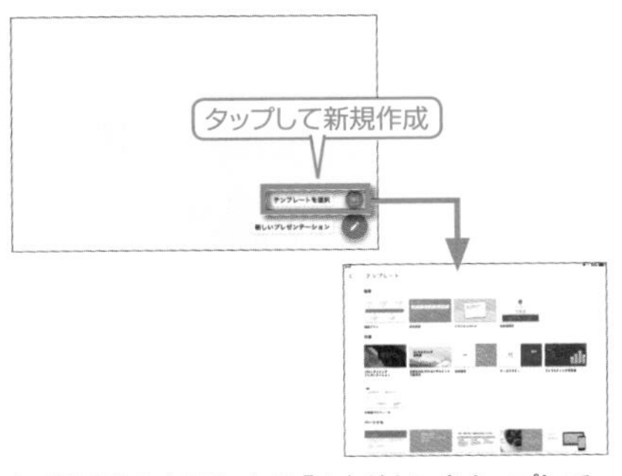

初期画面の右下にある「+」ボタンをタップして、プレゼンテーションを新規作成。豊富に用意されたテンプレートを利用することもできる。テンプレートは用途ごとに別れている。

2 スライドを作成

スライドにはそれぞれ、テキストボックスや画像、図形を配置していこう。各ボックスをタップすると、テキストを入力したり画像を差し替えることができる。

3 PowerPoint形式で保存

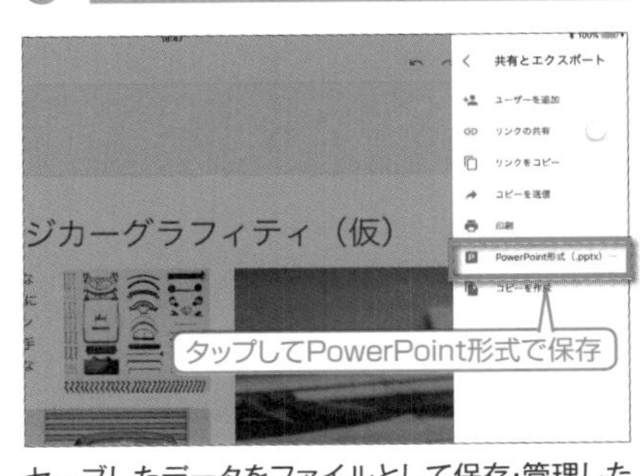

セーブしたデータをファイルとして保存・管理したい場合は、メニューから「共有とエクスポート」を選択して、「PowerPoint形式で保存」を選択する。

プレゼン用のスライドを作成できるアプリ

「Google スライド」は、プレゼンなどに使うスライドを作成できるアプリです。複数のスライドを1つの「プレゼンテーション」として管理しています。同様のアプリとして「PowerPoint」がありますが、PowerPointと比べると非常にシンプルで直感的にスライドを作成できます。メニューはシンプルですが、利用できるテンプレートの種類が豊富で、スライドの作りやすさでは上回っている部分も少なくありません。テンプレートに配置されている画像ボックスの画像を置き換えたり、テキストボックスに文字を入力していくだけで、完成度の高いプレゼン資料が作成できます。

プレゼンテーションの編集・再生

スライドの並び替えや、まとめて削除・背景の編集などを行って、プレゼンテーションの完成度を上げましょう。複数のスライドを選択した状態での並べ替えも可能です。最後には、プレゼンテーションを再生してどのように進んでいくかをチェックしておきましょう。

1 スライドを並べ替える

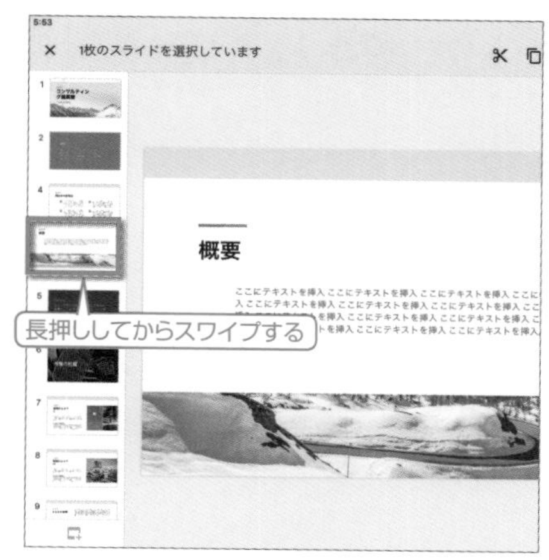

スライド一覧から、移動させたいスライドを長押しする。黄色の枠が表示されたら、好きな位置にスワイプすることで、スライドを並び替えることができる。

2 複数のスライドをまとめて編集

編集したいスライドのいずれかを長押しして、黄色の編集メニューが画面上に表示されたら、まとめて編集したいスライドをタップする。選択し終わったら、各メニューからの編集や移動を行おう。

3 プレゼンテーションを再生する

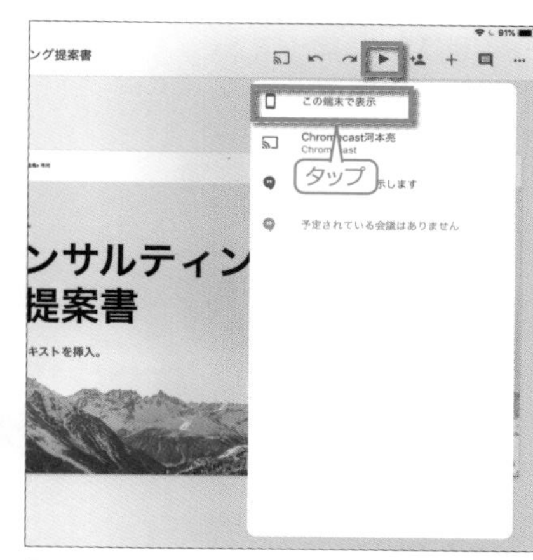

「再生」ボタンをタップして、「この端末で表示」を選ぶとプレゼンテーションが再生される。タップすることで作成したスライドが順に表示される。

他のユーザーと共有

プレゼンテーションをチームで作成したいときには、編集しているプレゼンテーションを、他のユーザーと共有しましょう。初期画面やGoogleDriveから共有することもできますが、現在開いているプレゼンテーションから以下の手順で追加することも可能です。共有するには、Gmailアカウントが必要になる点には注意しておきましょう。

1 「ユーザーを追加」をタップする

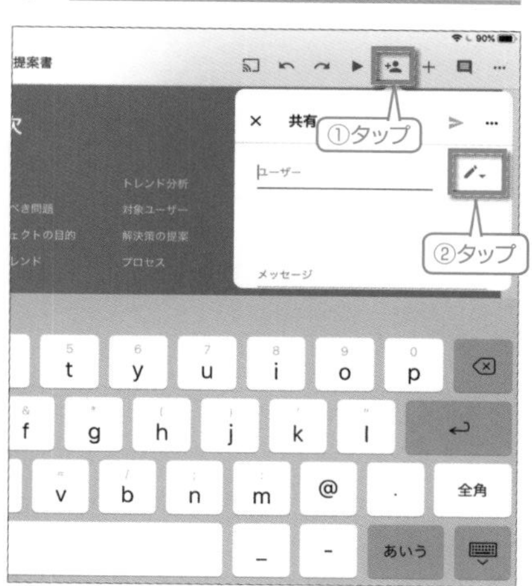

画面右上の「ユーザーを追加」ボタンをタップして、共有するためのメニューを開く。

2 権限を設定する

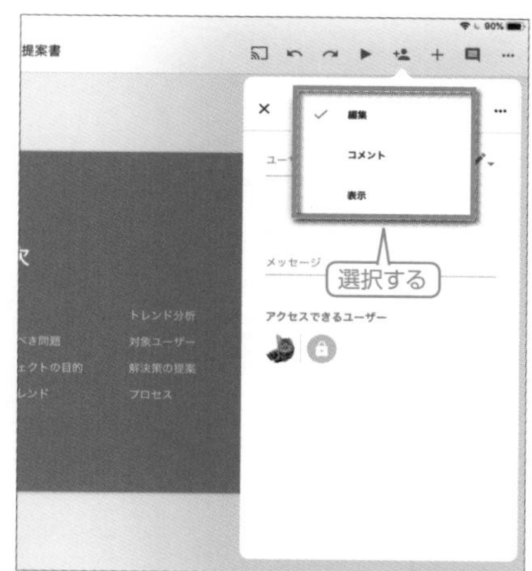

共有するユーザーの権限を選択する。スライドの作成を行う場合は「編集」を選択する。

3 Gmailを送信する

共有するユーザーのGmailアドレスを入力して、送信ボタンからGmailを送信する。

7-6 Googleフォトで iPad内の写真や動画を管理する

ひと目でわかるGoogleフォト

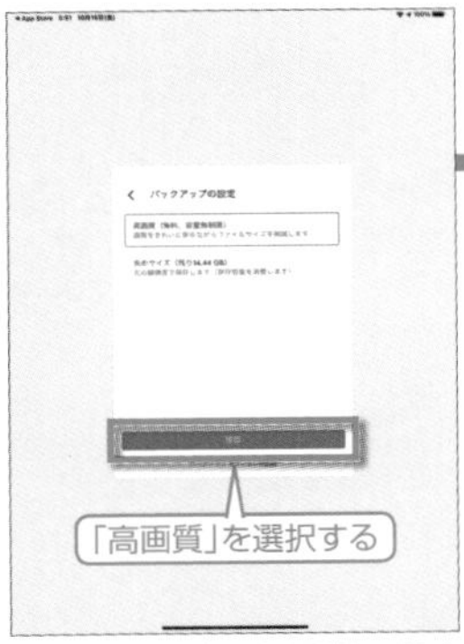

Googleフォト
作者:Google, Inc.
価格:無料
カテゴリ:写真／ビデオ

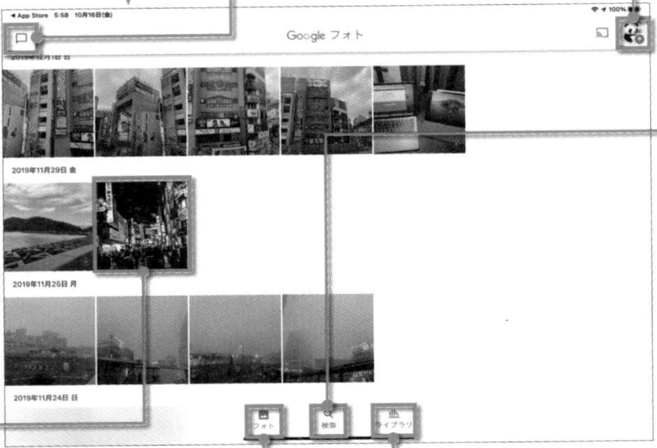

「高画質」を選択する

初めて起動すると画質の設定画面が表示される。ここで「高画質」を選択しよう。

共有
共有状態しているファイルが表示される。

設定
Googleフォトの各種設定変更をする場合に利用する。

検索
写真の種類やファイル形式ごとに検索できる。

写真
タップすると写真を開いて閲覧したりレタッチできる。

フォト
アップロードされた写真が日付順にサムネイル表示される。

ライブラリ
アルバムを作成したりアルバムを管理できる。

Check! 初期設定で高画質設定を忘れた場合は?

1 検索から動画を探す

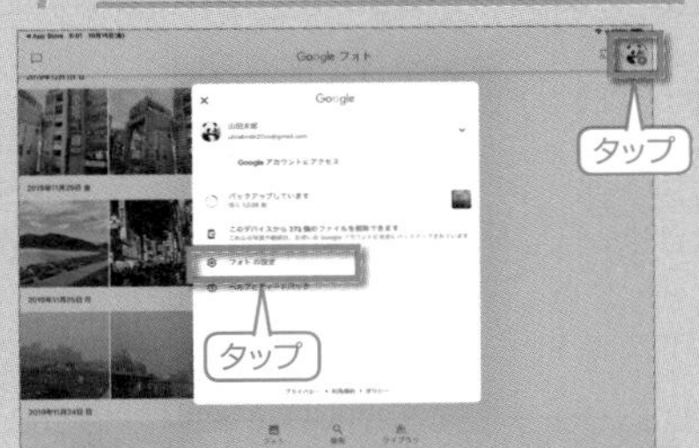

右上にあるアカウントアイコンをタップし、「フォトの設定」をタップ。

2 設定画面

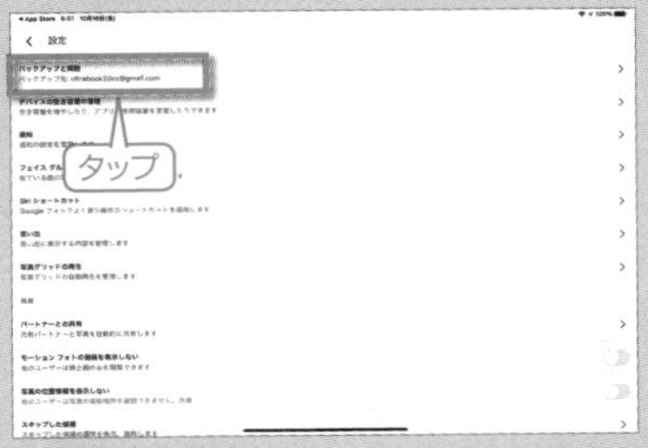

設定画面が開いたら「バックアップと同期」をタップする。

3 「高画質」にチェックを付ける

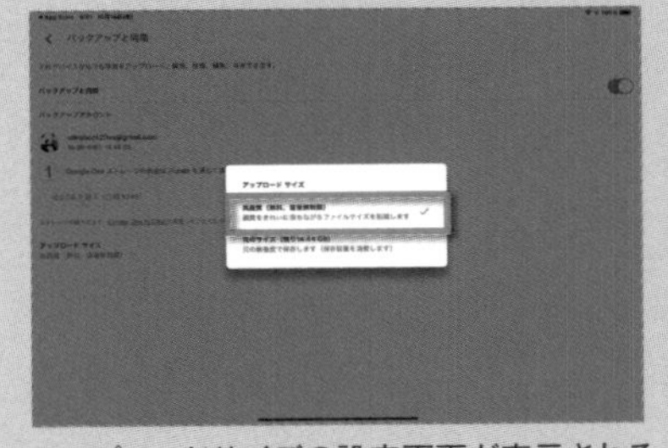

アップロードサイズの設定画面が表示される。「高画質（無料、容量無制限）」にチェックを入れよう。

無料で無制限に写真をアップロードできる

iPadで撮影した写真や動画を管理する場合、「写真」アプリもいいですが「Googleフォト」を併用するのもおすすめです。GoogleフォトはiPadに保存した写真や動画を無制限にアップロードすることができます。撮影された写真は自動でアップロードしてくれるので、アプリを起動する必要もあります。

また、アップロードしている写真を簡単にほかのユーザーと共有したり、複数の写真からアルバムを作成することもできます。Googleドライブ操作が難しい場合はこちらを利用するといいでしょう。

写真を閲覧・編集する

1 レタッチボタンをタップする

サムネイル写真をタップすると写真が開く。写真をレタッチしたい場合は、下部メニュー左から2番目をタップ。

2 レタッチを利用する

レタッチ画面が表示される。下部メニュー左端のフィルタをタップするとタップ1つで写真にさまざまなフィルタを適用できる。

3 明るさとコントラストを調整する

明るさやコントラストを手動で調節したい場合は、下部メニューの真ん中のボタンを選択しよう。

写真を共有する

1 写真を長押しする

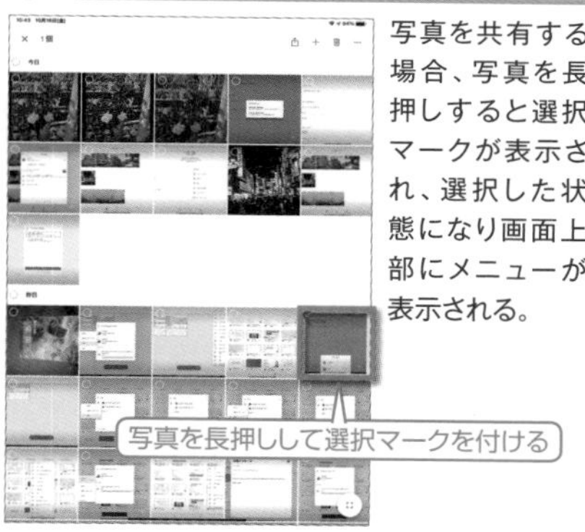

写真を共有する場合、写真を長押しすると選択マークが表示され、選択した状態になり画面上部にメニューが表示される。

2 共有ボタンをタップ

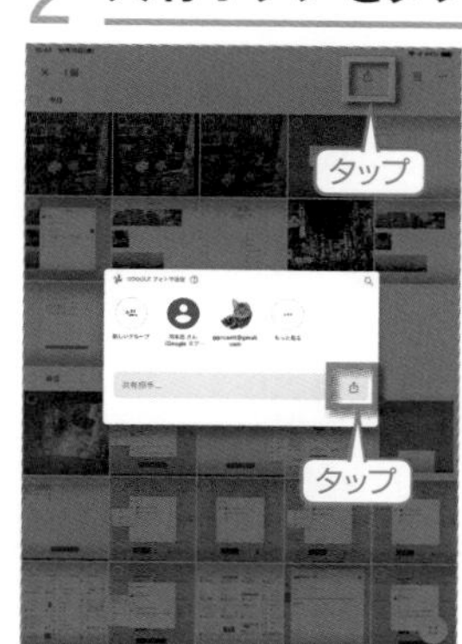

写真を共有するには共有ボタンをタップする。共有設定画面が表示される。不特定多数のユーザーと共有するにはさらに共有ボタンをタップ。

3 「リンクを作成」をタップ

共有設定画面から「リンクを作成」をタップすると共有用のURLが作成される。このリンクにアクセスすれば誰でも閲覧できる。

写真からアルバムを作成する

1 写真を選択する

アルバムに追加したい写真を選択状態にして、上部メニューの追加ボタンをタップする。

2 アルバムを選択する

作成メニューが表示される。新たにアルバムを作成する場合は、「アルバム」を選択する。

3 アルバム名を付ける

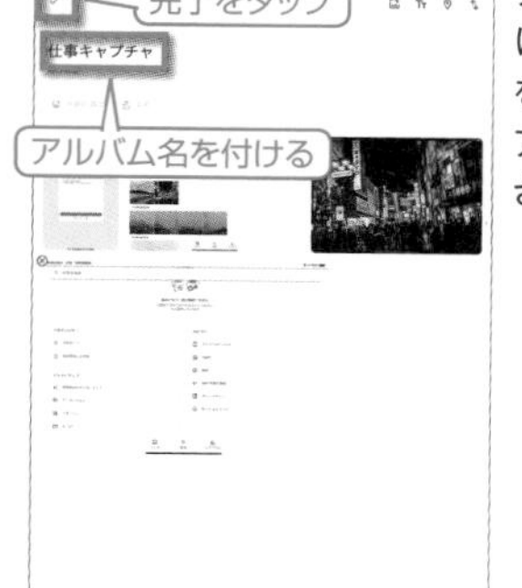

アルバム名を付けて左上の完了をタップすればアルバムが作成される。

Google Keepで気なることを素早くメモする

シンプルで高機能なメモアプリ

「Google Keep」はGoogleが提供しているメモアプリ。思いついたことを素早くメモするだけでなく、Googleユーザー同士でメモ内容を共有して共同編集することができる。また、手書きにも対応しており、Apple Pencilを使ってメモを作成できる。リマインダーを設定しておけば、指定した時間や場所でメモ内容を通知してくれる。

Google Keep
作者:Google LLC
価格:無料
カテゴリ:仕事効率化

Google Keepメイン画面

1 メニュー
タップするとラベル、アーカイブ、ゴミ箱などが表示される。

2 検索ボックス

3 メモの並び方の変更

4 タスクリストの作成

5 手書きツールの起動

6 音声によるメモ入力

7 写真の添付

8 メモの作成

メモにリマインダー機能を追加しよう

1 リマインダーボタンをタップ

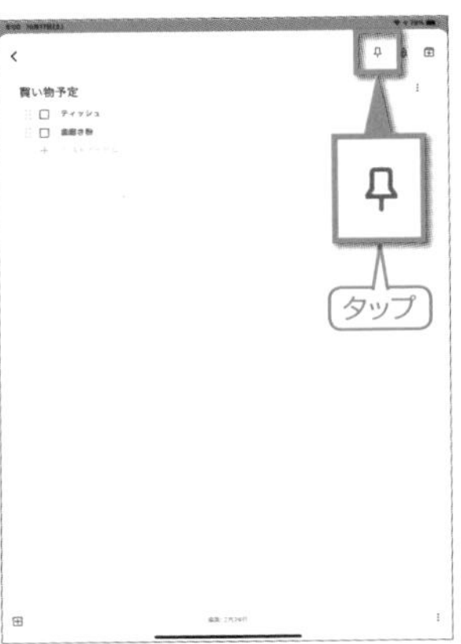

作成したメモにリマインダーを設定するには、メモ作成画面右上のリマインダーボタンをタップする。

2 リマインダー設定画面

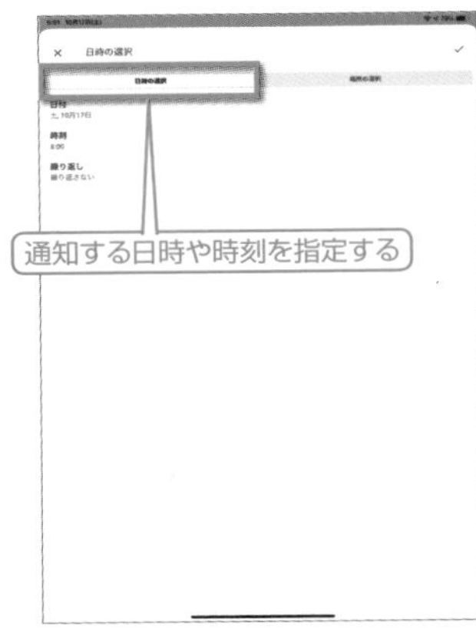

日時指定で通知してほしい場合は「日時の選択」をタップし、日付、時刻を指定しよう。通知を繰り返し設定もできる。

3 場所で選択もできる

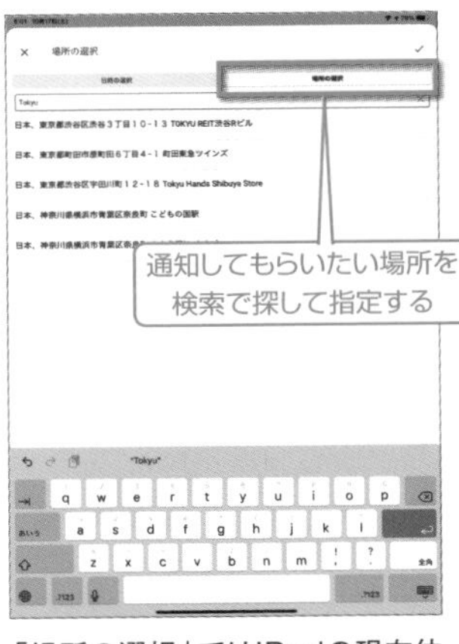

「場所の選択」ではiPadの現在位置情報を元に指定した場所に到着したときに通知するよう設定できる。

4 ホーム画面に通知される

通知設定完了後、通知条件が満たされるとホーム画面で通知してくれる。

Chapter 8
iPadで写真や
ムービーを撮影
しよう

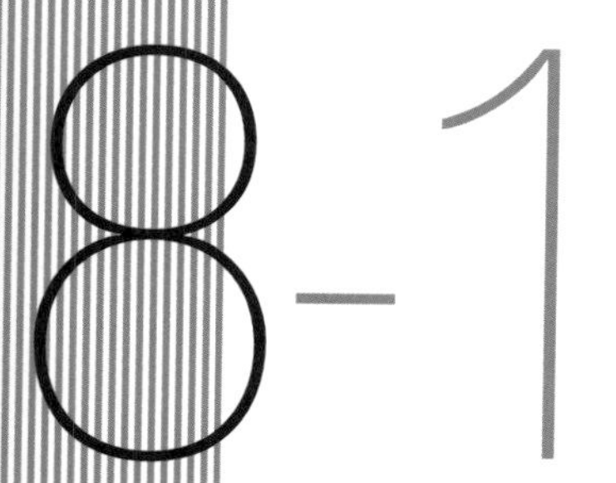

iPadで写真を撮影しよう

一目でわかるカメラ概要

ホーム画面から「カメラ」をタップする。

カメラアプリを初めて起動した際は、撮影した写真に位置情報を加えるかどうかの確認画面が表示される。位置情報の設定は後で変更することも可能。

画面で撮影する被写体を確認しながら撮影ができる。画面左のシークバーでズームイン・アウト、長押しでピント調整ができる。画面の明るい部分や暗い部分をタップすれば、光量を自動で調節することも可能だ。

Live Photos (iPad Proのみ)

前後1.5秒の動きを記録した3秒の動く写真を撮影する。

ズームイン・アウト

シークバー上の「○」を上下させることで、ズームイン・アウトが行える。ピンチイン・アウトでも同じ操作ができる。

撮影モード

撮影モードを切り替えることができる。

- ●**写真**：通常の写真撮影モード
- ●**スクエア**：正方形の写真を撮影
- ●**パノラマ**：360度のパノラマ写真を撮影
- ●**ビデオ**：ムービーを撮影
- ●**スロー**：スローモーションでムービーを撮影
- ●**タイムプラス**：長いムービーをコマ撮りアニメや早送りのように撮影。撮影時の1/10程度の長さの動画になる
- ●**ポートレイト**：背景をきれいにぼかして、被写体にピントあわせた撮影

HDR

タップすると高画質のHDR撮影に切り替えられる(オレンジ色になっていれば有効)。肉眼で見えている状態に近い画像で撮影できるが、撮影時に3枚の写真を連続撮影するのでファイルサイズが大きくなる。

セルフタイマー

セルフタイマーのオン/オフを切り替えできる。セルフタイマーは3秒と10秒が選べる。

フラッシュ (iPad Proのみ)

フラッシュを焚くことができる。「自動」にしておくと暗い場所であれば自動で発光する。

カメラの切り替え

前面カメラと背面カメラを切り替える。

カメラロール

タップすると直前に撮影した写真を確認できる。うまく撮影できたかの確認に使おう。

画面のタッチ操作だけで思い通りの撮影ができる

iPadには標準でカメラ機能が搭載されており、高解像度の写真を撮影することができます。カメラのレンズはiPad本体の前面と背面の2つが用意されており、撮影時に自由に切り替えることができます。

カメラアプリのインタフェースはシンプルですが、非常に高機能で、ズームイン・アウトや光量の調節もワンタッチで行うことができます。ハイエンドなデジカメほどの性能はありませんが、普通に撮影するだけでもかなり綺麗な写真が撮れます。撮影に慣れてきたら、連続写真（バースト）やパノラマ撮影にも挑戦してみましょう。なお、iPadの機種によって機能が若干変化します。

写真を撮影してみよう

写真アプリはピント合わせやズームなどもワンアクションでOK。設定方法をうまく使いこなすことができれば、デジカメに負けない素敵な写真を撮影することも可能になります。

1 ピントを調節する

画面内に映っている撮影したい被写体を長押しすると、自動的にピント調整が行われる。

2 ズームイン・アウト

画面左側にあるスライドバーでズームが可能。上にスライドでズームイン、下にスライドでズームアウトする。

3 光量を調節する

画面の暗い部分を長押しすると、光量が自動で調整され明るくなる。逆に明るすぎる場合は明るい部分を長押しすると暗くなる。

4 写真を撮影

撮影ボタンを軽く1度タップすると、写真を撮影できる。「カシャ」という音が鳴れば撮影完了だ。

5 バーストモードで撮影する

撮影ボタンを長押しするとバーストモード（高速連撮機能）で撮影できる。長押ししている間連続撮影し、指を離すと撮影が終了する。

6 HDRで撮影する

メニューから「HDR」をタップしてオレンジにすると、HDR撮影が可能になる。写真のファイルサイズが大きくなるが、肉眼で見た色合いに近い写真が撮影できる。

パノラマ写真の撮影に挑戦

1 「パノラマ」を選択

撮影モードから「パノラマ」を選択すると、パノラマ撮影に切り替わる。

2 カメラを動かす

撮影ボタンをタップしたら、ゆっくりとカメラを矢印の方向に動かす。もう1度タップすると撮影を停止する。

3 パノラマ撮影が完了

上のようなパノラマ写真を撮影することができる。「写真」アプリから撮影した画像を確認しよう。

「写真」で撮影した写真を整理・鑑賞する

一目でわかる「写真」の基本画面

ホーム画面から、写真のアイコンをタップして起動する。

日付

ライブラリ内の写真をカレンダーの表示形式のように「年別」「月別」「日別」で並び替えることができる。

選択

写真を選択する。複数の写真を選択して一括処理するときに便利。

サイドバー

タップすると表示され、「For You」「ピープル」「撮影地」などさまざまな条件で写真をフィルタリング表示できる。

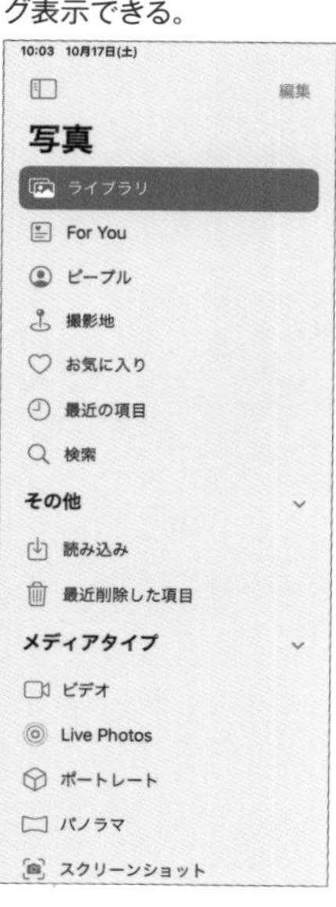

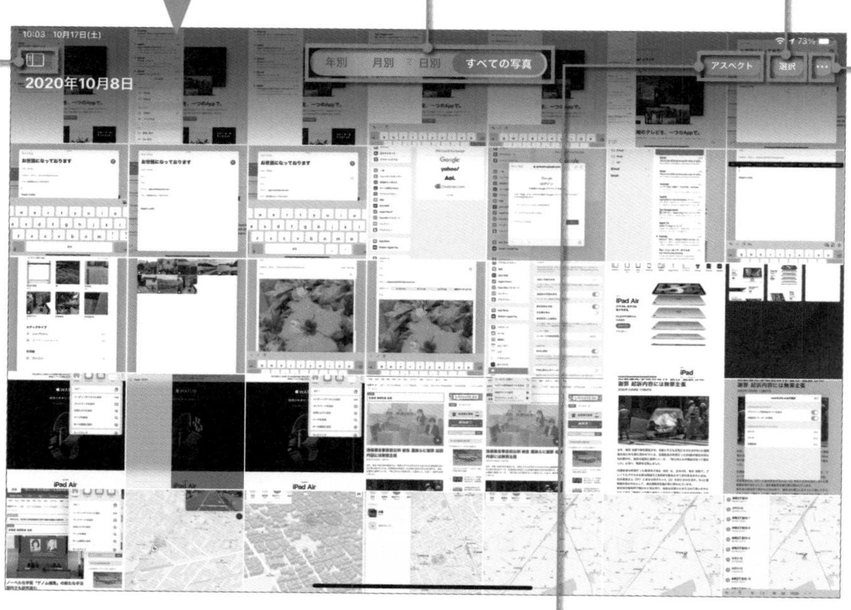

比率

「アスペクト」にすると写真のオリジナルの比率形式で一覧表示してくれる。「スクエア」にすると正方形で一覧表示してくれる。

アクションメニュー

タップするとアクションメニューが表示される。写真を拡大したり縮小したり、そのほかさまざまなフィルタを使って絞り込み表示することができる。

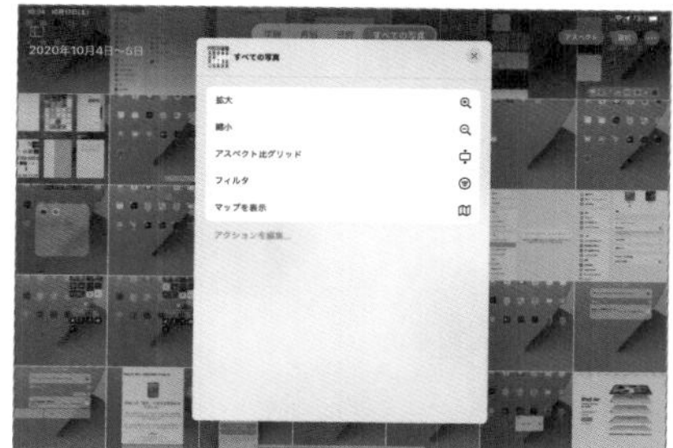

「写真」アプリで写真や動画を自由に整理・閲覧できる

iPadで撮影した写真は、「写真」アプリから閲覧することができます。アプリを起動してメニューから「写真」を選択すると、撮影した日付ごとに写真が一覧表示されます。「撮影地」「ピープル」や各アルバムなど、写真を分類した形で閲覧したい場合は「アルバム」を選択します。また旅行やイベントなどで、撮影場所や撮影時期が近い画像が増えると「For You」に自動でスライドショーが作成されます。

開いた写真は、左右にフリックすると次の写真に切り替えることができます。写真を家族や友人と共有したい場合は、開いた写真の個別メニューから「共有」を選びましょう。

写真やビデオを閲覧・削除する

サムネイルから閲覧したい写真をタップすると、写真を開いて閲覧できます。写真の拡大や縮小も自由自在です。不要な写真はまとめて削除できるので、写真の整理も簡単にできます。

1 写真を開く

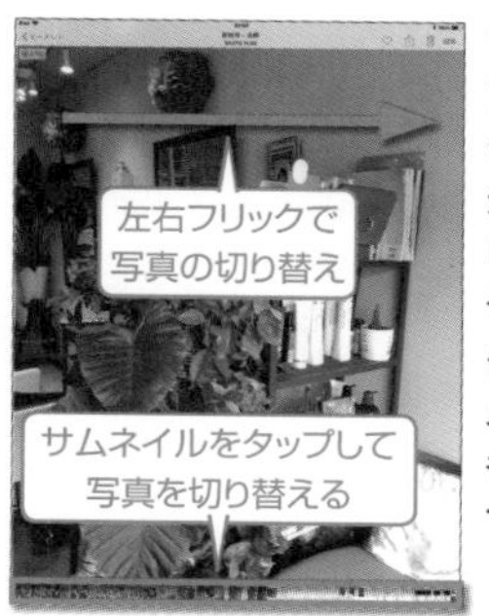

サムネイルをタップすると写真やビデオが全画面で表示される。左右にフリックすると写真を切り替えることができる。画面下のサムネイルをタップしても切り替えることができる。

2 写真を拡大・縮小する

写真をピンチアウトすると拡大し、ピンチインすると縮小できる。元のサイズに戻したい場合は写真をダブルタップしよう。

3 写真を削除する

写真を削除したい場合は、右上にあるごみ箱アイコンをタップして「写真を削除」を選択しよう。

4 写真を複数選択する

複数の写真をまとめて削除することも可能。右上の「選択」をタップしよう。

5 写真を選択して削除

削除したい写真をタップしてチェックを入れる。右下のごみ箱アイコンをタップすると、洗濯した写真を一括で削除できる。

6 写真を共有する

写真をTwitterやFacebookに投稿したりメールで送りたい場合は、「共有」ボタンをタップ。共有したいアプリを選択しよう。

アルバムを作成して写真を分類する

1 アルバムを開く

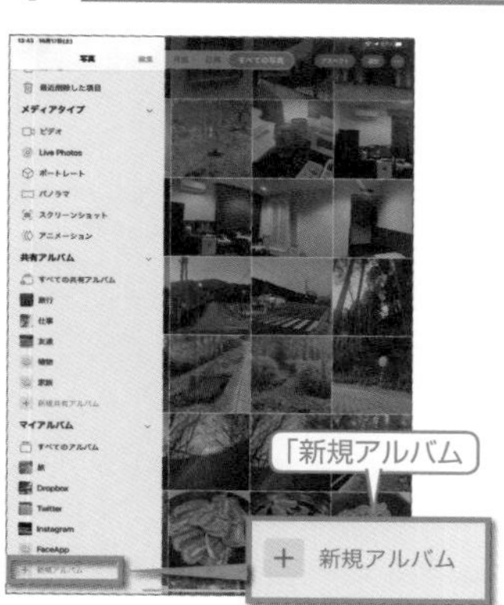

イベントごとに写真を分類したい場合は、アルバムを新規に追加しよう。サイドバーを開き「新規アルバム」をタップする。

2 アルバムに名前を付ける

新規アルバム作成画面が表示されるので、アルバム名を付けて「保存」をタップする。

3 アルバムに追加する写真を選択

写真選択画面に移動するので、アルバムに追加する写真を選択する。「完了」をタップするとアルバムが完成する。

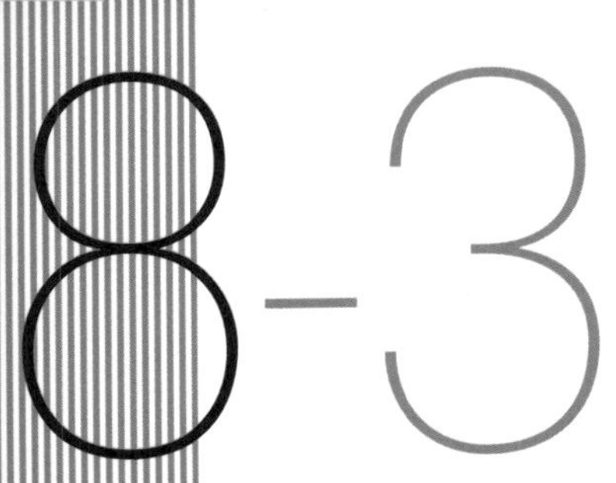

「カメラ」で動画を撮影してみよう

一目でわかる「カメラ」動画撮影の基本画面

カメラの撮影モードを「ビデオ」にかえる。

ホーム画面から「カメラ」をタップして起動する。

カメラの切り替え
全面カメラと背面カメラを切り替える。

撮影ボタン
タップして撮影を開始、もう一度タップすると終了。

カメラロール
タップすると直前に撮影した動画を見ることができる。

タイムラプス動画
一定の感覚を空けて写真を撮り、それをつなぎ合わせた動画。およそ1分間の撮影で5秒の映像となり、スピード感を表現することができる。

録画時間
撮影している動画の録画時間が表示される。

ズームイン・アウト
シークバーを上下にスワイプするとズーム（上がズームイン、下がズームアウト）。撮影中でも有効で、写真と同じくピンチイン・アウトでも同じ操作ができる。

スローモーション動画
タイムラプスとは逆で、通常の速度の4倍～8倍のコマ数で撮影する。

撮影時の画質を設定

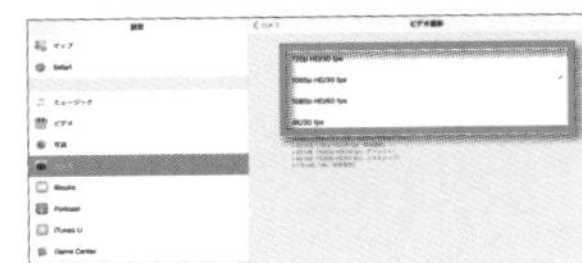

設定から「カメラ」を開いて「ビデオ撮影」「スローモーション撮影」の画質を設定できる。下へ行くほど高画質・高フレームレートの動画を撮ることができる（4K画質の撮影はiPad Proのみ）。

標準的な撮影
「ビデオ」を選択すると通常の動画を撮影する。

動画の撮影

1 撮影モードをビデオにする

写真の撮影モードをスワイプしてビデオに変える。撮影ボタンが赤に切り替わり、タップすると撮影が開始される。

2 ビデオを録画中する

録画中にズームやカメラの切り替えなども自由にできる。録画時間は画面上部に表示されているので確認しよう。撮影ボタンをもう一度タップすると録画を終了する。

3 サムネイルから動画を確認

撮影が完了したあと、撮影ボタンの下にあるカメラロールのサムネイルをタップすることで、素早く動画を確認できる。

iPadのカメラは長時間動画の撮影も可能

iPadの「カメラ」アプリは動画を撮影することも可能です。アプリを起動したら、撮影モードを「ビデオ」にしましょう。そのまま撮影ボタンを押せば、動画の撮影が開始されます。撮影モードの「スロー」を選ぶとスローモーション撮影が、「タイムプラス」を選ぶとスローモーションとは逆の、コマを落とした早送り撮影ができます。

撮影した動画は、動画の前後をカットする「トリミング」を行って編集することもできます。撮影する動画の解像度は、設定の「カメラ」から変更することができますが、IPadの機種によって設定できる解像度の項目は若干異なります。

動画の編集

iPadで撮影した動画に不要な部分があれば「写真」アプリを起動して、動画を編集しましょう。動画の前後の部分をカットする「トリミング」を行うことができます。

1 「写真」アプリを開く

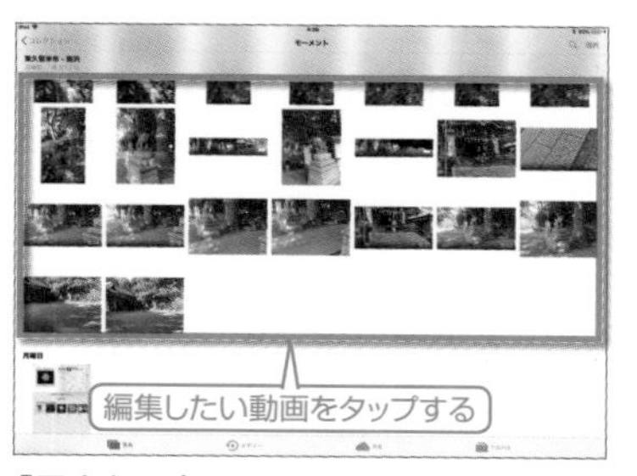

「写真」アプリを開いて、トリミングしたい動画をタップする。

2 編集画面を開く

動画の右上にある「編集」ボタンをタップすると、編集画面に切り替わる。下段のシークバーで動画の範囲を変更できる。

3 フレーム左端を開始点に合わせる

シークバーの「<」を動かして、動画を開始したいシーンに合わせる。

4 フレーム右端を終了点に合わせる

シークバーの「>」を動かして、動画の終了点を設定する。再生ボタンで選択した範囲内を再生できる。

5 「完了」でトリミングを完了させる

「完了」をタップすると「新規クリップとして保存」が表示されるので、タップしてトリミングした動画を保存する。

本格的な編集をする場合はiMovieを使おう!

編集した動画をつなぎ合わせたり音楽を付けてみたい場合は、「iMovie」を使ってみましょう。標準アプリですがかなり本格的な編集が可能なので、ちょっとしたクリップ動画も作成できます。128ページで使い方を紹介しているので、参考にしてみましょう。

スローモーションで撮影

1 撮影モードから「スロー」を選択

動画をスローモーションで撮影したい場合は、撮影モードで「スロー」を選択しよう。撮影手順は通常の動画撮影と同じだ(「タイムプラス」も同様)。

2 録画した動画をチェック

撮影を終了したらカメラロールをタップして、思い通りの映像が撮れているかを確認しておこう。

パソコンでスロー動画を再生するには?

iPadで撮影したスロー動画をパソコンに移動して再生すると、再生速度が変わってしまうことがあります。OS XがMavericks以前のMacやWindowsでは、スロー再生がうまくできません。OS XがYosemite以降のMacであればスロー再生に対応しているので覚えておきましょう。

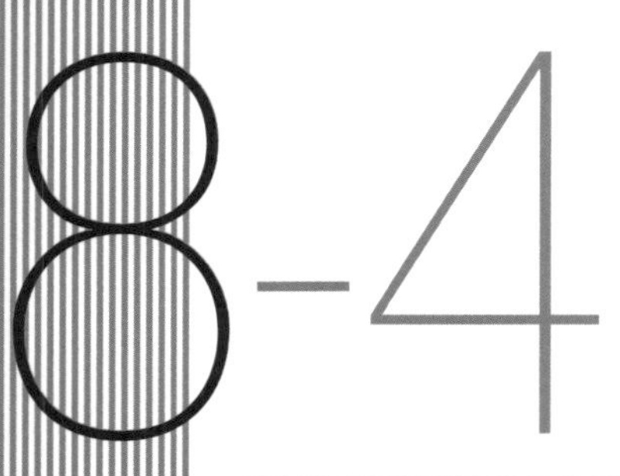

「写真」アプリで撮影した写真を編集しよう

編集機能を使って写真を補正する

編集

「編集」をタップ

写真を編集するには、対象の写真を開き右上の「編集」をタップする。

完了ボタン
レタッチ終了後にタップして作業を完了させる。

オプションメニュー
マークアップやほかのレタッチアプリの機能を利用できる。

色調補正
タップすると色味や明るさ、コントラスタなどの調節を行うメニューが表示される。

スライダー
各色調補正メニューの強さを調節する

フィルタ
写真に適用可能なフィルタが表示される。

切り抜き
写真を回転したりトリミングしたりできる

自動補正
色調補正時にタップすると自動で写真を補正できる。補正調節は隣のスライダーで調節できる。

色調補正のメニュー
イライト、露出、シャドウなどさまざまな色調補正メニュー

1 色調補正する項目を選択する

色調補正するには左側メニューから色調補正ボタンを選択し、右側で項目を選択する。スライダーで調節しよう。

2 元に戻す

「写真」アプリでレタッチした写真は、あとでオリジナルに戻すこともできる。編集画面を開き右上の「元に戻す」から「オリジナルに戻す」をタップしよう。

iPadには高度なレタッチ機能も搭載!

「写真」アプリは撮影した写真を閲覧したり、アルバムで分類するだけでなく、編集することもできます。ハイライト、露出、シャドウなど明るさや色味に関する編集項目が15個も用意されており、各項目を手動で細かく調整することができます。手動で調節するのが苦手な人は自動補正機能を使えば、タップ1つできれいに補正してくれます。

フィルタも用意されており約10種類のフィルタを使って簡単に味わい深い写真に変えることができます。なお、「写真」アプリで編集した写真はあとでオリジナルの状態に戻すことができます。

マークアップを使って写真に注釈を入れる

「写真」アプリではマークアップ機能を使って写真に落書きしたり、注釈を入力することができます。使い方は「メモ」アプリの手書きツールとほとんど同じです。また、マークアップで付けた注釈もオリジナルに戻すことができます。

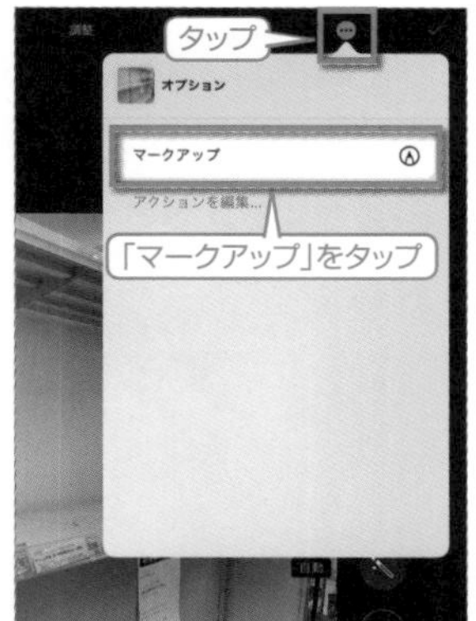

1 マークアップを起動する

写真の編集画面右上にある「…」をタップして、「マークアップ」をタップしよう。

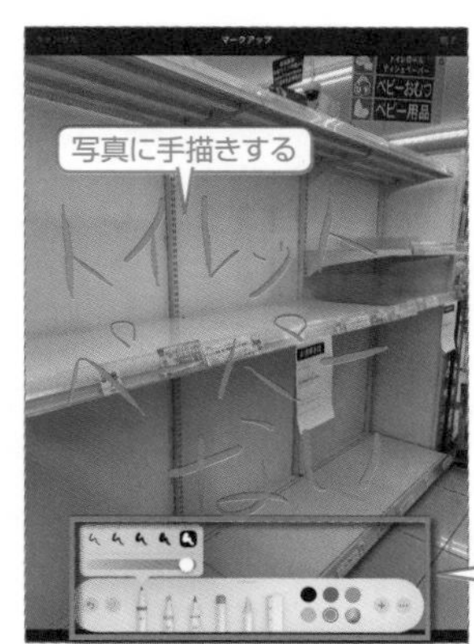

2 マークアップで手描きする

マークアップ画面が起動する。ペンとカラーを選択して写真に直接手描きしよう。ペンの太さも変更できる。

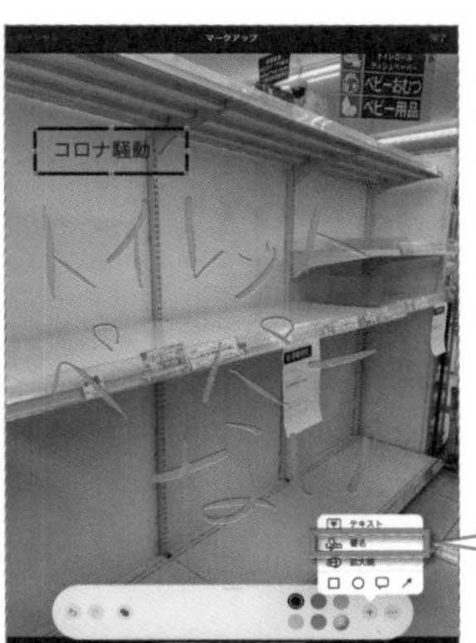

3 シェイプやテキストを入力

カラーパレット右にある「＋」をタップするとメニューが表示される。シェイプ、テキスト、署名入力ができる。

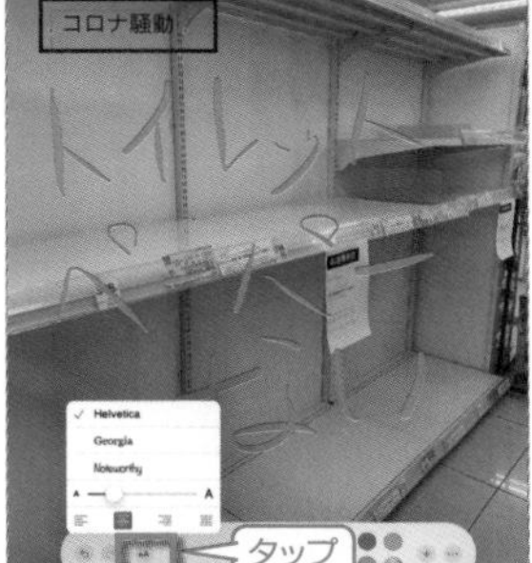

4 フォントをカスタマイズする

入力したテキストのフォントや大きさはカスタマイズできる。左下のフォントボタンをタップしよう。

写真と同じように動画編集も簡単にできる

iPadの最新版では動画も写真のように簡単に編集することができます。アスペクトをタップ1つで変更したり、明るさや色彩を調整することができます。

1 動画の編集画面

写真アプリ内の動画を開き編集画面に移動する。画面左に明るさ調整、フィルタ、切り抜きなどのツールが設置されている。

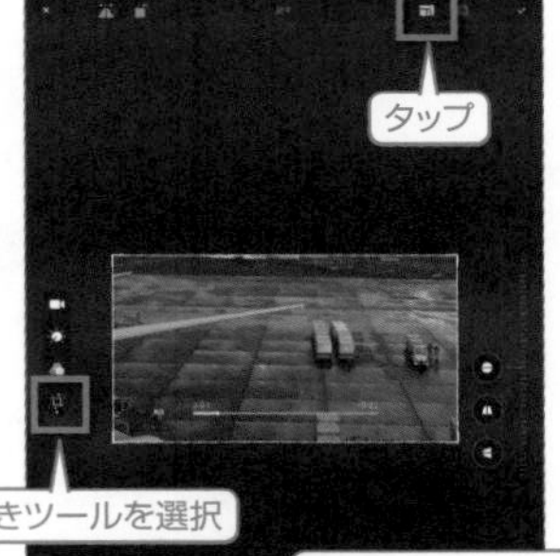

2 アスペクト比を変更する

アスペクト比を変更するには切り抜きツールを選択し、上部メニューからアスペクト比ボタンをタップ。下部からアスペクト比を選択しよう。

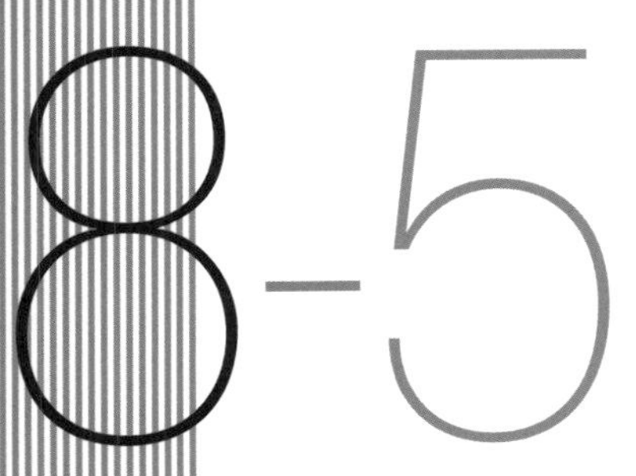

「iMovie」で本格的な動画編集に挑戦!

一目でわかる「iMovie」の基本画面

ホーム画面のアイコンをタップして「iMovie」を起動する。

「プロジェクトの新規作成」をタップして「ムービー」を選択する。

ヘルプ
アイコンの説明や、選択しているメディアの操作方法を表示する。

選択したメディアの操作を表示

メディアを追加
タイムラインに動画や画像、音楽を追加する。

プロジェクト設定
プロジェクトに対してエフェクトやBGMなどの設定を行うことができる。

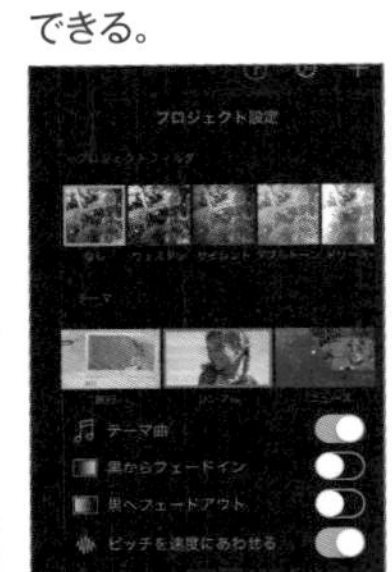

完了ボタン
動画の編集を終了する。

フレーム
シークバーがある位置のフレームを表示。

マイク
タップして音声を入力することができる。

タイムライン
追加された動画や画像･音楽を編集する。

オーディオ波形
音楽の波形の表示を切り替える。

カメラ
タップすると動画を撮影し、タイムラインに追加する。

戻る
各メディアの先頭までシークバーを戻す。

再生
編集中のプロジェクトをシークバーの位置から再生する。

やり直し
一つ前の操作に戻す。

新規プロジェクトを追加する

1 ムービーを選択

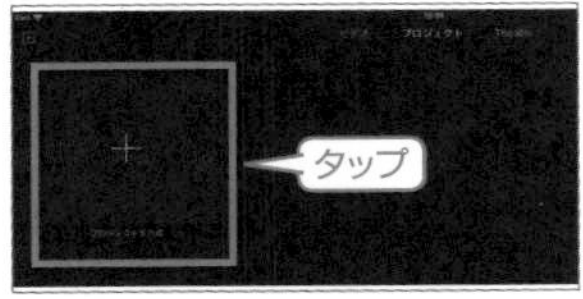

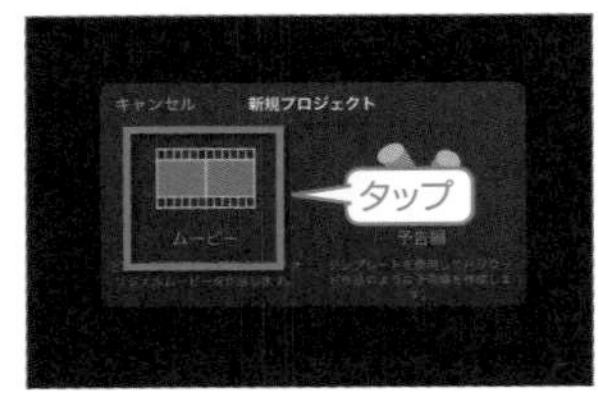

「プロジェクトを作成」をタップして、「ムービー」を選択する。

2 編集したい動画を選択する

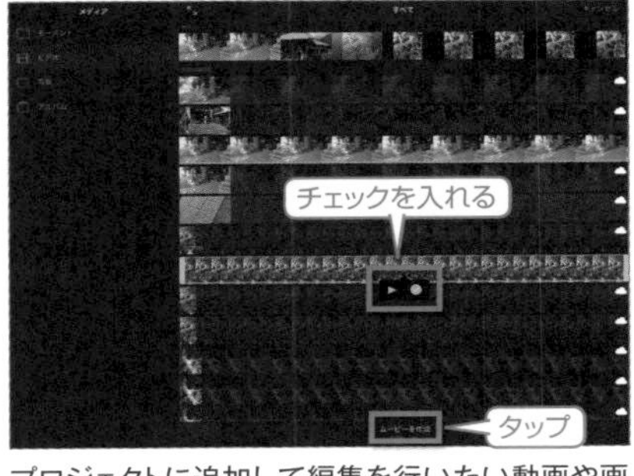

プロジェクトに追加して編集を行いたい動画や画像を選択してチェックを入れる。動画や画像は、いくつでも選択できる。「ムービーを作成」をタップして編集を開始する。

3 プロジェクト画面を表示

タイムラインに追加された動画（メディア）をタップで選択して、メニューから編集を行おう。

手軽な操作で本格的な動画編集が可能

「iMovie」は、複数の動画や画像、音楽を「プロジェクト」として一つにまとめて編集するアプリです。動画の並べ替えやトリミング・カット、動画ごとや全体にフィルタを設定したり、シーンの切り替えを設定することができます。タイトルをつけたり、全体にBGMをつけることもできます。編集したプロジェクトは、動画に変換して保存することができます。iTunesに送ることで、プロジェクトのままMACと共有する、といったことも可能です。

今回は、撮影した動画の編集方法について紹介していますが、「予告編」を選択した場合、映画の予告のような動画も簡単に作ることができます。

動画を編集する

新規プロジェクトとして追加した動画や画像は、作成した時点である程度つながっています。それらをメニューから好みに合わせて順番を変えたり、カットして完成度を高めていきましょう。

1 動画の並べ替え

タイムラインに配置された動画や画像は、ドラッグ&ドロップで自由に再生する順番をかえることができる。

2 動画をカットする

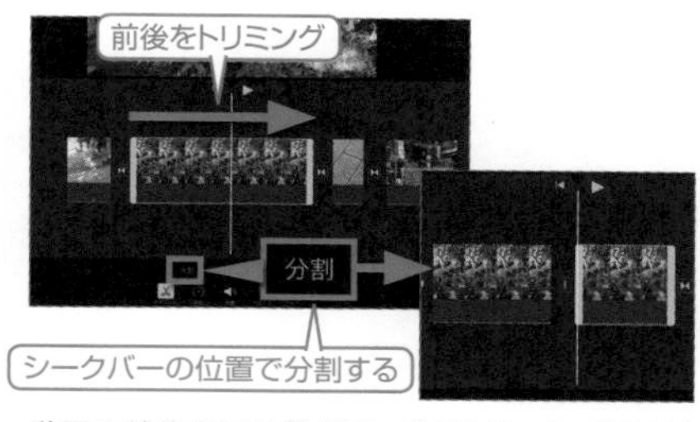

動画の前後を切る「トリミング」以外にも、「分割」を選択して動画を2つに分割することもできる。さらに、分割した動画の移動やトリミングも可能。

3 再生速度を変える

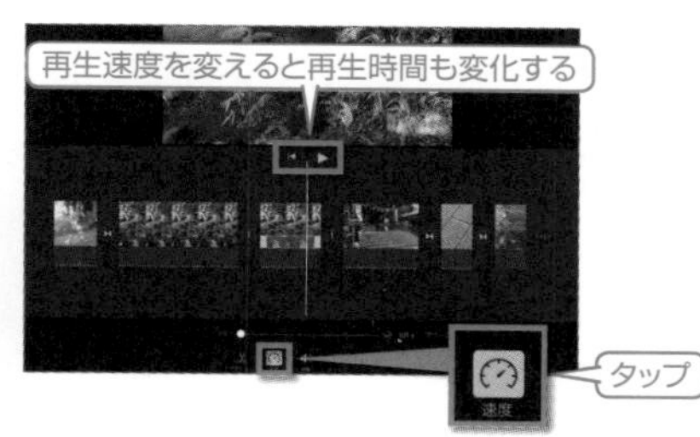

動画をタップしたときのメニューから、「速度」をタップすると再生時間を遅くしたり速くすることができる。

4 場面切り替えの変更

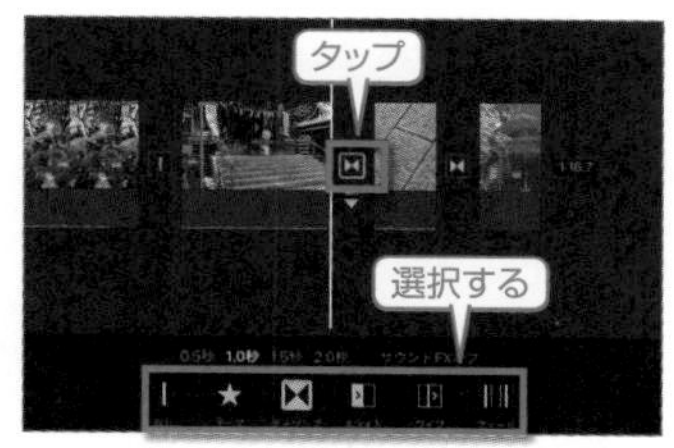

場面切り替えの種類も、時間や種類を変更することができる。切り替えのアイコンをタップして、メニューから変更しよう。アイコンの下のマークをタップすると詳細が確認できる。

5 動画にフィルタをかける

「フィルタ」をタップするとメディアとして追加された、それぞれの動画にフィルタをかける。全体に同じフィルタを使う場合は、プロジェクト設定から行おう。

6 タイトルの追加

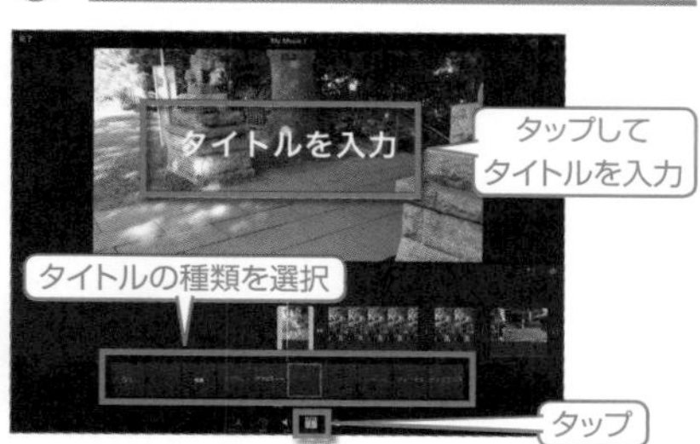

タイトルを入れたい動画をタップして、メニューから「タイトル」をタップ。タイトルの種類を選択したら、フレームをタップしてタイトルを入力しよう。

BGMを加えて保存する

1 BGMを選択する

右上の「＋」をタップして「メディアを追加」をタップして、「オーディオ」をタップしてBGMを選ぼう。「テーマ曲」に含まれている曲は、自由に使うことができる。

2 BGMを加える

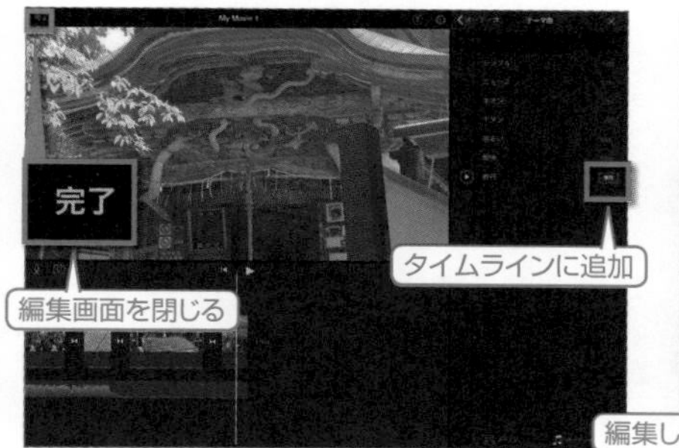

テーマ曲の中から、曲を選び「使用」をタップするとタイムラインに追加される。BGMを追加したら完了をタップする。

3 動画ファイルに変換する

プロジェクトの編集画面を閉じたら、共有メニューを開く。「ファイルに保存」を選ぶと、クラウドまたはiPadに保存。「ビデオを保存」を選ぶと「写真」からみることができる。

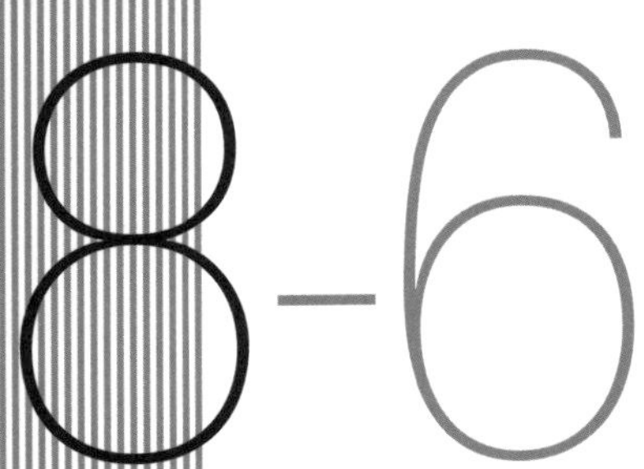

8-6 iCloudを利用しよう

Apple IDでデータが共有できる

iPadでは、Appleが提供する便利な共有サービス「iCloud」が利用できます。メールや連絡先、カレンダー、写真などのデータをiCloudのサーバを経由して、同じApple IDを利用している他のiOS機器やパソコンでも利用できるようにするものです。また、iCloudサービスの1つ「iCloud Drive」は「Dropbox」のようなクラウドでのファイル共有サービスとして活用できます。標準では無料で5GB利用することができ、ストレージが足りない場合はストレージ管理画面から容量を追加購入することができます。

iCloudを設定する

1 iCloudの設定を開く

「設定」→「自分の名前」とタップして、「iCloud」をタップする。

2 共有して使いたい設定をオンに

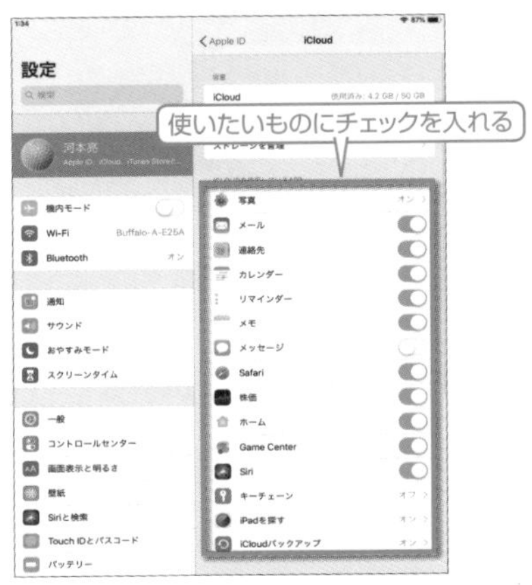

「iCloud」の画面を開いたら、同期して利用したい項目をオンにする。

iCloudで同期できる主なデータ

写真	iPadの写真はもちろん、iPhoneの写真などカメラロールに保存された写真をiCloud上から同期して、閲覧できる。
連絡先/カレンダー/リマインダー	連絡先に入力された情報、カレンダーの予定、リマインダーの情報を他の機器と同期できる。
Safari	ブックマークを他の機器と共有できる。
メモ	メモアプリに記入した内容を、他の機器と同期することができる。
キーチェーン	Safariで利用するIDやパスワードを、他の機器でも利用できる。
iPadを探す	iPadの紛失時に、遠隔操作でロックしたりメッセージを送信することが可能になる。

iCloud Driveを使う

Macの場合は、OS自体に「iCloud」の機能があるため、とてもスムーズにファイルの共有を行うことができますが、Windowsの場合は「Windows用iCloud」を導入すると便利です。ブラウザで「iCloud.com(https://www.icloud.com/)」から、「iCloud Drive」を選択すると導入を促されます。

1 iCloud Driveを有効にする

iCloud Driveを有効にしたら「ファイル」から利用しよう。Dropboxのようなクラウドサービスとして活用することができる。

2 WindowsにiCloud Driveを導入する

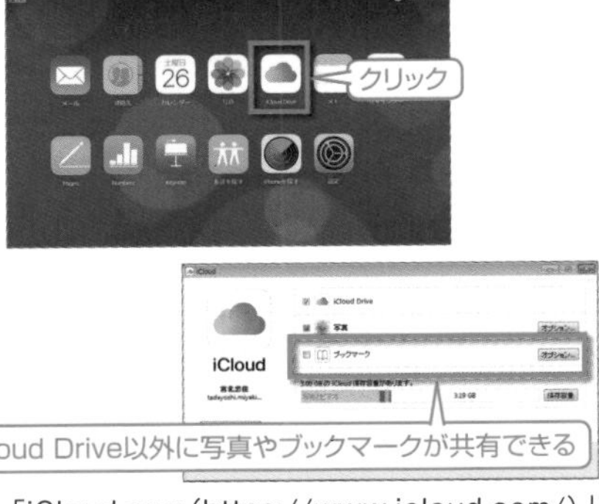

「iCloud.com(https://www.icloud.com/)」にログインして、iCloud Driveをクリック。指示に従ってインストールすると、設定からiCloud Driveや「写真」などの共有設定が可能になる。

3 Windowsでもファイルが共有される

iPad内のiCloud Driveにあるファイルが、Windowsパソコンでも自動で共有される。

Chapter 9

困ったときのQ&A

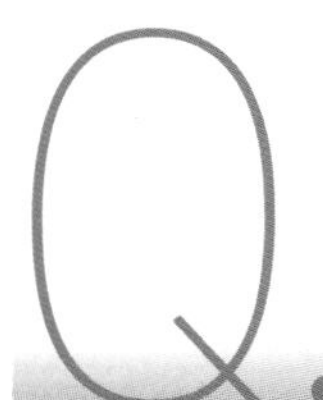

iPadの容量がいっぱいになってしまったのだが?

A. 不要なコンテンツやアプリを削除して容量を開けよう

写真や動画の撮影、アプリのダウンロードによって、iPadの空き容量は少なくなっていきます。便利なiCloudでの共有も使いにくくなりますし、iPadの安定的な動作のためにも定期的に容量を開けるようにしましょう。消削除した写真はそのままではゴミ箱に残っているので完全に削除する必要があります。またAppleミュージックの定額化によって曲をどんどんダウンロードしている人もいるでしょう。しかし、電子書籍などと比較して多くの容量を使います。容量不足を感じたら現在聞かなくなった曲を消しておきましょう。

1 使用中の容量を確認する

設定から「一般」→「iPadストレージ」を開く。表示されるグラフで、どのコンテンツ・アプリが容量を圧迫しているのか確認できる。

2 ファイルを完全に削除する

「写真」には削除したファイルは完全に削除されずゴミ箱に残っている。「"最近削除した項目"アルバム」をタップすれば完全に削除でき、ストレージ容量を確保できる。

3 不要なアプリを削除する

「非使用のAppを取り除く」から「有効にする」をタップする。この設定を有効にすると、長く使っていないアプリを自動で消してくれる。

4 聞かなくなった曲を消す

「ミュージック」アプリにダウンロードして、聞かなくなった曲は「…」ボタンのメニューから「ライブラリから削除」を選択することでiPadから削除できる。

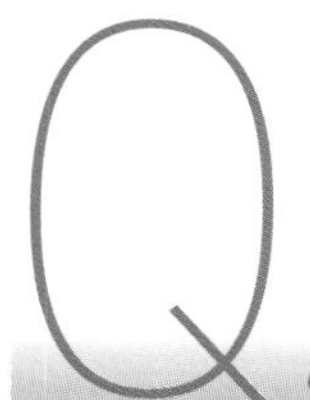

Q. アプリの数が多くなって目当てのアプリが探せない

A. アイコンをロングタップしてフォルダ分けをしよう

アプリの数が増えてくると、ホーム画面のどこにあるのか探すだけでも大変になってきます。使い方が似ているアプリは、同じフォルダに入れて分けておきましょう。まず任意のアイコンをロングタップします。アイコンの右上に「×」の削除アイコンが表示されたら、まとめたいアイコンを重ねることでフォルダ分けができます。

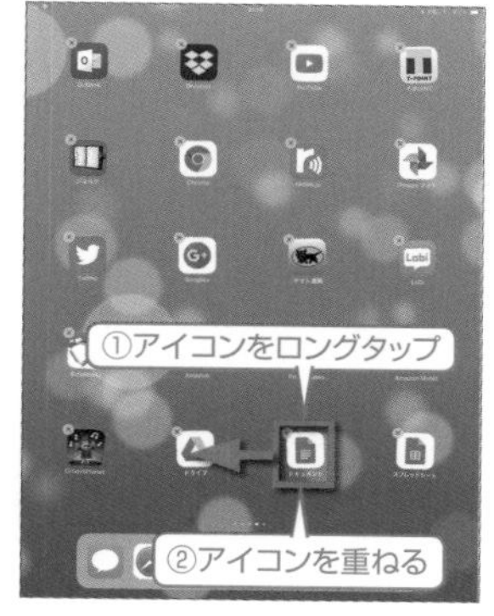

1 任意のアイコンをロングタップ

まず、任意のアイコンをロングタップする。アイコンが震えるアニメーションになったら、フォルダにまとめたいアプリのアイコンを重ねる。

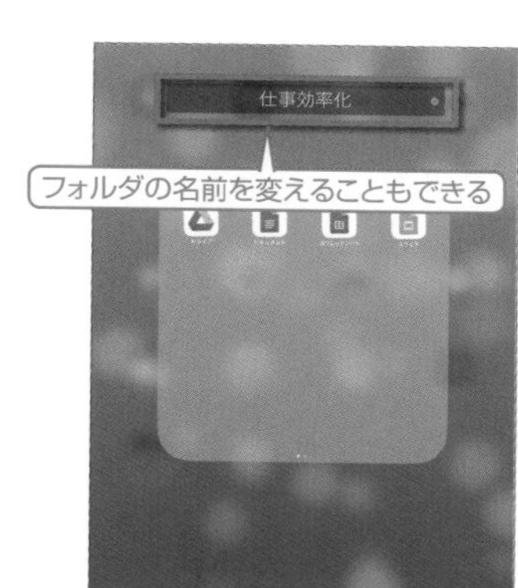

2 アイコンをフォルダ分けする

アイコンを重ねるとフォルダにまとめられる。他のアイコンをドラッグしてフォルダにまとめよう。フォルダ名は自動でつけられるが、タップして好きな名前に変更できる。

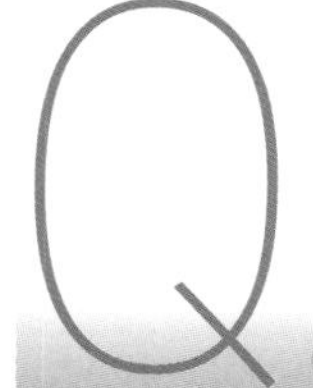

Q. Apple IDのパスワードを忘れてしまった

A. パスワードリセットで新しいパスワードを設定しよう

設定したときの質問を把握していれば、パスワードの再通知が利用できますが、紛失している場合には、Safariで「Apple ID」で検索し「https://support.apple.com/ja-jp/apple-id」を開いて「アカウントの管理」画面を開きましょう。「Apple IDまたはパスワードをお忘れですか?」から再設定を行うことができます。

1 Apple IDアカウントの管理ページを開く

Safariで「アカウントの管理」画面を開く。Apple IDを入力して「Apple IDまたはパスワードをお忘れですか?」をタップし、「パスワードをリセット」を選択して「続ける」をタップ。

2 メールを開いてパスワードを設定

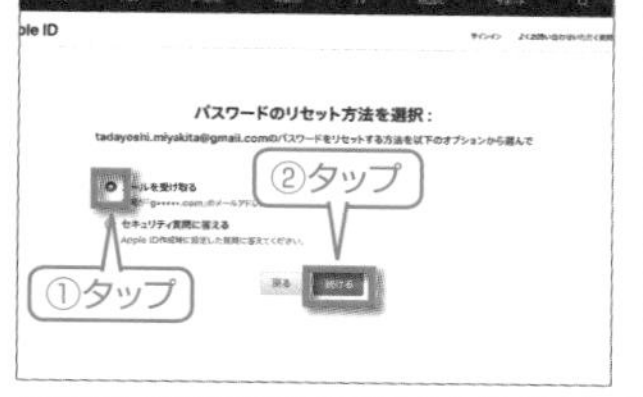

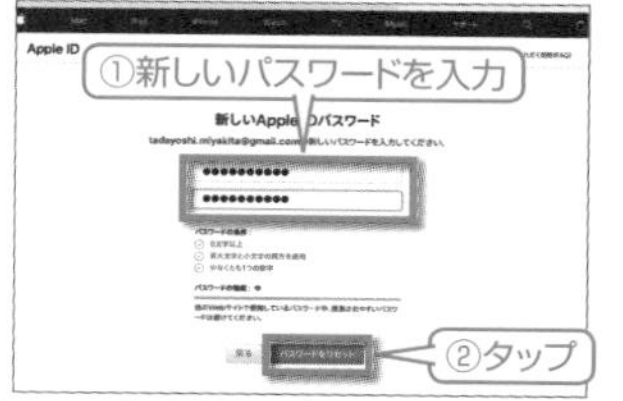

リセット方法について聞かれるので、「メールを受け取る」をタップする。受信したメールを開くと、パスワードをリセットできるページが開かれるので新しいパスワードを入力しよう。

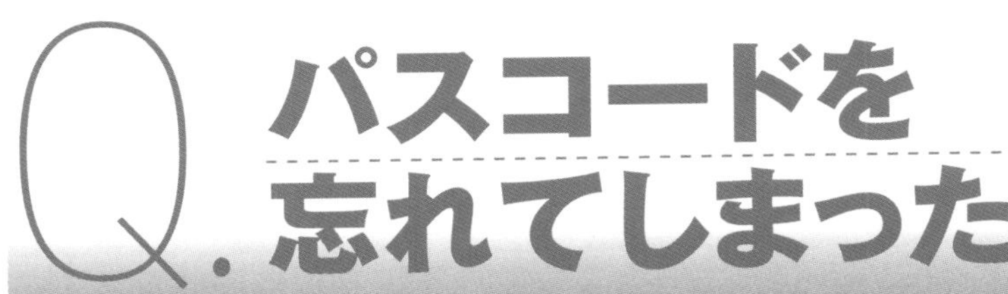

Q. パスコードを忘れてしまった

A. 「iPhoneを探す」を使ってiPadを初期化しよう

パスコードを忘れてしまうと、再びiPadを利用できるようにするには、初期化以外に方法がなくなってしまいます。パソコン版のiTunesによるバックアップを行っていれば、初期化してパスコードの設定後に、復元を行うことができます。初期化には、パソコンのブラウザからiCloudの「iPhoneを探す」にアクセスするか、他のiPad·iPhoneから「iPhoneを探す」を開く必要があります。Android機種でも、標準のブラウザから「PC版サイト」を開くことで、ブラウザ版のiCloudを利用することができます。

「iPhoneを探す」でiPadを初期化

1 ブラウザでiCloudを開く

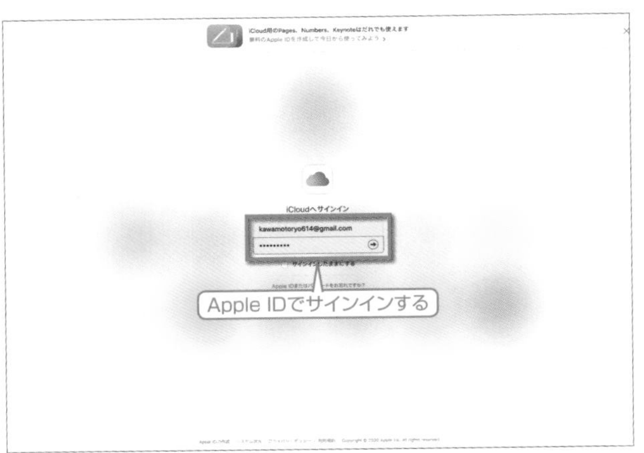

まず「https://www.icloud.com」をパソコンのブラウザで開いて、Apple IDを使ってサインインを行う

2 「iPhoneを探す」を選択

表示されたメニューから、「iPhoneを探す」をクリックして開く。

3 初期化を行う

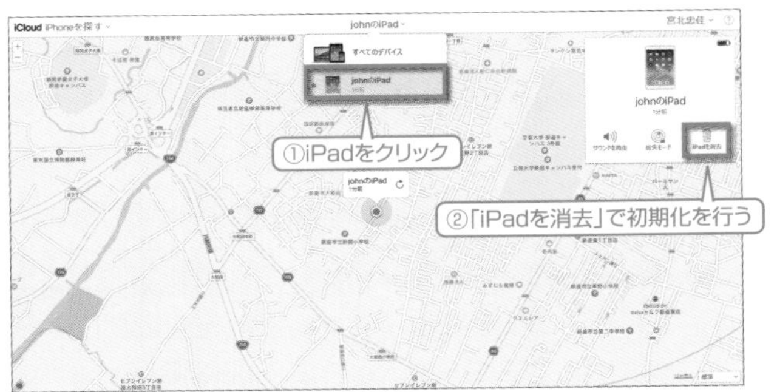

iPadを選択して「iPad」を消去をクリックする。このメニューからiPadの初期化が行われる。初期化が完了したら、初期設定でパスコードを設定し直そう。

4 バックアップを復元する

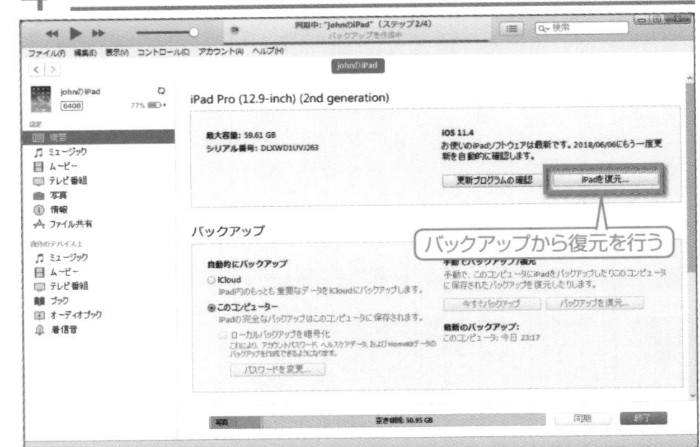

パソコンとiPadをUSBケーブルで接続し、iTunesから「iPadの復元」を選んでiPadの設定などを復元しよう。

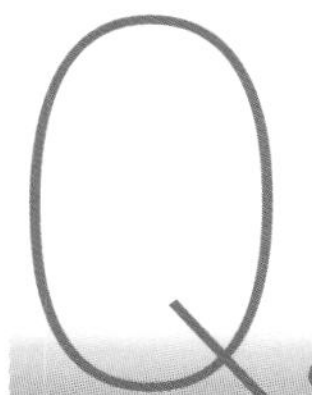

バッテリーをもっと長持ちさせたい

A. iPadの設定を見直そう

iPadのバッテリーはかなり容量が大きいですが、それでも標準の設定のまま使っていると、減りが早く感じることもあるでしょう。バッテリーを長持ちさせる設定はいくつかあります。以下のように設定しておけば、より長く使うことができるようになるでしょう。画面の明るさを調整したり、余計な通信を切るようにする設定は効果が高くなります。また、iOSの古いバージョンでは、最新のものよりも消費電力が多いこともあります。なるべく最新版のiOSを利用するようにしましょう。

消費電力の多い設定を見直す

1 アプリの消費電力を確認

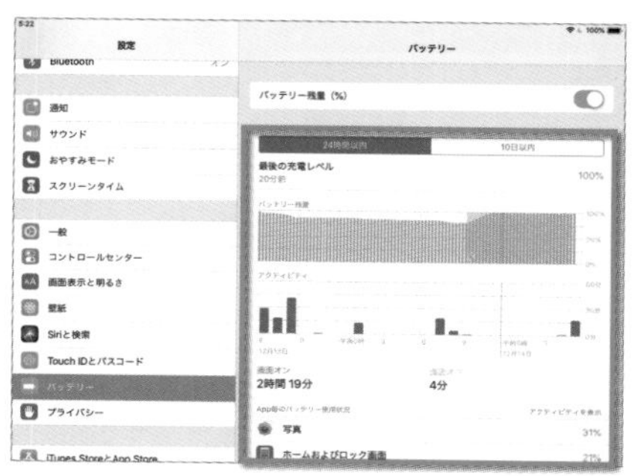

設定から「バッテリー」を開くことで、各アプリがどれだけ消費しているかを確認することができる。

2 画面の明るさを落とす

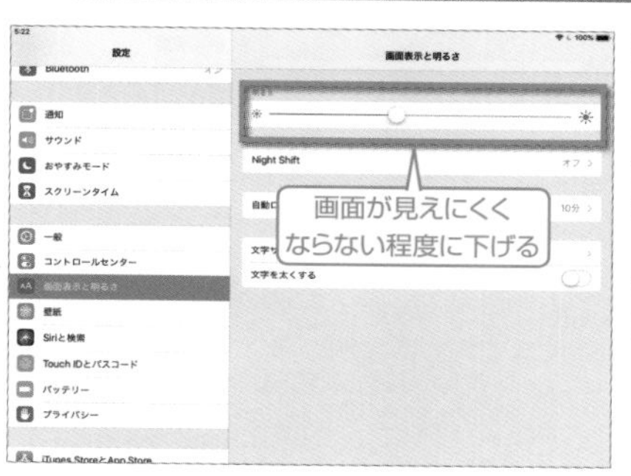

設定から「アクセシビリティ」→「画面表示とテキストサイズ」を開いて、「明るさの自動調節」をオフにして、「画面表示と明るさ」から画面の明るさを下げよう。

3 アプリのバックグラウンド更新を止める

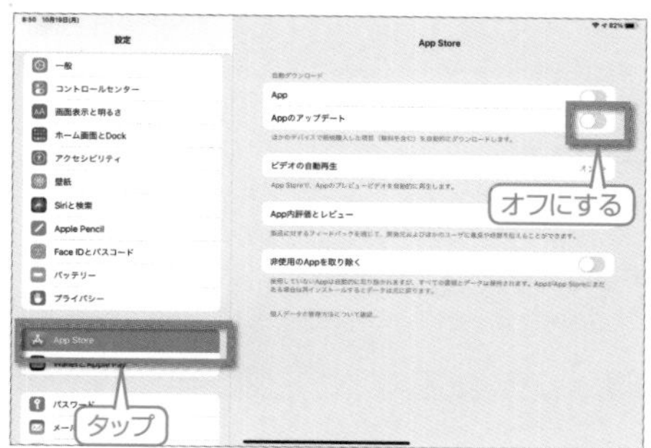

アプリのアップデートを、自動で行わないように止めておこう。設定の「App Store」から「Appのアップデート」をオフにしよう。

4 位置情報サービスをオフにする

設定から「プライバシー」をタップし、「位置情報サービス」をオフにする。位置情報の利用を許可したいアプリについては、それぞれ設定する。

5 電波が弱いときは機内モードにする

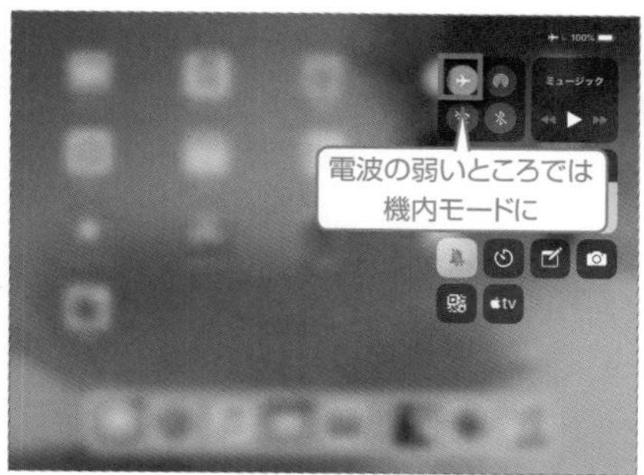

公共のWi-Fiなどの繋がりにくい電波は、電波を拾おうとして何度も接続を試みるので、電力が消費されやすい。コントロールセンターから機内モードにして通信機能をオフにしよう。

6 不要な通知はオフにする

設定から「通知」を開いて、普段から通知の必要ないアプリの通知をそれぞれオフにしよう。

Q. iPadを失くした

A. 「探す」で現在の位置を調べよう

iPadを失くしてしまった場合は、他のiPadやiPhoneの「探す」アプリを使いましょう。また、パソコンやAndroid端末のブラウザからiCloud（https://www.icloud.com）にアクセスして「iPhoneを探す」アプリを使うこともできます。iPadがオンライン状態だとわかったら、不特定の人物が使えないように速やかにロックしましょう。紛失したときのことを考慮して、設定から「アカウントとパスワード」→アカウントの「iCloud」をタップして「iPadを探す」を、常に有効にしておきましょう。

「探す」で紛失モードを設定する

1 「iPadを探す」を有効にする

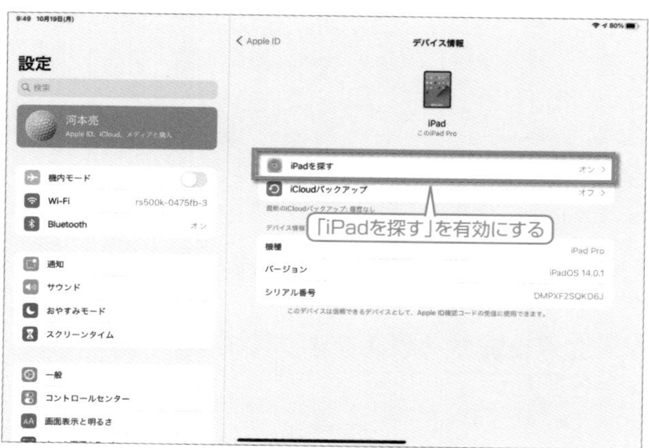

設定アプリを開き、アカウント名をタップ。「探す」をタップして「iPadを探す」を有効にしておこう。

2 「探す」を起動する

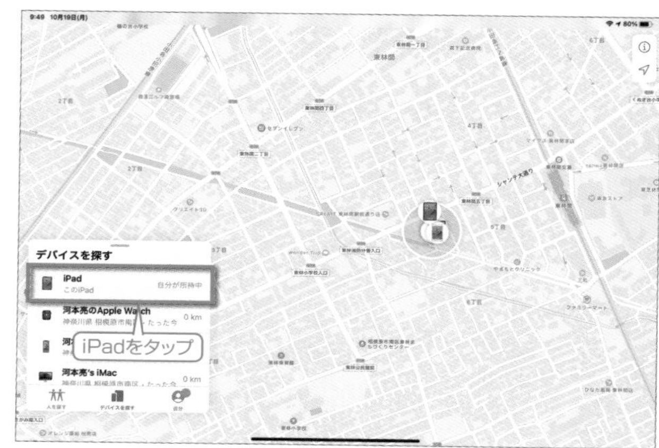

「探す」アプリを起動する。しばらく待つと、サインインしたApple IDを使っていた端末が表示される。探しているiPadを選択する。

3 iPadの情報が表示される

選択したiPadの位置情報の詳細が表示される。サウンド再生をタップすると端末から音を鳴らすことができる。

4 紛失としてマークする

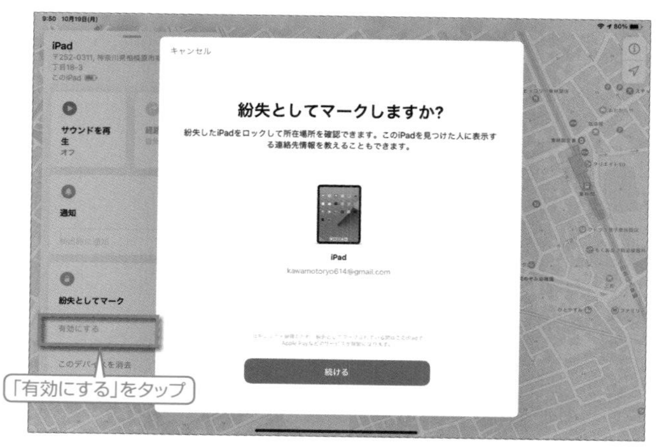

「紛失として一マーク」の「有効にする」タップしてパスコードを入力してiPadをロックしよう。

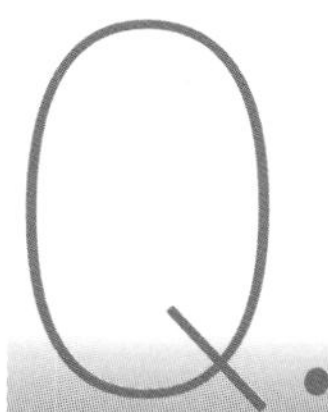

Q. どうしてもiPadの調子が回復しない

A. iPadを初期化して購入時と同じ状態に戻そう

アプリの挙動がおかしくなったときには、インストールしたアプリの削除と再ダウンロードを試す人も多いことでしょう。しかし、どうしてもおかしな挙動が直らなくなったときには、最後の手段としてiPadを購入したときと同じ状態に戻す(初期化)のも手です。iPad内にある、撮影した写真や動画の移動・バックアップを十分済ませたら、設定の「リセット」から「すべてのコンテンツと設定を消去」でiPadを初期化できます。初期化の前に、「すべての設定をリセット」を試してみるのもいいでしょう。

設定からiPadを初期化する

1 設定を開いて初期化を開始

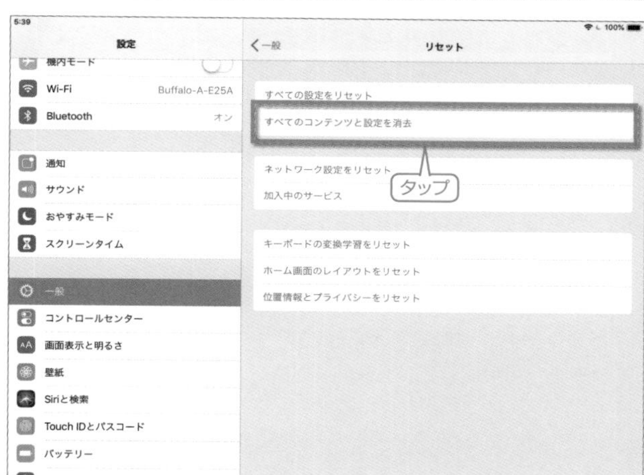

設定を開いて、「一般」→「リセット」を選択する。上から2番目にある「すべてのコンテンツと設定を消去」をタップする。

2 今すぐ消去を選択

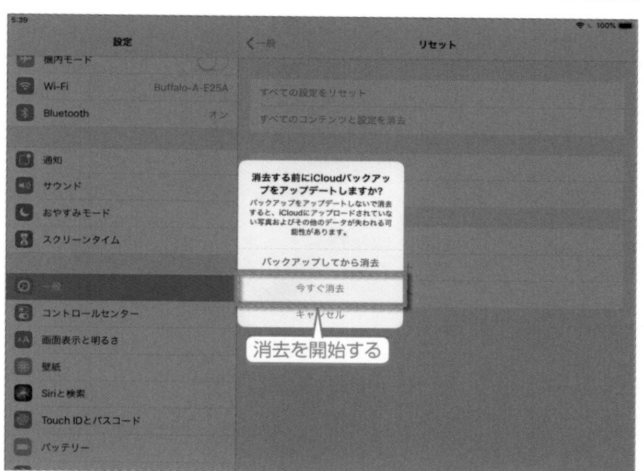

データのバックアップについて聞かれるので、バックアップが十分であれば「今すぐ消去」をタップする。

3 消去を2回選択する

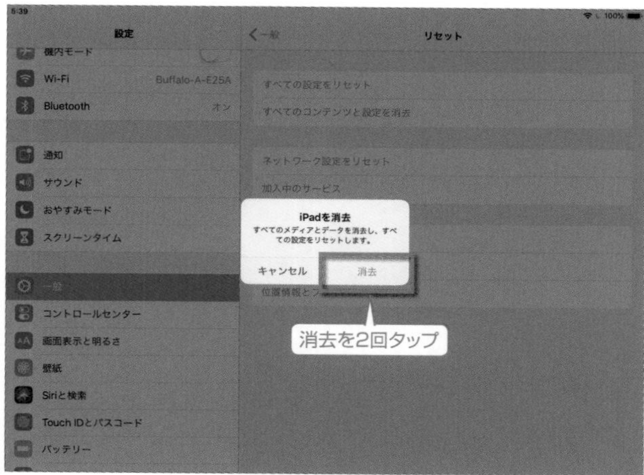

「今すぐ消去」を選択した後、確認のメッセージが表示されるので2回「消去」をタップする。

4 Apple IDのパスワードを入力する

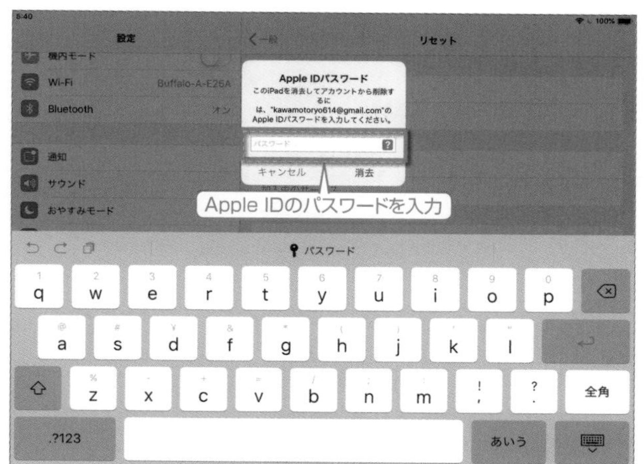

最後に、Apple IDのパスワードの入力を求められるので、入力してから「消去」をタップする。

メール

高機能メールアプリ「Spark」で効率化を図ろう

Spark

作者■Readdle Inc.
価格■無料

「Spark」は高機能で人気のiOS用のメールアプリだ。「スマート受信機能」は受信メールを「重要」「サービス通知」「メールマガジン」に分けてくれ、重要メールは通知もしてくれる。メールを処理する際は４つのスワイプ動作に対して、それぞれ処理作業を割り当てることができ、効率化を図れる。

サイトをページ全体をキャプチャできる

WebCollector

作者■Kazuya Ueoka
価格■無料

「WebCollector」を使えば、iPadのスクリーンショット機能で収まらない縦長のサイトのページをキャプチャすることができる。表示している画面全体を解像度の高いJPGファイルでカメラロールに保存してくれるので、プリントアウトも綺麗にできる。

使い捨てメアドを簡単に作る

捨てメアド

作者■Aki Ueno
価格■無料

懸賞などの応募にメインのメールアドレスを使うと、後でしつこく宣伝メールが来たりして煩わしいことになる。そんな時はこのアプリで使い捨てできるメールアドレスを取得しよう。受信メールは30日後に自動で削除される。IDとパスワードも発行されるので他のメールアプリでも利用可能だ。

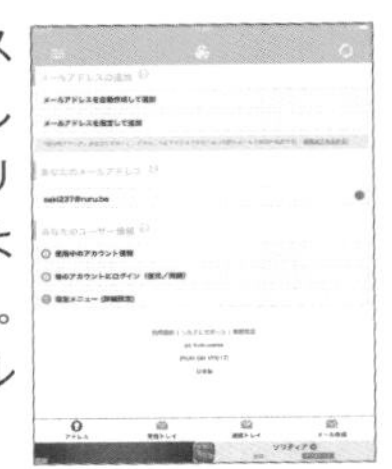

ユーティリティ

面倒なパスワードを一元管理しよう

1Password

作者■AgileBits Inc.
価格■無料（アプリ内課金あり）

Webサイトのサービスを使っていると知らず知らずの内にパスワードが増えていく。全部覚えることはできないし、かといって全部同じパスワードにするのも危険だ。「1Password」を使えば、違うパスワードを設定してもワンタップでログイン可能となる。他のiOS端末でも同期できる。

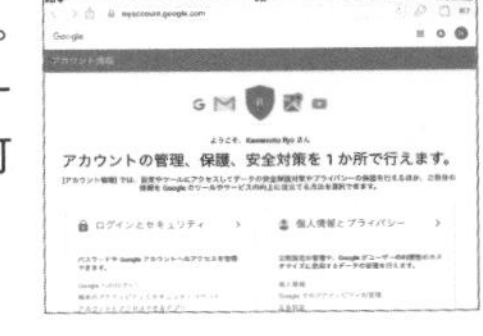

情報収集

気なったサイトは「あとで読む」機能でしっかりと読もう

Poket

作者■Read It Later,Inc
価格■無料 言語■英語

Safariのリーディングリスト機能はサイトの記事を読むのにオフラインでも使うことができ非常に便利だ。「Poket」を使えば連携機能が増え、さらに便利さが増すだろう。レイアウトも洗練され、読みやすさもアップする。気なったサイトの記事はPoketでじっくりと読もう。

良質な記事だけを厳選して配信してくれる

アンテナ

作者■GLIDER associates,INC.
価格■無料

「アンテナ」は200以上のWebメディアから毎日1,000以上の記事を厳選し、「暮らし」「女性」「おでかけ」などの様々なジャンルに分けて配信してくれるアプリだ。左右にスワイプすればジャンルが切り替わり、上下に動かせば、その中の記事を探すことができるというシンプル設計で使いやすい。

なんでも「あとで読む」にしてクリップボードに保存

Keep Everything

作者■groosoft
価格■無料

Safariのリーディングリストなど一般的な「あとで読む」機能は、Webサイトの記事に対応している。「Keep Everything」ならメルマガ、ツイッターに投稿されたツイートも「あとで読む」として保存することができる。保存した記事はオフラインでも読むことが可能だ。

ニュースやSNSが雑誌を読むように閲覧できる

Flipboad

作者■Flipboad Inc.
価格■無料

「Flipboad」は自分の関心事に関して、カテゴリを作ると「Flipboad」が自動で記事を選別して、雑誌風のレイアウトにしてくる。ランダムなコンテンツではなく、自分の興味のある事柄だけ情報を受け取ることができる。SNSのタイムラインも同様に雑誌風のレイアウトで読むことができる。

自分好みニュース記事を表示

Googleニュース

作者■Google
価格■無料

世界中のニュースサイトから自分の関心事にあわせ記事を自動で収集してくれるニュースアプリ。忙しいときでも気になるニュースをさっと目を通すことができる。また、地域をフォローするとその地域のローカルニュースを収集することもできる。キーワード検索でニュース記事を検索できるほか、検索条件を保存することができる。

ニュース記事を短時間でチェックできる

スマートニュース

作者■SmartNews
価格■無料

「スマートNews」は1,000万件以上のWebページを解析して、話題のニュース記事を厳選して配信してくれるアプリだ。話題になっているニュースを手早くチェックするのにこれほど適したアプリはない。多彩なカテゴリ分けでフィルタリング表示して閲覧することも可能だ。

写真

きめ細かく写真をレタッチできる

Pixelmator

作者■Pixelmator
価格■600円

iPadで本格的に写真レタッチできるアプリ。iPadに標準搭載されている「写真」アプリのレタッチ機能が物足りない場合に利用しよう。デザインの現場で使われる事が多いフォトショップと同様に、レイヤーを使った編集作業が可能で、色調補正や明るさの調整、切り抜き・フィルタなど多彩な機能を搭載している。フォトショップのファイル形式(PSD形式)にも対応し、編集した画像をPSD形式として保存することができる。

写真にモザイクや注釈を簡単に入れれる

Skitch

作者■Evernote
価格■無料

写真に文字や図形を手早く入れたいなら「Skitch」を利用しよう。フリーハンドによる素描、矢印・四角・丸といった図形、さらにさまざまなスタンプを挿入することができる。指定した箇所にモザイクを入れれることもできるので、第三者の顔や車のナンバーなどが映り込んだ際に利用しよう。

無音のカメラアップで静かに撮影しよう

Microsoft Pix

作者■Microsoft
価格■無料

「Microsoft Pix」は数ある無音カメラアプリの中でも秀逸なアプリといえる。デフォルトでもシャッター音はかなり小さい。また、カメラアプリとしてもボタンが少なくシンプルなアプリで使いやすい。自動補正やバーストの中から一番出来のいい写真を選んでくれるなど使い勝手がよい。

すぐに増えるカメラロール必要な写真だけを残したい

iフォトアルバム

作者■Naia Inc.
価格■無料

iPadで写真を撮るようになると、カメラロールは写真ですぐにいっぱいになってしまう。そんなときはパソコンに写真を移すなりすればいいが、iPadに残しておきたい写真もあるはずだ。「iフォトアルバム」でアルバムを作り、iPadに残しておきたい写真はそちらに移しておこう。

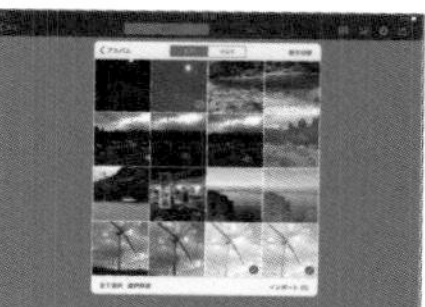

動画

YouTubeの動画をiPadに保存していつでも楽しもう

クリッチャ

作者■Yuichi Matsuoka
価格■無料

「クリッチャ」があれば、アプリ内ブラウザによる閲覧中のYouTube動画をタップひとつでiPadに簡単に保存できる。動画のURLを指定してダウンロードすることも可能だ。ダウンロードした動画は内蔵のプレイヤーで再生可能だ。バックグラウンド再生もでき、他の作業と並行して再生できる。

多様な動画・音楽ファイルに対応した最強プレイヤー

VCL for Mobile

作者■VideoLAN
価格■無料

「VCL for Mobile」は様々な音楽ファイル、動画ファイルの形式に対応し、再生可能な頼れるプレイヤーだ。もし、再生できないファイルがあればとりあえずはこの「VCL for Mobile」を試してみよう。また、クラウドサービス上にあるファイルを直接読み込み、再生することもできる。

人気のBSチャンネルが無料で観られる

Dlife

作者■The Walt Disney Company(Japan)Ltd.
価格■無料

ディズニーが配信する無料のBSチャンネル「Dlife」の公式アプリだ。会員登録や課金なしで、アプリを起動し、観たい番組をタップするだけですぐに視聴できる優れものだ。ディズニー公式だけに海外ドラマが豊富で、人気のドラマや韓流ドラマを多数閲覧することができる。

動画や写真を組み合わせて動画を編集・作成できる

Clips

作者■Apple
価格■無料

「Clips」はAppleの動画編集アプリだ。写真や動画を組み合わせて新たに動画を作成したり、ビデオクリップの長さを調節したり、複数の動画を繋げた上で自在に再生順序を指定することが可能だ。さらに編集した動画をYouTubeやInstagramに投稿できる機能も備えている。

ホームネットワーク上の音楽ファイルを再生できる

mconnect player Lite

作者■ConversDigital CO.,Ltd.
価格■無料

「mconnect player Lite」ならホームネットワーク（DLNA）に接続されたテレビ、ゲーム機器にアクセスして、コンテンツを再生することが可能となる。またDropboxに保存されているファイルも再生できるほか、TIDALやQobuzといったインターネット音楽配信サービスにも接続、再生できる。

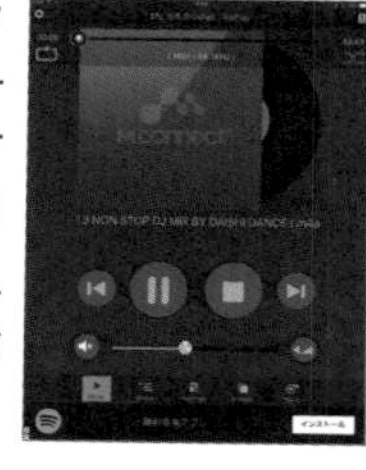

楽曲の歌詞を再生できるプレーヤー

プチリリ

作者■SyncPower Corporation
価格■無料

邦楽はもちろん洋楽にも対応したリアルタイムで歌詞を表示してくれるプレーヤーだ。現在再生している箇所の歌詞は色を変えて表示してくれるので、カラオケの練習にはうってつけだ。歌詞が見つからない場合は手動で検索する画面委切り替わる。歌詞のリクエストを送ることもできる。

仕事

ボイスレコーダーに録音して楽曲ができる
Music Memos
作者■Apple
価格■無料

Apple製の作曲アプリが「Music Memos」だ。頭に浮かんだメロディをボイスレコーダーで録音。音声は自動解析され、その音声に自動でベースやドラムを追加して再生できる。ピアノやアコースティック・ギターを録音すれば、即楽曲が出来上がる。テンポ、コードの変更にも対応している。

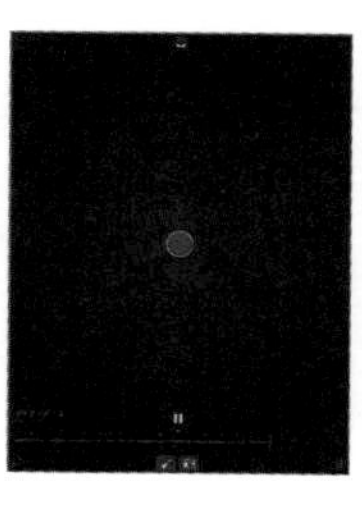

あらゆる情報を記録できる無料クラウドノート
Evernote
作者■Evernote
価格■無料

「Evernote」は文字データ、写真、ボイスメモ、動画などあらゆるデータを記録できるクラウド・ノートアプリだ。無料で同期できる端末は２台までだが、iPadで記録したデータを会社のパソコンで見たり、逆も可能だ。カメラ機能では印刷物を撮影すると傾きやコントラストを自動補正してくれる。

無料で使えるMicrosoft純正の表計算アプリ「Excel」
Microsoft Excel
作者■Microsoft
価格■無料

会社でMicrosoft OfficeのExcelを使用しているユーザーにとって機能が制限されてはいるが純正のiOS用アプリは有用だ。Microsoftアカウントで無料ユーザーでも基本機能や新規ドキュメントの作成が利用できる。Office365を契約しているアカウントを利用すればフル機能が利用可能だ。

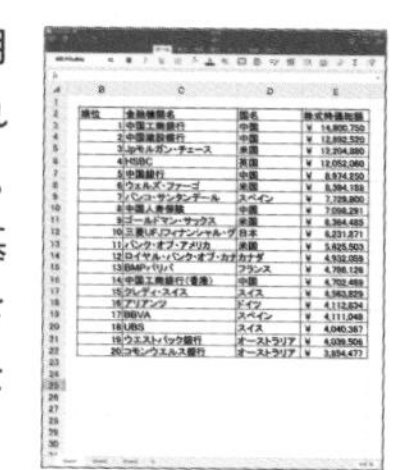

無料で使えるMicrosoft純正の文書作成アプリ「Word」
Microsoft Word
作者■Microsoft
価格■無料

会社でMicrosoft OfficeのWordを使用しているユーザーにとって機能が制限されてはいるが純正のiOS用アプリは有用だ。Microsoftアカウントで無料ユーザーでも基本機能や新規ドキュメントの作成が利用できる。Office365を契約しているアカウントを利用すればフル機能が利用可能だ。

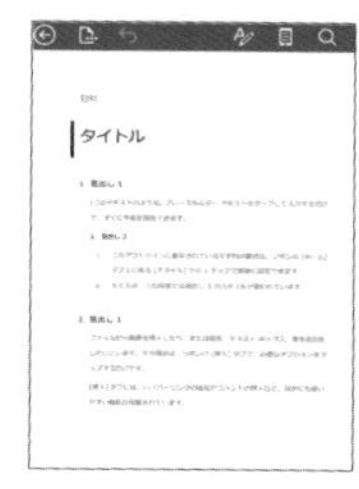

無料で使えるMicrosoft純正のプレゼンアプリ「PowerPoint」
Microsoft PowerPoint
作者■Microsoft
価格■無料

会社でMicrosoft OfficeのPowerPointを使用しているユーザーにとって機能が制限されてはいるが純正のiOS用アプリは有用だ。Microsoftアカウントで無料ユーザーでも基本機能や新規ドキュメントの作成が利用できる。Office365を契約しているアカウントを利用すればフル機能が利用可能だ。

手書きメモをテキスト化して保存・活用できる
GoodNote5
作者■Time Base Technology Limited
価格■980円

手書きメモがテキストファイル化できれば、コピペできたりと大変便利だ。「GoodNote5」は高度なOCR機能を搭載しており、手書きメモも読み取ってテキストデータに変換することができる。読み取り精度は驚くほど高い。読み込んだメモの内容をキーワードで検索することもできる。

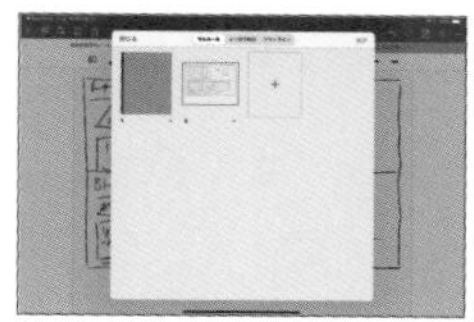

見やすい表示とシンプル操作で使いやすいカレンダー
Calendars
作者■Readdle
価格■無料

シンプルな操作と表示でスケジュール管理をサポートしてくれるのが「Calendars by Readdle」だ。iPad上のすべてのカレンダーに加え、Googleカレンダーのアカウントも登録できる。ドラッグ操作で日時変更ができるなど、ストレスなく使える操作性が光るおすすめカレンダーだ。

ToDoやタスクをリストでスッキリと管理できる
Microsoft to Do
作者■Microsoft To Do
価格■無料

期限のある課題や約束（タスク）のほかに期限を設けていない為すべきこと（ToDo）をリストにまとめて管理できる。期限があるタスクはプッシュによる通知のほか、メールで送信することも可能だ。PC版やWeb版もあるので複数の端末でどこでもするべきこと忘れることなく管理できる。

スキャンしたデータをテキストに変換するOCRカメラ
Office Lens
作者■Microsoft
価格■無料

「Office Lens」の「ドキュメント」モードで撮影すれば、本やホワイトボード、名刺の文字を認識してテキストデータに変換してくれる。テキスト入力の手間を大幅にカットできてしまう。変換されたテキストデータはOfficeアプリに簡単に移すことができるので、大いに活用可能だ。

文字数指定で書く場合に便利! 縦書きも対応の高機能エディタ

iライターズ

作者■LIGHT,WAY.
価格■400円

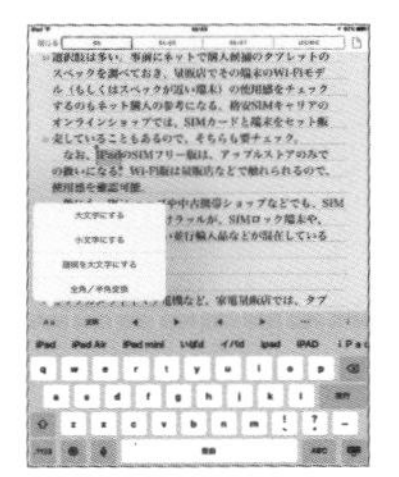

1行当たりの文字数固定や行番号表示に対応しているのが「iライターズ」だ。縦書きや原稿用紙モードも搭載し、本格的な原稿執筆が可能だ。学校の課題、定型の文書など文字数が決められた文書作成には特に威力を発揮するだろう。入力済みの文字の再変換など便利機能も搭載している。

Wi-Fi経由でiPadから直接プリントアウトできる

Epson iPrint

作者■Seiko Epson Corporation
価格■無料

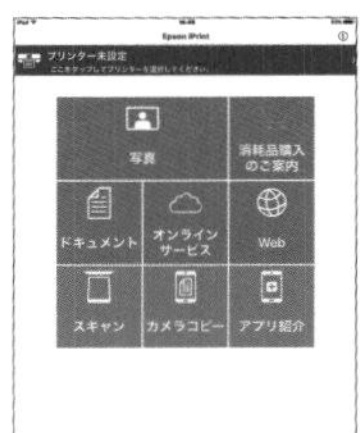

「Epson iPrint」はiPadから直接Wi-Fi機能を搭載したプリンターでプリントアウトしてくれるアプリだ。iPadをパソコンに接続したり、ネット経由で移動したりしなくてもプリントアウトできるので、手間が省ける。このアプリはエプソン専用だが、キャノンやHPからもリリースされている。

iPadで出先のコンビニでプリントアウトできる

netprint

作者■Fuji Xerox Co., Ltd.
価格■無料

iPadのファイルをセブンイレブンでプリントアウトできるアプリが「netprint」だ。フォトライブラリに保存されている写真をこのアプリへ登録しよう。予約番号が発行されたら、あとは最寄りのセブンイレブンに立ち寄り、設置されているマルチコピー機でプリントアウトできる。

快適生活

月400円で450誌以上の雑誌が読み放題!

dマガジン

作者■株式会社NTTドコモ
価格■無料(月額課金400円)

「dマガジン」はNTTドコモの電子書籍のオンラインストアで、月額400円(税抜)で人気雑誌を多数含む450誌以上の最新号、最大1年分のバックナンバー約1,700冊が読み放題となるサービスだ。ドコモユーザーでなくとも会員登録するだけで利用できる。一部のページだけなら無料で試し読みもできる。

話題のフリーマーケット「メルカリ」をiPadで楽しもう

メルカリ

作者■Mercari,Inc.
価格■無料

メルカリの公式アプリ。出品が簡単で誰でも参加できることからますます人気を伸ばしている。iPadで出品物を撮影したら「メルカリ」の画面にしたがって商品説明を入れていくだけで出品できる。基本利用料は無料だが、売買が成立した場合には、販売価格の10%を手数料として支払う。

無料で英語リスニングを強化!

英検リスニングマスター5級4級

作者■WAO CORPORATION
価格■無料

「英検リスニングマスター5級4級」で手軽に英語を学ぶことができる。英検5級と4級のリスニング問題10回分(550問)を無料が無料で提供され、イラストを見て答えるイラスト聴解や、長文を聴いて質問に答える長文聴解にも対応。3級版もありリスニング問題300問を無料で提供。

kindleをiPadに音声読み上げで「読んで」もらおう

kindle

作者■AMZN Mobile LLC
価格■無料

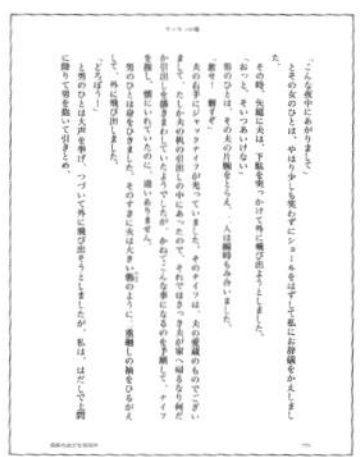

iPadの標準機能である音声読み上げ機能で、電子書籍をiPadに読んでもらおう。「設定」→「一般」→「アクセシビリティ」→「ショートカット」→「VoiceOver」にチェック。kindleで書籍を開きホームボタンを3回押し。2本指で下にスワイプ。読了後はホームボタン3回押しで終了となる。

iPadから無料でFAXを送る

FAX.de FAX-it!

作者■FAX.de Gmbh
価格■無料　言語■英語

「FAX.de FAX-it!」は1日1枚だけ無料でファックスを送ることができる。アプリを起動したら、iPadのカメラで送りたい書類などを撮影して画像データにして、相手のファックス番号を指定すれば送信することができる。画像データだけでなくテキストファイルも読み込ませて送信できる。

スーパーなどのチラシをiPadで見る

シュフーチラシアプリ

作者■TOPPAN PRINTING CO,.LTD.
価格■無料

新聞などといっしょに入ってくる近隣地域の広告チラシを閲覧することができるのが「シュフーチラシアプリ」。GPSや郵便番号で地域の広告チラシを探すことができる。チラシは縮小・拡大して閲覧することができ、裏面がある場合は「めくる」で裏面も見ることができる。

銀行口座やポイントの残高を一元管理
Moneytree
作者■Moneytree
価格■無料

銀行口座の出入金や残高、クレジットカード、ポイントカードの決済記録を管理できるのが「Moneytree」だ。銀行口座を入力すると預金残高情報をiPadに表示してくれるだけでなく、出入金があるたびに自動で記録をつけてくれる。このアプリで無駄遣いを減らし、ポイントを貯めよう。

最新ニュースを読み上げてくれるアプリ
朝日新聞アルキキ for iPad
作者■株式会社朝日新聞
価格■無料

「アルキキ for iPad」は朝日新聞の最新ニュースを音声で読み上げてくれるニュースアプリだ。画面を見ずにニュースをチェックできるので、ちょっとした作業中でもしっかり最新トピックスをチェックできる。設定したタイミングで自動的に読む機能も搭載されているのでアラーム代わりにも！

電車など交通機関の乗り換えにルートを素早く検索する
乗換NAVITIME
作者■NAVITIME JAPAN CO,.LTD.
価格■無料

「乗換案内NAVITIME」ならキーボードで駅名を入力することなく首都圏などでは路線図からワンタッチで出発駅や到着駅を指定できる。路線図は首都圏、関西、名古屋など7種類切り替えられる。検索条件に路線バスや飛行機を含めたり、歩く速度なども対応している。

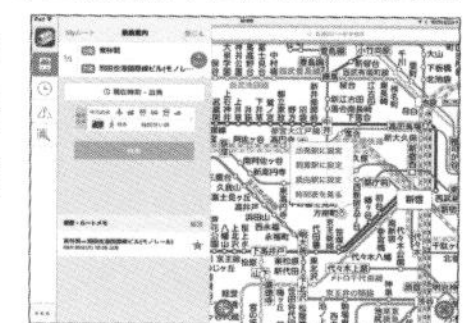

自分のイビキをチェックできる
いびきラボ
作者■Reviva Softworks Ltd.
価格■無料

「いびきラボ」はいびきを録音するレコーダーアプリだ。録音されたいびきは、グラフで示され視覚的に自分の睡眠の状態が把握できる。録音した音源をもとに要因や対策も示してくれる。一人暮らしの人でも睡眠時無呼吸症候群の発見にもつながることもあり、一度トライしてみては？

毎日の献立にも特別なご馳走にも大活躍の料理レシピアプリ
クックパッド
作者■COOKPAD INC.
価格■無料

ユーザーがレシピを投稿し、日々レシピが溜まる最強レシピアプリが「クックパッド」だ。材料、料理名でのレシピ検索はもちろん、「ずほら」「クリスマス」といったワードでも検索できる。お気に入りレシピを登録しておく「My フォルダ」を利用するにはIDを登録する必要がある。

iPadの使い勝手がグンとアップするお手軽周辺機器たち

iPad内のデータをワイヤレスでバックアップ
RAVPower Wi-Fi SDカードリーダー

iPadや保存されている写真や動画をWi-Fi経由でSDカードやUSBやHDDに保存できるWi-Fiストレージ。また、6700mAhモバイルバッテリーを搭載しており、最大8.4時間の連続使用ができる。参考価格：6,999円

iPadでテレビを観る! フルセグチューナー
XIT-STK200-LM（ピクセラ）

Lightning接続したiPadからの給電で動作するフルセグチューナー。再生中に画面をタップするだけで録画も可能だ。画像はiPhoneだがiPadでも問題なく利用できる。参考価格：13,525円。

iPad専用の格安キーボード
COO　iPad 第8世代 キーボード ケース

Bluetoothキーボードと保護ケースが一体化したiPad用のキーボードケース。ペンシルホルダー付き。iPad 10.2インチ/iPad Air 3/iPad Pro 10.5インチに対応している。参考価格：3,299円

iPadをスタイリッシュかつ快適に活用
タブレット スタンド ホルダー（LomicallDirect）

食卓やキッチン、場所さえあればiPadをかっこよく設置できるタブレットスタンだ。滑り止め、落下防止などが工夫されしっかりとした安定感がある。素材は軽いアルミ合金を採用。色はシルバー。miniからProまで幅広く対応。重量200g／参考価格：1,899円。

iPad
使いこなし
早わかりガイド
（令和3年最新版）

2020年12月10日発行

執筆
河本 亮

表紙&本文デザイン
高橋コウイチ（wf）

イラスト
浦崎安臣 (Studio UCO)

本文DTP
西村光賢

スタンダーズ株式会社
〒160-0008 東京都新宿区
四谷三栄町12-4 竹田ビル3F
営業部 ☎03-6380-6132

印刷所
中央精版印刷株式会社

編集発行人
佐藤孔建

◉本書のテクニックを試すことにより、ご所有のiPadが不調になったり、最悪の場合、機能停止になる場合もあります。くれぐれも慎重に、自己判断・自己責任において実行していただくようにお願いいたします。

◉本書に関するご質問や、落丁本、乱丁本などの不良品につきましては、Eメール（info@standards.co.jp）にてご連絡ください。 質問に関しましては、書名、質問箇所（ページ数）と質問内容を具体的にお書きください。 ご質問の内容によってはお答えできないものや返答に時間がかかってしまうものもありますので、あらかじめご了承ください。また、本書の内容を超えるご質問にはお答えできません。 なお、お電話でのお問い合わせは受け付けておりません。

◉著者および株式会社スタンダーズは本書の内容が正確であることに最善の努力を払いましたが、内容はすべての状況下において完全に正確であることを保証するものではありません。また本書の内容および本書に含まれる情報、データ、プログラム等の利用によって発生する損害に対しての責任は負いません。あらかじめご了承ください。